Hernandes Dias Lopes

HEBREUS

A superioridade de Cristo

1ª edição: junho de 2018
5ª reimpressão: fevereiro de 2022

Revisão
Andrea Filatro
Josemar de Souza Pinto

Diagramação
Cátia Soderi

Capa
Claudio Souto (layout)
Equipe Hagnos (adaptação)

Editor
Aldo Menezes

Coordenador de produção
Mauro Terrengui

Impressão e acabamento
Imprensa da Fé

Editora Hagnos Ltda.
Av. Jacinto Júlio, 27
04815-160 — São Paulo, SP
Tel.: (11) 5668-5668

E-mail: hagnos@hagnos.com.br
Home page: www.hagnos.com.br

Editora associada à:

Dados Internacionais de Catalogação na Publicação (CIP)
Angélica Ilacqua CRB-8/7057

Lopes, Hernandes Dias

Hebreus: a superioridade de Cristo / Hernandes Dias Lopes — São Paulo: Hagnos, 2018. (Comentários Expositivos Hagnos).

ISBN 978-85-7742-220-3

1. Bíblia NT - Hebreus: comentários 2. Jesus Cristo I. Título

18-0170 CDD 227.8707

Índices para catálogo sistemático:
1. Bíblia: NT - Hebreus 227.8707

Dedicatória

DEDICO ESTE LIVRO ao reverendo Milton Ribeiro, amigo precioso, companheiro de jornada, servo do Altíssimo, pastor de almas, homem segundo o coração de Deus.

Sumário

Prefácio

Tenho a grande alegria de entregar aos nossos leitores o comentário expositivo sobre a carta aos Hebreus. Mesmo não tendo plena garantia sobre quem escreveu a carta e para quem ela foi escrita, essa epístola fala, como nenhum outro livro do Novo Testamento, sobre a singularidade da pessoa e da obra de Cristo Jesus. Se pudéssemos resumir essa robusta obra num único verbete, optaríamos pela palavra "melhor". Jesus é melhor que os profetas, que os anjos, que Moisés, que Josué, que Arão. Ele é o melhor sacerdote, que ofereceu o melhor sacrifício e firmou a melhor aliança. Jesus é o Sumo Sacerdote que, depois de morrer por nós, foi exaltado às alturas e está à destra de Deus, intercedendo por nós.

Estudar essa carta é sair das sombras para a luz do dia perfeito. É deixar as promessas para tomar posse da realidade. É entender que o Antigo Testamento aponta para Jesus e, com sua vinda ao mundo, sua morte, ressurreição e ascensão, a nossa redenção foi consumada. Estou convencido de que a epístola aos Hebreus é a chave hermenêutica para entender o Antigo Testamento. Ouso afirmar que Hebreus é o livro mais importante do Novo Testamento para entendermos o propósito do Antigo Testamento. Nenhum livro do Novo Testamento é mais estratégico para compreender a transição do judaísmo para o cristianismo. Essa carta mostra, com eloquência singular, a conexão vital entre o Antigo e o Novo Testamentos. Mostra, com diáfana clareza, o Novo Testamento como cumprimento do Antigo Testamento.

Hebreus é o maior compêndio da Bíblia sobre o sacerdócio de Cristo. Nenhum livro das Escrituras trata dessa matéria com tanta profundidade. Por essa razão, nenhum livro do Novo Testamento cita tanto o Antigo Testamento como Hebreus. O autor apresenta, cuidadosamente, a consumação do Antigo Testamento no Novo Testamento. Um não está em oposição ao outro. Ao contrário, eles se complementam. O Antigo Testamento fala da promessa, e o Novo Testamento, do cumprimento da promessa. O Antigo Testamento anuncia o Cristo da profecia, e o Novo Testamento revela o Cristo da história. O Antigo Testamento é a preparação para o Novo Testamento. O cristianismo é o cumprimento do judaísmo. As sombras deixam de existir quando a luz plena desponta.

Em virtude dessa verdade magna, deixar o cristianismo para voltar às fileiras do judaísmo é dar marcha a ré, é retroceder, é voltar à sombra. Deixar Cristo para voltar aos rudimentos da lei é apostatar da fé e incorrer num erro fatal. Não há salvação, exceto em Cristo. Deixar Cristo, portanto, é fechar a porta da graça e lavrar sobre si a própria sentença de condenação.

Numa época em que, por perseguição ou sedução do mundo, muitas pessoas abandonam, ainda hoje, a fidelidade a Cristo, o estudo dessa carta torna-se uma necessidade imperativa. Vamos juntos examinar essa maiúscula epístola e receber dela toda instrução, exortação e consolo.

Hernandes Dias Lopes

Introdução à carta aos Hebreus

A carta aos Hebreus é chamada de "o quinto Evangelho". Os quatro Evangelhos relatam o que Cristo fez na terra; Hebreus registra o que Cristo continua fazendo no céu. David Peterson diz que Hebreus é uma mina de ouro para aqueles que desejam cavá-la.[1]

Essa epístola apresenta com eloquência incomparável a superioridade de Cristo em relação aos profetas, aos anjos, a Moisés, a Josué e a Arão. O sacrifício que Cristo ofereceu foi melhor do que o sacrifício que os sacerdotes apresentaram. A aliança que ele firmou é superior à antiga aliança. Jesus é um Sacerdote superior aos sacerdotes levíticos. Aqueles eram homens imperfeitos, que ofereciam sacrifícios imperfeitos, realizados por sacerdotes imperfeitos. Jesus é o sacerdote perfeito, que ofereceu a si mesmo, um sacrifício perfeito, para aperfeiçoar homens imperfeitos.

Craig Keener diz que Cristo é superior aos anjos (1.1-14) que entregaram a lei (2.1-18). Ele é superior a Moisés e à terra prometida (3.1–4.13). Como um sacerdote segundo a ordem de Melquisedeque, ele é maior que o sacerdócio do Antigo Testamento (4.14–7.28), porque está ligado a uma nova aliança (8.6-13) e ao culto do templo celestial (9.1–10.18).[2] Thomas Watson diz que Jesus Cristo é a soma e a essência do evangelho. Ele é a maravilha dos anjos, a felicidade e o triunfo dos santos. O nome de Cristo é doce, é música aos ouvidos, mel na boca, calor no coração.[3]

Destacamos a seguir alguns pontos importantes para o nosso estudo.

O autor da carta

Diferentemente das demais epístolas do Novo Testamento, Hebreus não apresenta em seu preâmbulo o nome do autor, nem mesmo os destinatários. Alguns estudiosos são inclinados a crer que essa carta foi escrita por Paulo. Outros pensam que foi Lucas o seu autor. Há aqueles que defendem que foi Barnabé quem a escreveu, e outros ainda alegam que foi Apolo. Essas opiniões, entretanto, carecem de confirmação. Orígenes, ilustre Pai da igreja, chegou a dizer que só Deus conhece quem foi o autor de Hebreus.[4]

Em Hebreus 2.3, o escritor indica que ele e os leitores dessa carta pertencem à segunda geração de seguidores de Cristo, ou seja, eles não tinham ouvido o evangelho do próprio Jesus. Kistemaker, com razão, escreve: "Esse fato exclui a possibilidade da autoria apostólica da carta aos Hebreus. Porque o autor afirma que ele e seus leitores tinham de confiar nos relatos dos seguidores diretos de Jesus".[5] Estamos de acordo, portanto, à luz desse fato, que, não obstante haja muitas semelhanças com as cartas paulinas, dificilmente o apóstolo Paulo teria sido o autor dessa epístola. Até porque, em todas as epístolas do veterano apóstolo, ele se identificou como remetente e apontou seus destinatários.

Os destinatários

Embora não haja, de forma explícita, na carta, o nome dos destinatários, podemos concluir, à luz de um exame mais detido da epístola, que essa missiva foi enviada aos crentes judeus, que, sob perseguição, estavam sendo tentados a voltar para o judaísmo.

Através dessa carta, o autor encorajou os crentes a se firmarem na fé, em vez de retrocederem na fé. Exortou-os a considerar a obra de Cristo como consumação de todos os sacrifícios realizados na antiga aliança. Deixou claro que o judaísmo desembocava no cristianismo e que este era o cumprimento daquele.

Essa carta combina doutrina com exortação, exposição com advertência, ensino com admoestação. Por causa da severa perseguição aos cristãos, os crentes estavam sendo tentados a voltar para o judaísmo, virando as costas para a fé que haviam abraçado. É para essa igreja que o autor endereça sua carta.

A data em que a carta foi escrita

Essa informação também não é oferecida com precisão, mas podemos inferir, com certa garantia, que a carta foi escrita antes do ano 95 d.C., pois Clemente de Roma, em 95 d.C., faz referência a essa epístola. Também podemos imaginar que ela foi escrita antes da destruição de Jerusalém, no ano 70 d.C., pelo general Tito, pois não há nenhuma menção desse episódio tão dramático e que provocou efeitos tão devastadores, mormente para os judeus.

Augustus Nicodemus tem razão ao dizer que essa carta foi escrita, provavelmente, em meados da década de 60, pouco antes da destruição do templo de Jerusalém, porque aqui o autor faz menção das coisas do templo e dos sacrifícios, como se o templo e os sacrifícios ainda estivessem em vigor e funcionando; portanto, a data deve ser anterior à destruição, que aconteceu em 70 d.C.[6]

Visto que Timóteo havia sido libertado recentemente da prisão (13.23) e, ao que tudo indica, a obra foi escrita na Itália (13.24), podemos supor que Timóteo foi aprisionado durante a perseguição de Nero.[7] Essa perseguição foi desencadeada em julho de 64 d.C., quando os crentes foram acusados de serem os responsáveis pelo incêndio de Roma.

As principais ênfases da carta aos Hebreus

O propósito do autor ao escrever essa epístola foi despertar nos leitores o desejo de ficarem firmes no cristianismo, em vez de voltar para o judaísmo.

Por ter como objetivo precípuo mostrar que o Novo Testamento é o cumprimento do Antigo Testamento, Hebreus é o livro do Novo Testamento que mais cita o Antigo Testamento.[8] David Peterson diz que Hebreus parece ser um dos livros mais difíceis de ser entendido do Novo Testamento e um dos mais difíceis de ser aplicado no mundo moderno.[9] Por outro lado, é o livro mais importante para entender o efeito pedagógico dos rituais do Antigo Testamento como preparação para o sacrifício perfeito de Cristo. Por causa de sua forte ênfase apologética, Craig Keener diz que essa carta se assemelha mais a um tratado que a uma carta normal, com exceção das saudações finais.[10]

Warren Wiersbe trata a carta aos Hebreus como um livro de estimativas, exortação, exame, expectativa e exaltação.[11] Vamos dar uma olhada nessas cinco áreas destacadas por Wiersbe.

Em primeiro lugar, *Hebreus é um livro de estimativas.* O verbete *superior* é usado 13 vezes nessa carta. Cristo é superior aos profetas, aos anjos, a Moisés, a Josué e a Arão. Ele trouxe uma esperança superior (7.19), pois é o Mediador de uma *superior aliança instituída com base em superiores promessas* (8.6). Turnbull, nessa mesma linha de pensamento, tratando da superioridade do cristianismo sobre o judaísmo, elenca oito razões para provar sua tese: 1) Jesus é melhor que os profetas (1.1-3); 2) Jesus é melhor que os anjos (1.4–2.18); 3) Jesus é melhor que Moisés e Josué (3.1–4.13); 4) Jesus é melhor que Arão (4.14–7.28); 5) Jesus é ministro de um melhor concerto (8.1-13); 6) Jesus presta um melhor serviço (9.1-12); 7) Jesus oferece um melhor sacrifício (9.13–10.28); 8) Jesus proporciona um motivo melhor de fé (10.19–12.3).[12]

Em segundo lugar, *Hebreus é um livro de exortação.* O autor chama a carta de *palavra de exortação* (13.22). A epístola tem várias exortações, fazendo a aplicação da doutrina (2.1-4; 3.12–4.3; 4.14-16; 5.11–6.8; 10.32-39; 12.14-17; 12.25-29). Turnbull menciona cinco sintomas de atrofia espiritual dos crentes hebreus: 1) Os leitores negligenciavam o culto público (10.25). 2) Sua fé primitiva se tinha enfraquecido muito (10.32). 3) Eles abandonaram ou relaxaram os seus esforços (12.12). 4) Havia uma tendência para darem ouvidos a novas e estranhas doutrinas (13.9).

5) Eles demonstravam um ar de falsa independência com relação a seus mestres (13.7,17,24).[13]

Em terceiro lugar, *Hebreus é um livro de exame*. O templo, os sacrifícios e a cidade de Jerusalém seriam abalados e deixariam de existir. Deus estava "abalando" a ordem das coisas (12.25-29), pois desejava que seu povo se firmasse sobre os alicerces sólidos da fé, em vez de firmá-los sobre coisas que desapareceriam. Num mundo que está desmoronando, nosso coração deve estar confirmado com graça (13.9). Temos um reino inabalável (12.28). A palavra de Deus é firme (2.2), e firme também é a nossa confiança em Cristo (6.19).

Em quarto lugar, *Hebreus é um livro de expectativa*. A carta aos Hebreus lança luz sobre o futuro. O autor fala sobre *o mundo que há de vir* (2.5). Os cristãos estão ligados àquele que é o herdeiro de todas as coisas (1.2). Teremos parte na *promessa da eterna herança* (9.15). Como os patriarcas descritos em Hebreus 11, estamos olhando para a cidade vindoura de Deus (11.10-16,26). Aqui, somos estrangeiros e peregrinos (11.13).

Em quinto lugar, *Hebreus é um livro de exaltação*. A carta aos Hebreus exalta a pessoa e a obra de Cristo. Cristo é o Profeta e a mensagem. Cristo é o Sumo Sacerdote e o sacrifício. Cristo é o Rei dos reis e o servo. Ele é o Filho, o criador, o sustentador do Universo, o redentor, o Rei glorioso (1.1-3).

NOTAS

[1] PETERSON, David G., *Hebrews*. In: *New bible commentary*. Downers Grove, IL: Intervarsity Press, 1994, p. 1321.

[2] Keener, Craig S., *Comentário histórico-cultural da Bíblia.* São Paulo, SP: Vida Nova, 2017, p. 757.
[3] Watson, Thomas, *A fé cristã.* São Paulo, SP: Cultura Cristã, 2009, p. 194.
[4] Laubach, Fritz, *Carta aos Hebreus.* Curitiba, PR: Editora Evangélica Esperança, 2000, p. 19.
[5] Kistemaker, Simon, *Hebreus.* São Paulo, SP: Cultura Cristã, 2003, p. 87.
[6] Lopes, Augustus Nicodemus, *Hebreus.* São Paulo, SP: Cultura Cristã, 2016, p. 80.
[7] Keener, Craig S., *Comentário histórico-cultural da Bíblia*, p. 756.
[8] Ohler, Annemarie; Menzel, Tom, *Atlas da Bíblia.* São Paulo, SP: Hagnos, 2013, p. 424.
[9] Peterson, David G., *Hebrews*, p. 1321.
[10] Keener, Craig S., *Comentário histórico-cultural da Bíblia*, p. 757.
[11] Wiersbe, Warren W., *Comentário bíblico expositivo,* vol. 6. Santo André, SP: Geográfica Editora, 2006, p. 256-361.
[12] Turnbull, M. Ryerson, *Levítico e Hebreus.* São Paulo, SP: Casa Editora Presbiteriana, 1988, p. 102.
[13] Ibidem., p. 96.

[illegible] São Paulo, SP: Vida [illegible], p. 5[illegible].

[illegible] São Paulo, SP: [illegible] 2009, p. 191.

[illegible] Editora Evangélica [illegible]

[illegible] São Paulo, SP: [illegible] 20[illegible], p. 8[illegible].

LOPES, Augustus Nicodemus. *Hebreus*. [illegible] SP: Cultura Cristã, 2010, p. 38.

[illegible] *Bíblia*, p. [illegible].

[illegible] São Paulo, SP: Hagnos, [illegible] 24.

[illegible] p. [illegible]

[illegible] *Bíblia*, p. 70[illegible].

[illegible] Santo André, SP: [illegible] 2006, p. [illegible]

[illegible] SP: Casa Editora Presbiteriana, [illegible] 19[illegible]

[illegible]

Capítulo 1

A superioridade do Filho em relação aos profetas

(Hb 1.1-3)

A CARTA AOS HEBREUS, com singular beleza e não menor profundidade, declara, de forma decisiva e peremptória, a existência de Deus. Por mais que os ateus neguem sua existência e os agnósticos acentuem a impossibilidade de conhecê-lo, Deus existe. Deus não apenas existe, mas também se revelou. O conhecimento de Deus não se dá por meio da investigação humana, mas pela autorrevelação divina. Só conhecemos a Deus porque ele se revelou a nós.

Deus se revelou

Como Deus se revelou? Deus se revelou de forma natural na criação e de forma especial em sua Palavra. A revelação natural é suficiente, mas não eficiente. Embora a obra da criação seja suficiente para o homem reconhecer a existência de Deus e tornar-se indesculpável diante dele, não é eficiente para levar o homem a um relacionamento pessoal com Deus. O apóstolo Paulo escreve: *Porque os atributos invisíveis de Deus, assim o seu eterno poder, como também a sua própria divindade, claramente se reconhecem, desde o princípio do mundo, sendo percebidos por meio das coisas que foram criadas. Tais homens são, por isso, indesculpáveis* (Rm 1.20). Davi foi enfático ao dizer: *Os céus proclamam a glória de Deus e o firmamento anuncia as obras de suas mãos* (Sl 19.1).

O Universo vastíssimo e insondável, com mais de 93 bilhões de anos-luz de diâmetro, é o palco onde Deus reflete a glória de sua majestade. Vemos as digitais do Criador nos incontáveis mundos estelares, bem como na singularidade de uma gota de orvalho. Tanto o macrocosmo como o microcosmo anunciam a grandeza de Deus.

E mais, Deus se revelou na consciência humana (Rm 2.15). O filósofo alemão Immanuel Kant declarou: "Há duas coisas que me encantam: o céu estrelado acima de mim e a lei moral dentro de mim". Deus colocou dentro do homem um sensor chamado consciência. É uma espécie de alarme que toca sempre que o homem transgride um preceito moral. Essa consciência acusa-o e defende-o. Porém, em virtude do pecado, a consciência do homem pode tornar-se fraca e até cauterizada, sendo, portanto, insuficiente para revelar-lhe claramente a pessoa de Deus.

A carta aos Hebreus, diferentemente das demais epístolas do Novo Testamento, não menciona em seu início o remetente nem o destinatário. Vai direto ao assunto, e isso com eloquência incomum. Simon Kistemaker diz que o autor quer focalizar a atenção primariamente na suprema revelação de Deus – Jesus Cristo, seu Filho.[14] O preâmbulo da carta é considerado o texto mais erudito e refinado de todo o Novo Testamento. Assim escreve William Barclay: "Esta é a peça oratória grega mais eloquente de todo o Novo Testamento".[15]

Deus falou pelos profetas (1.1)

Deus se revelou progressivamente pelas Escrituras proféticas (1.1). Deus falou muitas vezes e de muitas maneiras aos pais pelos profetas. As palavras gregas *polumeros* e *polutropos,* traduzidas pela expressão *muitas vezes e de muitas maneiras*, servem como preparação para a revelação perfeita no evangelho, que é uno e indivisível, porque é a revelação de Deus em uma pessoa, que é o Filho.[16] Deus usou muitos métodos e vários instrumentos para comunicar aos nossos antepassados sua lei e sua vontade. A antiga dispensação foi dada ao povo de Deus pelo próprio Deus, por meio de seus servos, os profetas, e isso desde Moisés até Malaquias.

A antiga dispensação, porém, foi parcial, incompleta e fragmentada. Era preparatória, e não final. Henry Wiley diz que a revelação de Deus foi dada em estágios sucessivos – o primeiro por intermédio dos profetas, e o segundo mediante o Filho.[17] A lei nos foi dada não em oposição à graça, mas para nos conduzir à graça. O Antigo Testamento não está em oposição ao Novo. Ao contrário, aponta para ele e tem nele sua consumação. São bem conhecidas as palavras de Aurélio Agostinho: "O Novo Testamento está latente no Antigo Testamento, e o Antigo Testamento está patente no Novo Testamento". No Antigo Testamento, temos o Cristo da promessa; no Novo Testamento, temos o Cristo da história. Na plenitude dos tempos, ele nasceu sob a lei, nasceu de mulher, para remir o seu povo de seus pecados e trazer-lhe a plena revelação de Deus (Gl 4.4). Concordo com Raymond Brown quando ele diz que, em Cristo, Deus fechou o maior abismo de comunicação de todos os tempos, aquele que existe entre o Deus santo e o homem pecador.[18]

Deus falou pelo Filho (1.1)

Deus se revelou completamente em seu Filho (1.1). Hebreus usa uniformemente a palavra *Filho* para referir-se a Cristo, ao passo que João usa a palavra grega *Logos*, traduzida por "Verbo". Em geral, *Logos* é usada para Cristo em seu estado pré-encarnado, enquanto *Filho* é usada para o Verbo encarnado.[19] O Filho é a última e completa revelação de Deus. Não há mais revelação por vir. No Filho, vemos o próprio Deus de forma plena. O apóstolo João diz que o Verbo divino se fez carne e habitou entre nós, cheio de graça e de verdade, e vimos a sua glória, glória como do unigênito do Pai (Jo 1.14). Ele é a exata expressão do ser de Deus. Nele habita corporalmente toda a plenitude da divindade. Ele é da mesma substância de Deus. Tem os mesmos atributos de Deus. Realiza as mesmas obras de Deus. Agora, nestes últimos dias, Deus nos falou pelo Filho. Portanto, Deus não tem mais nada a acrescentar em sua revelação. Assim, o Novo Testamento não é apenas a sequência natural da revelação progressiva do Antigo Testamento, mas sua consumação plena e cabal. A lei não está em oposição à graça, mas tem nela a sua consumação. Cristo é o fim da lei (Rm 10.4). Agora a Bíblia está completa. Tem uma capa ulterior. E isso nos basta: ela é inerrante, infalível e suficiente. Concordo com Simon Kistemaker quando ele escreve: "A história da revelação divina é uma história de progressão até Cristo, mas não há progresso além dele".[20]

A superioridade do Filho em relação aos profetas (1.2,3)

A carta aos Hebreus é considerada o quinto Evangelho, pois, se os quatro Evangelhos falam sobre o que Cristo fez na terra, Hebreus fala sobre o que Cristo continua fazendo no céu. Essa epístola enfatiza a superioridade de Cristo em relação aos profetas, aos anjos, a Moisés, a Josué e a Arão. Seu sacrifício foi melhor que os sacrifícios oferecidos pelos sacerdotes, e a nova aliança que ele estabeleceu em seu sangue é superior.

Logo no introito de Hebreus, o autor ressalta a grandeza incomparável de Jesus, elencando nove de seus gloriosos predicados.

Em primeiro lugar, *Jesus é a última e final voz profética de Deus* (1.1). Raymond Brown diz que sem Jesus a revelação do Antigo Testamento é parcial, fragmentada, preparatória e incompleta. Deus falou em tempos diferentes, de diferentes maneiras. Ele usou muitos e vários caminhos. Mas, em Cristo, ele falou completa, decisiva, final e perfeitamente.[21] Stuart Olyott corrobora dizendo: "Essa revelação não está fragmentada; é completa. Não é temporária; é permanente. Não é preparatória; é final. Não veio por diversos modos, mas está encerrada naquele que é supremo".[22]

Raymond Brown diz que Ezequiel descreveu a glória de Deus (Ez 1.28; 3.23), mas Cristo a refletiu (1.3). Isaías falou sobre a natureza santa, justa e misericordiosa de Deus (Is 1.4,18; 11.4), mas Cristo a manifestou (1.3). Jeremias descreveu o poder de Deus (Jr 1.18,19; 10.12,13), mas Cristo o demonstrou (1.3).[23] Barclay argumenta que Jesus não era uma parte da verdade, era a verdade inteira; não era uma revelação fragmentada de Deus, mas sua revelação completa. Sendo Deus, Jesus revelou Deus.[24] Donald Guthrie diz que, quando Deus falou aos homens pelo

Filho, o propósito era marcar o fim de todos os métodos imperfeitos. A cortina finalmente desceu sobre a era anterior, e a era final agora tinha raiado.[25]

Em segundo lugar, *Jesus é o incomparável Filho de Deus* (1.1). O Deus que se revelou pelos profetas aos pais, muitas vezes e de muitas maneiras, e de forma progressiva, agora se revela completa e finalmente pelo Filho. Deus se revelou pela palavra escrita, através das Escrituras, e agora se revela pela palavra encarnada, através de seu Filho. Sem a obra do Filho, não haveria salvação. Ele é Deus e homem, verdadeiramente Deus e verdadeiramente homem. Duas naturezas distintas, uma só pessoa. Thomas Watson diz que a natureza humana foi unida à divina: a humana sofreu, e a divina satisfez. A divindade de Cristo suportou a natureza humana para que não fraquejasse e atribuísse virtude aos seus sofrimentos. O altar da natureza divina de Cristo santifica o sacrifício de sua morte e o faz de um valor incalculavelmente precioso.[26]

Em terceiro lugar, *Jesus é constituído por Deus como o herdeiro de todas as coisas* (Hb 1.2): *... a quem constituiu herdeiro de todas as coisas...* Esta passagem é uma citação de Salmo 2.8. É claro que o autor não está tratando de seu estado eterno junto ao Pai, pois sempre teve glória plena antes que houvesse mundo (Jo 17.5). Ele fala, entretanto, sobre uma herança recebida como resultado de seu sacrifício vicário. Em virtude de o Filho ter encarnado, morrido e ressuscitado para remir seu povo, a ele são dadas, por herança, todas as coisas, não somente a terra, mas também todo o Universo. Stuart Olyott diz, corretamente, que tudo o que pertence, por direito, a Deus, pertence a Cristo. Em especial, Cristo é a coroa, o clímax e a consumação da história. Todo o futuro pertence a ele.[27] Vale destacar que os crentes desfrutam de sua herança, pois são herdeiros de Deus e coerdeiros com Cristo (Rm 8.17).

Em quarto lugar, *Jesus é o agente da criação do Universo* (Hb 1.2). *... pelo qual também fez o Universo.* O Universo não surgiu espontaneamente nem foi produto de uma evolução de milhões e milhões de anos. A matéria não é eterna. Só Deus é eterno e o Pai da eternidade. O Universo foi criado, e isso a ciência prova. Mas, pela fé, entendemos que o Universo foi criado por Deus, por intermédio de seu Filho (11.3). Desde os mundos estelares até o ser humano, a obra-prima da criação, tudo veio a existir por intermédio do Filho. Desde os anjos até o menor dos seres vivos que rasteja pela terra, que voa pelo ar ou que percorre as sendas dos mares, tudo saiu das mãos do Filho de Deus. Tudo foi feito por intermédio dele e sem ele nada do que foi feito se fez (Jo 1.3) Ele criou todas as coisas, as visíveis e as invisíveis (Cl 1.16). Guthrie diz que aquele que andou entre os homens foi o criador dos homens.[28] Do nada ele tudo criou, com poder e sabedoria. Stuart Olyott diz que Cristo é o começo de todas as coisas. Cristo é o fim de todas as coisas. Cristo é tudo que está entre o começo e o fim.[29]

Em quinto lugar, *Jesus é o resplendor da glória de Deus* (1.3). *Ele, que é o resplendor da glória...* A palavra *apaugasma,* que ocorre somente aqui nas Escrituras, significa a irradiação de luz que flui de um corpo luminoso.[30] Em Jesus, concentram-se todos os raios da glória divina. Simon Kistemaker diz que, assim como o Sol, como um corpo celeste, irradia a sua luz com todo o seu brilho e poder sobre a terra, Cristo irradia a luz de Deus.[31]

Raymond Brown afirma que, para o povo hebreu, a glória de Deus era a expressão visível e a majestade externa da presença de Deus. Essa glória se manifestou no monte

Sinai, na tenda da congregação, na arca da aliança, no templo e, sobretudo, e de forma plena, na pessoa de Cristo.[32] A glória não é um atributo de Deus, mas o somatório de todos eles, na sua expressão máxima. Jesus encerra em si mesmo todo o resplendor dessa glória divina. Ele é a manifestação plena e final de Deus. Nele habita corporalmente toda a plenitude da divindade. Vemos Deus em sua face. Quem vê Jesus, vê a Deus, pois ambos têm a mesma essência, os mesmos atributos e realizam as mesmas obras.

Concordo com Olyott quando ele escreve: "Ninguém pode ver, jamais viu, ou jamais verá o Pai. Nós o enxergamos quando olhamos a gloriosa segunda pessoa da Trindade".[33] Nessa mesma linha de pensamento, Calvino declara que o fulgor da substância de Deus é tão forte que fere nossos olhos, até que ela nos seja projetada na pessoa de Cristo. Deus, em si e por si mesmo, será incompreensível à nossa percepção, até que sua forma nos seja revelada no Filho.[34]

Em sexto lugar, *Jesus é a expressão exata do ser de Deus* (Hb 1.3). *... e a expressão exata do seu Ser...* Deus é espírito, portanto não podemos contemplá-lo. Deus é tão santo e glorioso que até os serafins cobrem o rosto diante de sua majestade (Is 6.1-3). Jesus, porém, sendo Deus, fez-se carne e habitou entre nós, cheio de graça e de verdade, e vimos a sua glória, glória como do unigênito do Pai (Jo 1.14). Se quisermos saber como Deus é, devemos olhar para Jesus. Se quisermos saber quão belo, quão santo e quão amoroso Deus é, devemos olhar para Jesus. Ele disse: *Quem me vê a mim, vê o Pai, pois eu e o Pai somos um*. Jesus é a exegese de Deus.

Raymond Brown diz que todos os atributos de Deus se tornaram visíveis em Cristo.[35] Kistemaker diz que a palavra grega *charakter,* traduzida por *a expressão exata*, refere-se a moedas cunhadas que levam a imagem de um soberano ou presidente. Refere-se a uma reprodução precisa do original. O Filho, então, é completamente o mesmo em seu ser como o Pai.[36]

Em sétimo lugar, *Jesus é o sustentador do Universo* (Hb 1.3). ... *sustentando todas as coisas pela palavra do seu poder...* Jesus não apenas criou o Universo, mas sustenta todas as coisas, pela palavra do seu poder. É ele quem mantém o Universo em equilíbrio. É ele quem mantém as galáxias em movimento. É ele quem dá coesão, ordem e sentido a este vastíssimo e insondável Universo com mais de 93 bilhões de anos-luz de diâmetro. É ele quem espalha as estrelas no firmamento e conhece cada uma delas pelo nome. O Universo não se mantém fora de sua providência nem sobrevive sem seu governo. Sem a providência de Cristo, o Universo se desintegraria.

Citando Lindsay, Wiley diz que a preservação do Universo requer o exercício contínuo da mesmíssima força e do mesmíssimo poder que lhe deram existência; e, se o braço mantenedor de Cristo fosse por um momento retirado, os inumeráveis sóis e galáxias que povoam o espaço ruiriam no pó e tornariam ao nada do qual surgiram.[37] Nessa mesma linha de pensamento, Raymond Brown diz que Cristo mantém os planetas em órbita por sua autoritativa e eficaz palavra de poder.[38] Olyott complementa, ao escrever:

> O que impede o mundo de se desintegrar ou deixar de existir? Que poder mantém coesos os átomos e moléculas? Momento após momento, ano após ano, século após século, o Universo continua existindo. Qual a explicação? Sua existência contínua não é apenas algo que "acontece". A palavra de Cristo o trouxe à existência; e é essa mesma palavra que mantém tudo coeso.[39]

Nas palavras de Paulo, *nele tudo subsiste* (Cl 1.17). Concordo com Donald Guthrie quando ele diz que não há lugar aqui para a ideia deísta acerca de Deus, que o enxerga apenas como um relojoeiro que, tendo feito um relógio, deixa-o funcionar sozinho com seu próprio mecanismo.[40]

Em oitavo lugar, *Jesus é o Sumo Sacerdote que fez a purificação dos pecados* (Hb 1.3). ... *depois de ter feito a purificação dos pecados...* Jesus é o grande Sumo Sacerdote que, sendo perfeito, ofereceu um sacrifício perfeito, o seu próprio sangue, para purificar-nos do pecado. Assim, ele era simultaneamente o Sumo Sacerdote e o sacrifício, quando se ofereceu para a purificação dos pecados de seu povo. Sozinho foi crucificado, sangrou e morreu na cruz, e por esse ato fez a purificação dos nossos pecados. Os animais mortos foram varridos do altar, porque Jesus ofereceu um único e eficaz sacrifício para remir-nos e purificar-nos.

O autor aos Hebreus destaca que o mesmo Cristo criador realizou a obra da redenção. Raymond Brown está correto em dizer que este se tornou o tema principal dessa epístola.[41] Fritz Laubach tem razão em dizer que a morte de Jesus na cruz, para o perdão de nossos pecados, é o auge, o alvo de seu envio à terra e a base de nosso relacionamento com Deus. Ninguém poderia encontrar perdão e paz, ninguém poderia tornar-se justo diante de Deus e chegar a ele, se Jesus não tivesse morrido por nós. Sua morte na cruz do Gólgota é, por toda a eternidade, o evento central da história universal.[42]

Portanto, o autor leva seus leitores a colocarem sua atenção não apenas em quem Cristo é, mas, sobretudo, no que ele fez. Cristo é o irrepetível sacrifício e a provisão eficaz de Deus para o maior problema da humanidade: o pecado.[43]

Em nono lugar, *Jesus é o Rei que foi exaltado por Deus* (Hb 1.3). ... *assentou-se à direita da Majestade, nas alturas.*

Jesus é o Profeta por quem Deus encerrou sua revelação. É o Sumo Sacerdote que ofereceu a si mesmo como sacrifício perfeito. É o Rei glorioso que está assentado à mão direita de Deus, de onde governa a igreja, as nações e o próprio Universo, e de onde vai voltar, gloriosamente, para buscar sua igreja (10.12-15). O Filho que foi humilhado na terra é entronizado no céu. Aquele que morreu, ressuscitou. Aquele que ressuscitou, foi elevado às alturas e glorificado. Oh, quão glorioso é o nosso Redentor!

Encerro este capítulo com as palavras de Wiley:

> Convém que se entenda que a exaltação e a autoridade de Cristo foram concedidas a ele como recompensa por sua humilhação. Em sua natureza divina, o Filho não poderia ser exaltado, porque já era infinitamente superior em majestade, glória e poder; por outro lado, se o nosso Mediador não fosse divino, não poderia assim ter participado da glória e do reinado divinos. A elevação de Cristo, portanto, ao trono do poder soberano à destra do Pai só pode referir-se ao que se chamou "reinado intercessório", pois é descrito como resultado de seu sacrifício expiatório.[44]

NOTAS

[14] KISTEMAKER, Simon, *Hebreus,* p. 41.
[15] BARCLAY, William, *Hebreos,* 1973, p. 17.
[16] WILEY, Orton H., *Comentário exaustivo da carta aos Hebreus.* Rio de Janeiro, RJ: Central Gospel, 2013, p. 45.
[17] Ibidem, p. 47.
[18] BROWN, Raymond., *The message of Hebrews.* Downers Grove, IL: InvterVarsity Press, 1984, p. 27.

[19] Wiley, Orton W., *Comentário exaustivo da carta aos Hebreus*, p. 57.
[20] Kistemaker, Simon, *Hebreus*, p. 44.
[21] Brown, Raymond, *The message of Hebrews*, p. 28.
[22] Olyott, Stuart, *A carta aos Hebreus*. São Paulo, SP: Cultura Cristã, 2012, p. 15.
[23] Brown, Raymond, *The message of Hebrews*, p. 28.
[24] Barclay, William, *Hebreos,* 1973, p. 19.
[25] Guthrie, Donald, *Hebreus: introdução e comentário,* 1999, p. 59.
[26] Watson, Thomas, *A fé cristã*, p. 207.
[27] Olyott, Stuart, *A carta aos Hebreus*, p. 16.
[28] Guthrie, Donald, *Hebreus: introdução e comentário*, p. 61.
[29] Olyott, Stuart, *A carta aos Hebreus*, p. 16.
[30] Wiley, Orton H., *Comentário exaustivo da carta aos Hebreus*, p. 65.
[31] Kistemaker, Simon, *Hebreus*, p. 47.
[32] Brown, Raymond, *The message of Hebrews*, p. 30.
[33] Olyott, Stuart, *A carta aos Hebreus*, p. 17.
[34] Calvino, João, *Hebreus*. São José dos Campos, SP: Fiel, 2012, p. 32.
[35] Brown, Raymond, *The message of Hebrews*, p. 31.
[36] Kistemaker, Simon, *Hebreus*, p. 48.
[37] Wiley, Orton H., *Comentário exaustivo da carta aos Hebreus*, p. 69.
[38] Brown, Raymond, *The message of Hebrews*, p. 31.
[39] Olyott, Stuart, *A carta aos Hebreus*, p. 17.
[40] Guthrie, Donald, *Hebreus: introdução e comentário*, p. 63.
[41] Brown, Raymond, *The message of Hebrews,* 1988, p. 32.
[42] Laubach, Fritz, *Carta aos Hebreus*, p. 39.
[43] Brown, Raymond. *The message of Hebrews*, p. 32.
[44] Wiley, Orton H., *Comentário exaustivo da carta aos Hebreus*, p. 71.

Capítulo 2

A superioridade do Filho em relação aos anjos

(Hb 1.4-14)

DEPOIS DE MOSTRAR A SUPERIORIDADE do Filho em relação aos profetas, o autor da carta aos Hebreus mostra a superioridade do Filho em relação aos anjos. Stuart Olyott diz, com razão: "Nenhum anjo, mesmo o mais exaltado de todos, se atreveria a sentar-se na presença de Deus, muito menos à sua mão direita. Mas Cristo é mais elevado do que o mais elevado dos anjos".[45]

No texto em pauta, há sete citações do Antigo Testamento selecionadas pelo autor de Hebreus e dispostas progressivamente. Essas citações tratam do eterno relacionamento de Cristo com o Pai, sua vinda ao mundo, sua unção por Deus e seu reinado. Nós o vemos criando e consumando o mundo, assentado e reinando para sempre sobre seus inimigos.[46] O texto apresenta quatro verdades essenciais: 1) Os anjos são apenas mensageiros: Cristo é o Filho (1.4,5). 2) Os anjos são meros adoradores: Cristo é o adorado (1.6). 3) Os anjos são meras criaturas: Cristo é o Criador (1.7-12). 4) Os anjos são meros servos: Cristo é o Rei (1.13,14).[47] Detalhamos um pouco mais essa sublime passagem a seguir.

O Filho tem um nome superior (1.4,5)

Os anjos são mensageiros de Deus e foram poderosamente usados por ele como seus arautos. Na própria vida de Jesus, os anjos foram arautos, tanto no começo de seu ministério, em sua tentação no deserto (Mt 4.11), como no final do seu ministério, em sua agonia, no jardim de Getsêmani (Lc 22.43). Os anjos foram enviados por Deus para libertar prisioneiros (At 5.19), para instruir pregadores (At 8.26), para encorajar crentes (At 10.3), para exercer julgamento sobre blasfemadores (At 12.23) e para ajudar viajantes (At 27.23-25). Mas os anjos jamais passaram de mensageiros. Esse é o significado de seu nome e a essência de sua função. Cristo, porém, tem um nome superior aos mais exaltados anjos. Ele é muito mais do que um mensageiro. Ele é o Filho de Deus.[48]

Wiley diz que a palavra *Filho,* conforme empregada em Hebreus 1.5, não se refere primordialmente ao Filho como segunda pessoa da Trindade, embora isso esteja implícito em cada uma das passagens citadas, mas ao Filho de Deus como homem. Tal característica abrange não somente a encarnação, em que o Filho assumiu a natureza humana, mas também todo o escopo e toda a dignidade do Deus-homem, depois manifesto na sua ressurreição, ascensão e assentamento à direita do Pai. O argumento como é extraído desse texto inclui três passos importantes: o nome, a herança e o primogênito.[49]

O Filho tem uma dignidade superior (1.6)

As palavras deste versículo podem referir-se somente ao Cristo glorificado voltando ao mundo que redimiu e do qual chamou muitos filhos para a sua glória, diz Wiley.[50] Nesse contexto, o escritor de Hebreus enfatiza mais uma vez a superioridade de Cristo sobre os anjos, pois estes foram mensageiros de Deus, e Cristo é o Filho de Deus. Os anjos são adoradores, e Cristo é aquele a quem eles adoram.

O Filho tem uma natureza superior (1.7)

Tendo falado do advento glorioso do Filho, o escritor de Hebreus mostra a majestade do seu Reino, citando o Salmo 104, conhecido como o *Oratório da Criação,* que diz: *Fazes a teus anjos ventos e a teus ministros, labaredas de fogo* (Sl 104.4). Da mesma maneira que os ventos e as labaredas de fogo servem a Deus no reino físico, os anjos servem a Deus no sentido espiritual. Concordo com Wiley quando ele diz que o propósito do texto em tela não é discutir a natureza dos anjos, mas exaltar a soberania do Filho e o ministério dos anjos em sujeição a ele. A grandeza dos anjos, ágeis como os ventos na obediência e destruidores como labaredas de fogo, serve para exaltar a majestade do Rei e as forças poderosas ao seu dispor.[51]

Os anjos adoram o Filho porque reconhecem que ele é totalmente diferente deles e muito superior em natureza. Os anjos são servos que se tornam vento e chamas de fogo para atenderem ao seu propósito, mas o Filho é o Deus eterno.

O Filho tem uma posição superior (1.8a)

O Filho é soberano. Seu trono é eterno. Ele não é apenas o Profeta que fala, nem apenas o Sacerdote que salva, mas é também o Rei que governa. O Filho tem um trono eterno, um cetro justo e um reino universal.[52] Mais uma vez, portanto, o escritor aos Hebreus traça um contraste entre o Filho e os anjos. O Filho tem um trono eterno; os anjos, nenhum. O Filho é seu Senhor; os anjos são seus súditos.

O Filho tem um exemplo superior (1.8b,9)

O fato de que o Filho viveu entre nós como um homem, e não como um anjo, deveria encorajar-nos a olhar para as qualidades de seu poderoso exemplo, bem como para as virtudes de seu sacrifício vicário. Wiley está correto quando diz: "A glória do reinado de Cristo está no fato de que ele é uma influência moral sobre os súditos. Ele é o fundador de um reino de justiça. Em todo o seu reino, onde quer que ele empunhe o cetro, é cetro de justiça".[53]

O autor aos Hebreus falou sobre Cristo primeiro como o Rei eterno (1.8), depois como o Rei de justiça (1.8b,9a) e agora o apresenta como o Rei ungido com o óleo da alegria (1.9b). Concordo com Wiley quando ele escreve: "Cristo não foi ungido somente com o óleo da alegria acima de seus companheiros; foi ungido também para dar o óleo de alegria em lugar de pranto (Is 61.3)".[54] O apóstolo Pedro, interpretando essa verdade magna, proclama no Pentecoste: *Exaltado, pois, à destra de Deus, tendo recebido do Pai a promessa do Espírito Santo, derramou isto que vedes e ouvis* (At 2.33). Assim, o dom do Espírito Santo é dádiva de Cristo para a igreja. Ele foi ungido com o óleo da alegria e, do mesmo modo, unge o seu povo, pois o seu reino é um reino de justiça, paz e alegria no Espírito Santo.

O Filho tem uma obra superior (1.10-12)

Os anjos são criaturas, criados por Deus para a realização de seus propósitos (1.7), mas Cristo não é uma criatura. Ele é o agente da criação, por meio de quem Deus fez o Universo (1.2). Este Universo vastíssimo e insondável veio à existência por intermédio dele (Jo 1.3). Foi ele quem criou todas as estrelas do firmamento. Foi ele quem mediu os céus a palmo. A presente ordem do Universo criado perecerá, mas Cristo permanecerá para sempre. As obras da criação envelhecerão, mas o seu Criador vive eternamente.

É claro que o texto não está se referindo ao aniquilamento da criação, mas apenas à ideia de que o céu e a terra passarão (Mt 5.18; Lc 21.33; 1Jo 2.17; Ap 20.11) e de que os elementos se desfarão abrasados (2Pe 3.12). Então, haverá novos céus e nova terra (Ap 21.1). Wiley resume esse ponto com clareza diáfana:

> Assim como o mundo não foi criado por uma evolução natural, também não será transformado por um processo de exaustão. Como o corpo natural do homem há de transformar-se em um corpo glorificado pela ressurreição operada pelo Senhor, assim também a terra (da qual o corpo do homem foi criado) passará por uma transformação semelhante, envolvendo tanto o mundo físico, que será glorificado, como a ordem moral, pois na nova terra habitará justiça.[55]

O Filho tem um destino superior (1.13,14)

Essa citação final é do Salmo 110, a respeito do qual Lutero disse certa vez que era "digno de ser recoberto de pedras preciosas". Essa é uma alusão ao Filho encarnado, o qual, mediante a sua encarnação, morte e ressurreição, voltou ao trono de seu Pai; e no trono de honra, à destra do Pai, espera até que seus inimigos sejam feitos estrado dos seus pés no dia de sua gloriosa aparição.[56] Paulo enfatiza essa mesma verdade quando escreve: *E, então, virá o fim, quando ele entregar o reino ao Deus e Pai, quando houver destruído todo principado, bem como toda potestade e poder. Porque convém que ele reine até que haja posto todos os inimigos debaixo dos pés* (1Co 15.24,25). O Reino de graça hoje tornar-se-á, então, o Reino de glória!

Nenhum anjo foi colocado por Deus nessa posição de honra suprema, de aclamação e exaltação. Os anjos estão entre a exultante multidão que reconhece e proclama a suprema grandeza de Cristo, a singularidade de sua pessoa, sua obra consumada, sua eterna divindade. Eles também proclamam: *Digno é o Cordeiro* (Ap 5.11,12). Os anjos são diáconos que servem à igreja de Cristo, mas Cristo é o Salvador da igreja. Concluo com as palavras de Wiley: "A súmula do argumento, portanto, é que Cristo é maior do que os anjos, porque é o Filho de Deus encarnado; os anjos são apenas espíritos ministradores que refletem o cuidado providencial do Senhor para com os remidos".[57]

NOTAS

[45] OLYOTT, Stuart, *A carta aos Hebreus*, p. 18.
[46] Ibidem, p. 22.
[47] Ibidem, p. 19-21.
[48] BROWN, Raymond, *The message of Hebrews*, p. 40.
[49] WILEY, Orton H., *Comentário exaustivo da carta aos Hebreus*, p. 78.
[50] Ibidem, p. 85.
[51] Ibidem, p. 87.
[52] BROWN, Raymond, *The message of Hebrews*, p. 41.
[53] WILEY, Orton H., *Comentário exaustivo da carta aos Hebreus*, p. 89.
[54] Ibidem, p. 90.
[55] Ibidem, p. 93.
[56] Ibidem, p. 94.
[57] Ibidem, p. 95.

Capítulo 3

Uma solene advertência contra a negligência

(Hb 2.1-4)

Os CRENTES HEBREUS estavam enfrentando duras perseguições (10.34). Muitos perderam seus bens, e outros, a própria vida. Houve muitos mártires que selaram sua fé com o próprio sangue. Muitos foram queimados vivos ou jogados às feras. Outros, entretanto, retrocederam. Preferiram negar sua fé a morrerem por sua fé. Houve aqueles que renunciaram a Cristo para escapar da prisão ou da morte. A presente exortação tem como propósito exortar os crentes perseguidos a se manterem firmes, em vez de voltarem atrás. Muitos estavam de malas prontas para voltar para o judaísmo. A fé cristã exigia deles um preço muito alto. Então, o escritor aos Hebreus encoraja-os, mostrando a superioridade do cristianismo sobre o judaísmo.

No capítulo 1, o autor destaca a superioridade de Cristo sobre os profetas (1.1-3) e sobre os anjos (1.4-14). Agora, ele mostra que rejeitar o evangelho, trazido por Cristo, testemunhado pelos apóstolos e credenciado por Deus por meio de sinais, prodígios, milagres e distribuições do Espírito Santo, é lavrar a própria sentença de condenação.

O argumento usado pelo autor é que aqueles que negligenciaram a mensagem da lei, entregue a Moisés, por meio de anjos, no Sinai, sofreram terríveis castigos. Toda aquela geração, exceto Josué e Calebe, caiu morta no deserto depois de perambular por quarenta anos. A terra se abriu para engolir os rebeldes, Deus enviou serpentes abrasadoras, e eles não entraram na terra prometida. Muito mais severo será o castigo daqueles que negligenciarem a tão grande salvação trazida por Cristo. Augustus Nicodemus é enfático: "O evangelho é colocado como sendo o único meio de escape do inferno e da ira de Deus, do sofrimento eterno e da justa condenação pelos nossos pecados. Como vai escapar quem negligencia essa tão grande salvação se o único caminho é Jesus Cristo?"[58]

A expressão *por esta razão* liga o ensino do capítulo 1 a respeito da glória do Filho e sua suprema dignidade com a admoestação de *que nos apeguemos, com mais firmeza, às verdades ouvidas, para que delas jamais nos afastemos* (2.1), não apenas por causa da superioridade da própria revelação, mas também por causa da suprema grandeza do Revelador divino.[59]

Esta é a primeira advertência da epístola, avisando aos hebreus do perigo de serem arrastados pela forte correnteza do rio da apostasia. Isso significaria morte e destruição. A corrente que ameaçava esses crentes hebreus de serem levados naquele caudal eram os costumes e o ritual do judaísmo, a sua religião tradicional.[60]

Desde que Deus tem falado através do Filho (1.2), os homens devem apegar-se a essa mensagem (2.1). Essa é a primeira de cinco advertências encontradas em Hebreus (3.12–4.3; 4.14-26; 5.11–6.8; 10.339; 12.3-13; 12.14-17; 12.25-29). Warren Wiersbe diz que essas admoestações se tornam mais intensas ao longo da epístola, começando com um desvio da Palavra de Deus até chegar ao desafio à Palavra de Deus (12.14-29).[61]

A sequência do assunto torna-se clara pela expressão *por esta razão*. Esse modo de falar denota a estreita conexão com o que ele disse antes e com o que vai dizer agora. Também revela a estreita conexão entre doutrina e vida. Uma vez que o Filho é supremamente exaltado e apontado como o supremo profeta, por meio de quem a revelação de Deus chegou ao seu clímax; uma vez que o Filho, o Sumo Sacerdote perfeito, apresentou a si mesmo como o sacrifício perfeito; uma vez que o Filho, o Rei dos reis, se assentou à direita de Deus Pai, nas alturas; uma vez que o Filho, o Criador do Universo, o sustentador de todas as coisas criadas, é a manifestação plena e final de Deus; uma vez que o Filho é maior do que os anjos e é adorado por eles, devemos apegar-nos com mais firmeza às verdades do evangelho.

Lightfoot diz que o argumento está na forma do "menor para o maior".[62] A primeira revelação, a lei, veio a Moisés, por meio de anjos; a segunda revelação, a graça, veio a nós por meio de Jesus. Se não se pode ignorar a revelação que veio por meio de anjos, muito menos se pode descuidar da que veio por meio do Filho de Deus.

William Barclay explica que, na passagem em apreço, o autor aos Hebreus mostra três formas em que a revelação cristã é única: 1) É única em sua origem. Ela provém do próprio Jesus. 2) É única pela sua transmissão. Ela chegou até nós de primeira mão, por meio dos apóstolos, ou seja, por meio daqueles que a ouviram dos próprios lábios de Jesus. 3) É única em sua eficácia. O evangelho traz salvação ao pecador.[63]

Destacamos a seguir algumas verdades essenciais do texto.

A suprema importância do evangelho (2.1)

Tanto o Antigo como o Novo Testamentos nos foram dados por Deus. Porém, o Antigo é a sombra e o Novo, a realidade. O Antigo Testamento fala sobre a lei, o Novo fala sobre a graça. O Antigo Testamento foi dado por meio de anjos, o Novo nos foi dado por meio de Cristo. Tanto a lei como a graça vêm de Deus. A lei nos veio por intermédio de anjos, mas a graça nos vem através do Filho. Ambos, Antigo e Novo Testamentos, foram revelados por Deus, mas o Novo tem dignidade maior, e maior importância, pois é o cumprimento do Antigo. O papel da lei é nos conduzir a Cristo. Cristo é o fim da lei.

Raymond Brown destaca cinco características marcantes da revelação do evangelho: 1) Sua importância (2.1). Mesmo sendo tão importante, ela pode ser ignorada, desprezada ou esquecida. 2) Sua autoridade (2.2,3a). A lei foi dada por intermédio dos anjos, mas o evangelho foi dado por meio do Filho. 3) Sua exposição (2.3b). O evangelho foi declarado primeiro pelo Senhor. Aqui o autor introduz a vida terrena de Jesus. Depois dos Evangelhos, ninguém tratou desse assunto com mais detalhes que o autor aos Hebreus. 4) Sua recepção (2.3b). O evangelho foi atestado pelos apóstolos que o ouviram em primeira mão de Jesus e o passaram para a segunda geração. 5) Sua eficácia (2.4). Deus confirmou a veracidade do evangelho demonstrando seu poder. Sinais, prodígios, milagres e dons do Espírito confirmaram a autenticidade do evangelho.[64]

Uma solene advertência à igreja (2.1)

Os crentes são exortados aqui positivamente e negativamente. Positivamente, eles devem se apegar com mais firmeza ao evangelho e, negativamente, devem estar atentos ao perigo de se desviarem. Vejamos esses dois pontos.

Em primeiro lugar, *apegar-se com mais firmeza* (2.1). Se o evangelho representa a última revelação de Deus, em seu Filho, devemos dar mais atenção a ele do que nossos pais deram atenção à lei. Maiores privilégios implicam maiores responsabilidades. Kistemaker tem razão ao dizer: "Quanto mais alta posição uma pessoa tem, maior autoridade exerce, e mais ela exige atenção dos ouvintes".[65]

Em segundo lugar, *não se desviar* (2.1). O escritor de Hebreus usa aqui a imagem de um barco empurrado por uma forte correnteza, sendo varrido por forte vendaval. Stuart Olyott diz que, nessas circunstâncias, o mais frágil barco permanece seguro, desde que esteja fixo perto da costa. A escolha é entre permanecer ligado à margem ou perecer. Era de esperar que os crentes hebreus estivessem sempre verificando suas amarras, apertando mais o nó e fortalecendo o ancoradouro. Em vez disso, porém, esses crentes tinham a ideia de que estariam seguros do outro lado do rio, voltando para o judaísmo. Em vez de verificar suas cordas, eles as cortaram uma por uma. Porém, a única maneira de esses crentes ficarem firmes contra a correnteza que os levava ao naufrágio espiritual era permanecerem ligados a Cristo.[66]

Nessa mesma linha de pensamento, Lightfoot diz que a palavra grega *pararreo,* traduzida por *desviemos*, é frequentemente usada para referir-se a algo que se afasta, como uma flecha que escorrega da aljava, um anel que escorrega do dedo, ou uma ideia que escorrega da mente. É usada aqui no sentido de um barco sem rumo. Portanto, a advertência é no sentido de que, da mesma forma que um barco pode deslizar-se para além de seu ancoradouro, os cristãos também podem ser arrastados rio abaixo, afastando-se das verdades do evangelho.[67]

A notável autoridade do evangelho (2.2,3a)

A lei, falada por meio dos anjos (At 7.38; Gl 3.19), tornou-se firme a ponto de toda transgressão ou desobediência a ela ser passível de justo castigo. As palavras gregas *parabasis* e *parakon,* "transgressão" e "desobediência", respectivamente, significam cruzar a linha, transgredir, desertar e ouvir com desrespeito. O justo castigo foi para aqueles que cruzaram a linha, transgrediram, desertaram da fé e ouviram com negligência a palavra anunciada pelos anjos.[68]

Kistemaker escreveu: "Transgredir a lei divina resulta em retribuição justa. Cada violação é maligna; cada ato de desobediência é uma afronta a Deus".[69] O evangelho falado por Cristo e transmitido pelos apóstolos tem maior autoridade ainda, pois oferece maior salvação. Logo, o castigo para aqueles que o negligenciam é mais severo, pois, quanto maior a dádiva, maior é a responsabilidade. Fritz Laubach diz que quem se subtrai à palavra de Deus, quem se rebela contra a vontade de Deus, quem transgride propositadamente a ordem de Deus, é atingido pelo castigo justo de Deus, num tempo e numa proporção que estão reservados exclusivamente ao arbítrio de Deus. O julgamento de Deus não precisa suceder imediatamente à transgressão do ser humano, mas com certeza o atingirá (Gn 15.13-16; 44.16).[70]

Calvino, nessa mesma trilha de pensamento, diz que, se a lei, que fora transmitida pelo ministério dos anjos, não podia ser recebida com desdém, e sua transgressão era visitada com severíssimos castigos, o que será daqueles que desprezam o evangelho, cujo autor é o Filho de Deus e cuja confirmação foi através de muitos e variados milagres? Ora, se a dignidade de Cristo é maior do que a dignidade dos anjos, então devemos prestar mais reverência ao evangelho que à lei. É a pessoa de seu autor que enobrece a doutrina.[71]

Stuart Olyott diz, com razão, que é a própria grandeza do evangelho que torna a apostasia um perigo. Dar as costas para qualquer outro sistema religioso é afastar-se de uma ideia humana. Mas com o evangelho não é assim. Deus falou! Sua palavra final à humanidade se encerra em seu Filho. Dar as costas, portanto, para o evangelho é desprezar a maior pessoa do Universo, Jesus Cristo, o maior de todos os profetas, o grande Sumo Sacerdote, o Rei dos reis, o único em quem há salvação.[72]

A pergunta *Como escaparemos nós, se negligenciarmos tão grande salvação?* é irrespondível. Não existe possibilidade de fuga ou escape para aquele que negligencia ou rejeita a salvação trazida aos pecadores pelo Filho de Deus.

A grande salvação e o perigo de negligenciá-la (2.3a)

A salvação não é uma conquista do homem mediante a obediência à lei, mas é uma oferta da graça adquirida por Cristo na cruz. Essa salvação é grande porque é fruto do grande amor do Pai, é resultado do grande sacrifício do Filho e é aplicada mediante a grande obra do Espírito Santo.

A salvação é uma obra divina do começo ao fim. O autor aos Hebreus a chama de *tão grande salvação*. Nenhuma língua ou pena poderia descrevê-la, pois não encontraria palavras mais precisas para isso. Portanto, tomo emprestadas as palavras de Wiley:

> Esta tão grande salvação é a resposta a todos os problemas humanos. Nasceu da majestade do Filho à destra do Pai; ocorreu mediante o sangue expiatório de Jesus e foi administrada na Igreja pelo Espírito Santo como o dom do Cristo glorificado. É o amor de Deus derramado no coração que lança fora todo o medo (1Jo 4.8). É a paz de Deus que excede a todo entendimento e que conserva o coração e a mente em Jesus Cristo (Fp 4.7). É a unção que em nós habita. Essa tão grande salvação é a resposta para o problema do afrouxamento e enfraquecimento na Igreja, para a mornidão na experiência pessoal e para a falta de unção no ministério da palavra. Tem transformado cristãos fracos em torres de fortaleza. Tem dado esplendor aos semblantes e colocado alegria no coração dos que a recebem. Tem transformado seus ministros em chamas de fogo santo e inspirado aquela devoção a Jesus Cristo que fez dos mártires a semente da igreja.[73]

O grande alerta do autor aos Hebreus é que essa tão grande salvação pode ser não apenas rejeitada, mas também negligenciada. Há aqui dois graves perigos destacados no texto.

Em primeiro lugar, *o perigo da negligência* (2.3a). A palavra grega *amelesantes*, traduzida por *negligenciemos*, significa literalmente desviar-se, apartar-se ou errar o alvo, como um navio que, na violência das ondas, não consegue chegar ao porto.[74] A palavra "negligência" traz também a ideia de menosprezo. Aparece em Mateus 22.5, onde os convidados *não se importaram* com o convite para a festa do casamento do filho do rei. Que grande ultraje foi a rejeição da graça do rei por parte dos convidados! E aqui, do mesmo modo, quão inconcebível é o fato de os homens ignorarem seu único meio de libertação! O julgamento de Deus cairá sobre eles, e *horrível coisa é cair nas mãos do Deus vivo* (10.31).[75] Calvino chama a atenção para o fato de que não é só uma questão de rejeitar o evangelho, mas até mesmo negligenciá-lo merece o mais severo castigo divino, em razão da grandeza da graça que é nele oferecida.[76]

Algumas pessoas acabam apostatando. E por quê? Por causa da negligência! Elas ouvem, conhecem e até professam por um tempo as verdades do evangelho, mas, por negligência, deixam de dar atenção, viram as costas e acabam rejeitando o que um dia professaram. Repetidamente o autor aos Hebreus adverte acerca do perigo de se desviar do Deus vivo (3.12). Ele afirma que é terrível coisa cair nas mãos do Deus vivo (10.31) e ainda diz que o nosso Deus é fogo consumidor (12.29). Os cristãos hebreus, em face da perseguição, estavam embarcando de volta para o judaísmo, o sistema religioso ao qual renunciaram para abraçar a fé cristã. O prelúdio dessa apostasia era a negligência, ou seja, abandonar aos poucos os hábitos de oração, meditação e adoração coletiva (10.25). Wiley chega a dizer que um número maior de almas se arruína ao desviar-se descuidada e inconscientemente de sua ancoragem do que aqueles que são tomados por súbitos conflitos satânicos.[77]

Será que o povo está negligenciando o cristianismo hoje? A resposta é um sonoro SIM! O liberalismo teológico devastou e está devastando igrejas no mundo inteiro. O sincretismo religioso está adentrando os arraiais evangélicos e introduzindo práticas estranhas à fé cristã. O secularismo se aninha nas igrejas. O materialismo consumista domina os corações. A judaização da igreja está arrastando muitos crentes aos rudimentos da fé. A teologia da prosperidade está seduzindo muitos a se apegarem mais à terra que ao céu. A negligência abre portas para muitas e perigosas novidades espirituais. Muitos ainda hoje estão retrocedendo!

Em segundo lugar, *o perigo da condenação* (2.3a). A salvação é apresentada como uma libertação de uma prisão. Negligenciar a salvação é viver prisioneiro para sempre. Donald Guthrie diz corretamente que o autor aos Hebreus vê a vida não cristã como uma vida de escravidão contínua.[78] Negligenciar a salvação é como uma sentença de morte. É impossível escapar. Turnbull ressalta que a lei falada pelos anjos trouxe juízo certo, inevitável, imediato e terrível. Que dirá o evangelho, falado pelo Senhor, confirmado também pelos homens e por Deus, aos que o rejeitam? É claro que constitui um pecado muito mais odioso negligenciar a graça do que negligenciar a lei.[79]

A exposição da salvação oferecida no evangelho (2.3b)

A salvação foi anunciada inicialmente pelo Senhor e, depois, foi confirmada pelos apóstolos que a ouviram do Senhor e a transmitiram à igreja e às gerações vindouras pela Palavra. O autor da epístola aos Hebreus não fazia parte do círculo apostólico original. Autor e leitores receberam o evangelho de outros. Nas palavras de Fritz Laubach, "através dos apóstolos, a palavra de Cristo veio à segunda geração, e assim ela é passada adiante por meio de mãos fiéis, até o fim dos dias".[80]

Os anjos serviram como meros mensageiros de Deus quando estavam presentes no monte Sinai, mas o Senhor desceu do céu, fez-se carne e habitou entre nós. Sendo ele o mensageiro e a mensagem, o sacerdote e o sacrifício, trouxe a salvação em suas asas e a proclamou. Seus seguidores confirmaram essa mensagem pela palavra falada e escrita.

A poderosa confirmação da palavra do evangelho (2.4)

Calvino diz que Deus imprimiu o seu selo de aprovação na pregação por meio de milagres, como que por uma solene rubrica. Logo, aqueles que não recebem reverentemente o evangelho recomendado por tais testemunhas, esses desconsideram não só a Palavra de Deus, mas também suas obras.[81]

O testemunho dado por Deus era absolutamente convincente. A combinação "sinais e prodígios" é encontrada frequentemente no Novo Testamento: sinais indicando o significado interior do fato milagroso, e prodígios, o espanto provocado pela natureza extraordinária do fato. Os milagres, literalmente, "poderes", indicam a sua fonte sobre-humana. Já as distribuições do Espírito Santo se referem aos dons espirituais que acompanharam a proclamação apostólica, mostrando que Deus estava presente com eles.[82] Nessa mesma linha de pensamento, Calvino diz que os sinais incitam a mente humana a atentar para algo mais elevado do que aparentam, os prodígios incluem o que é novo e inusitado, e os milagres apontam para uma marca especial do poder de Deus.[83]

A palavra é confirmada pelo próprio Deus que, operando milagres através dos apóstolos, confirmou a pregação deles (At 2.43; 4.30; 5.12; 6.8; 14.3; 15.18,19; 2Co 12.12). O evangelho não consistiu apenas em palavras, mas, sobretudo, em manifestação de poder (1Co 2.4; 1Ts 1.5). Jesus realizou muitos milagres e prodígios: os famintos foram alimentados, os paralíticos andaram, os cegos viram, os surdos ouviram, os mudos falaram, os leprosos foram purificados, os cativos foram libertados e os mortos ressuscitaram. Jesus demonstrou pleno poder sobre as leis da natureza, sobre os demônios, sobre as enfermidades e sobre a morte. Esses milagres foram sinais que atestaram sua messianidade. Já os milagres operados por intermédio dos apóstolos atestaram a veracidade de sua pregação. O livro de Atos registra muitos desses milagres operados por intermédio de Pedro e Paulo, tanto milagres de cura como de ressurreição. A conjunção grega *sun,* traduzida por *juntamente com*, significa que nós somos confirmados na fé do evangelho pelo testemunho conjunto de Deus e dos homens; pois os milagres divinos eram testemunhos a concorrerem com a voz dos homens.[84]

Concordo com o que escreveu Kistemaker: "No final das contas, Deus é aquele que testifica sobre a veracidade de sua Palavra. O próprio Deus é o agente que usou esses poderes divinos para o propósito de selar a verdade do evangelho".[85]

A Palavra foi confirmada não apenas por milagres extraordinários, mas também por distribuições do Espírito Santo, segundo a sua vontade (1Co 12.11). Deus confirma sua Palavra dando o melhor de todas as suas dádivas, seu próprio Espírito. Ele veio para ficar com a igreja, para conduzi-la à verdade, santificá-la, dando-lhe dons e poder. Concordo com Wiley quando ele diz que maior do que os sinais, as maravilhas e os diversos milagres é o dom do Espírito Santo, concedido à igreja no Pentecoste. O Filho assentou-se à destra de Deus e é o nosso Advogado lá do alto. O Espírito Santo tem o seu trono na igreja e é o nosso Advogado interior.[86]

A expressão *segundo a sua vontade* deixa claro que esses milagres não podem ser atribuídos a ninguém mais, senão unicamente a Deus, e que eles não se manifestam casualmente, e sim em seu propósito definido, a saber: com o fim de selar a veracidade do evangelho.[87] Donald Guthrie acrescenta que a ênfase dada aos dons remove toda a justificativa para o orgulho humano entre os cristãos primitivos, visto que a distribuição não dependia da capacidade do homem, mas, sim, da vontade soberana do Espírito (1Co 12.11).[88]

Notas

[58] Lopes, Augustus Nicodemus, *Hebreus*, p. 44.
[59] Wiley, Orton H., *Comentário exaustivo da carta aos Hebreus*, p. 99.
[60] Turnbull, M. Ryerson, *Levítico e Hebreus*, p. 111.
[61] Wiersbe, Warren W., *Comentário bíblico expositivo*, vol. 6, p. 363.
[62] Lightfoot, Neil R., *Hebreus*. São Paulo, SP: Editora Vida Cristã, 1981, p. 78.
[63] Barclay, William, *Hebreos*, 1973, p. 28.
[64] Brown, Raymond, *The message of Hebrews*, p. 46-49.
[65] Kistemaker, Simon, *Hebreus*, p. 83.
[66] Olyott, Stuart, *A carta aos Hebreus*, p. 22-23.
[67] Lightfoot, Neil R., *Hebreus*, p. 77.
[68] Wiley, Orton H., *Comentário exaustivo da carta aos Hebreus*, p. 103.
[69] Kistemaker, Simon, *Hebreus*, p. 85.
[70] Laubach, Fritz, *Carta aos Hebreus*, p. 51.
[71] Calvino, João, *Hebreus*, p. 49-50.
[72] Olyott, Stuart, *A carta aos Hebreus*, p. 23.
[73] Wiley, Orton H., *Comentário exaustivo da carta aos Hebreus*, p. 105.
[74] Ibidem, p. 101.
[75] Lightfoot, Neil R., *Hebreus*, p. 79.
[76] Calvino, João, *Hebreus*, p. 51.
[77] Wiley, Orton H., *Comentário exaustivo da carta aos Hebreus*, p. 102.
[78] Guthrie, Donald, *Hebreus: introdução e comentário*, p. 77.
[79] Turnbull, M. Ryerson, *Levítico e Hebreus*, p. 112.
[80] Laubach, Fritz, *Carta aos Hebreus*, p. 52.
[81] Calvino, João, *Hebreus*, p. 53.
[82] Lightfoot, Neil R., *Hebreus*, p. 80.
[83] Calvino, João, *Hebreus*, p. 53.
[84] Ibidem, p. 53.
[85] Kistemaker, Simon, *Hebreus*, p. 88.
[86] Wiley, Orton H., *Comentário exaustivo da carta aos Hebreus*, p. 109.
[87] Calvino, João, *Hebreus*, p. 54.
[88] Guthrie, Donald, *Hebreus: introdução e comentário*, p. 78.

Capítulo 4

A necessidade da encarnação de Jesus

(Hb 2.5-18)

O autor aos Hebreus continua com a mesma temática tratada nos textos anteriores. Sua tese é demonstrar que Jesus é melhor do que os anjos. Ele deixou isso claro quando mostrou que Jesus é o Filho, e os anjos são servos (1.4-7); Jesus é o Rei, e os anjos são súditos (1.8,9); Jesus é o Criador, e os anjos são criaturas (1.10-12); Jesus é o Salvador da igreja, e os anjos são ministros que servem à igreja (1.13,14). E o autor ainda reforça sua tese quando evidencia que o juízo de Deus veio sobre os transgressores da lei dada pelos anjos. Portanto, mais severo castigo receberão aqueles que negligenciarem o evangelho dado pelo Senhor, confirmado pelos apóstolos e testificado pelo Pai com sinais e prodígios (2.1-4).[89]

No capítulo 1 de Hebreus, o autor enfatiza a divindade de Cristo; no capítulo 2, ele enfatiza sua humanidade. No capítulo 1 de Hebreus, é destacada a exaltação de Cristo e, no capítulo 2, a sua humilhação. Quatro fatos devem ser colocados em relevo sobre sua humanidade. Primeiro, sua condição. Cristo esvaziou a si mesmo, assumindo a forma humana, e nesse sentido ele foi feito um pouco menor do que os anjos. Segundo, sua intenção. Ele morreu para consumar a salvação do seu povo. Terceiro, seu resultado. Ele conduziu muitos filhos à glória e foi exaltado pelo Pai. Quarto, sua causa. Tudo foi feito pela graça de Deus.

Turnbull está certo quando diz que o propósito principal dessa passagem (2.5-18) está no versículo 9, a saber, a morte e o sofrimento de Cristo foram o caminho para sua honra e sua glória. O argumento fundamental está nos versículos 10 a 18, e o tema de seu argumento se encontra no versículo 10: *trazendo muitos filhos à glória*. Isso apresenta a nossa salvação como o processo de conduzir do mundo de pecado para a glória os que se tornam filhos de Deus.[90] Jesus Cristo em sua natureza divina e humana cumpriu o mandato dado originariamente a Adão. Cristo terá o domínio.[91]

Não é demais enfatizar que, depois de tratar da superioridade de Jesus sobre os profetas e os anjos e, depois ainda de fazer uma solene advertência à igreja para apegar-se com mais firmeza a essas verdades ouvidas, o escritor aos Hebreus retoma o assunto da relação de Jesus com os anjos. Agora, o objetivo é mostrar que, embora Jesus tenha sido feito um pouco menor que os anjos, enquanto viveu neste mundo, continua sendo superior a eles, pela obra que realizou e pela posição que ocupa. Na verdade, a superioridade de Cristo não é cancelada por ele ter vindo a nós como homem (2.5-13), nem por ele ter sofrido como homem (2.14-18).[92]

Concordo com as palavras de Stuart Olyott de que essa é uma tremenda passagem. Ele escreve:

> Essa passagem mostra que o Senhor Jesus Cristo tornou-se Filho do Homem para que pudéssemos ser filhos de Deus. Ele veio à terra para que pudéssemos ir ao céu. Carregou nossos pecados para que pudéssemos ser participantes de sua justiça. Tomou a nossa natureza para que pudéssemos ter a sua. Tornou-se homem a fim de restaurar-nos tudo o que havíamos perdido na queda de Adão.[93]

Por que Jesus precisou encarnar? Destacamos quatro solenes razões no texto em apreço.

Jesus precisou encarnar para restabelecer o domínio que o homem havia perdido na queda (2.5-9)

O autor aos Hebreus cita o Salmo 8 para ressaltar a posição de honra que Deus conferiu ao homem na criação. Deus o fez à sua imagem e semelhança e o coroou de glória e de honra. Orton Wiley diz corretamente que ser coroado significa ser elevado à mais alta posição. A palavra "coroa" aqui não é *diadema,* mas *stéfanos,* que significa coroado como conquistador. Ser coroado de glória traz em si a ideia de verdadeira dignidade e esplendor externo; ser coroado de honra sugere a alta estima devida à excelência verdadeira. Por causa dessa coroação de glória e honra, Deus colocou o homem sobre todas as obras de suas mãos, dando, assim, o toque supremo à superioridade do homem sobre o mundo criado.[94]

Deus colocou o homem como gestor da criação e como mordomo da natureza (Gn 1.26-31). Deus o constituiu sobre todas as obras de suas mãos. Sujeitou todas as coisas debaixo dos seus pés. O homem estava destinado a dominar tanto o mundo presente como o vindouro.

O homem, porém, caiu e perdeu esse domínio sobre a criação. Sua coroa jaz no pó, e sua honra está manchada. Os animais que lhe eram sujeitos tornaram-se feras perigosas. A terra benfazeja produziu cardos e abrolhos. Em vez de sujeitar a natureza, o homem passou a adorá-la ou depredá-la. Esse domínio foi perdido por causa do pecado, e hoje não vemos mais todas as coisas a ele sujeitas.

A imagem de Deus refletida no homem na criação foi desfigurada na queda. Raymond Brown declara corretamente que o homem não é o que Deus intentou que ele fosse.[95] Wiley está certo quando escreve: "A vontade do homem tornou-se perversa, o intelecto obscurecido e as afeições ficaram alienadas; e, em virtude do medo da morte, toda a sua vida ficou sujeita à servidão".[96] Mas, então, Deus envia ao mundo Jesus, o homem perfeito, o segundo Adão, para restaurar essa imagem. Jesus veio não só para restaurar essa imagem, mas também para dominar o mundo, tanto o presente como o futuro, e levar a humanidade a uma posição de domínio nunca antes experimentada.[97] O Salmo 8 foi interpretado messianicamente por Paulo (1Co 15.27; Ef 1.22). Embora a promessa não se tenha cumprido ainda (2.8b) e, a despeito do fracasso do homem, a promessa divina não fracassou: *Vemos* [...] *aquele Jesus* (2.9).

Warren Wiersbe diz que, quando aqui na terra, Jesus exerceu autoridade sobre os peixes (Mt 17.27; Lc 5.4-6; Jo 21.6), sobre as aves (22.34,60), sobre as feras (Mc 1.12,13) e sobre os animais domésticos (Mc 11.1-7). Como segundo

Adão, Jesus recuperou o domínio que o homem havia perdido. Todas as coisas estão debaixo de seus pés (Ef 1.20-23).[98]

Essa honra não foi dada aos anjos, mas a Jesus. Deus sujeitou o mundo, que há de ir a Jesus (2.5). A palavra *mundo* aqui não é *kosmos,* "Universo", como em João 3.16, nem *aeon, eras*, como em Mateus 13.49, mas *oikonomen,* o mundo habitado, "dispensação".[99] O termo refere-se à era vindoura, quando Cristo, em seu retorno, estabelecerá seu domínio como o prometido rei davídico.[100] Mesmo que agora não possamos ver esse domínio de Jesus de forma plena (2.8b), podemos vê-lo em seu estado de humilhação na encarnação e em seu estado de exaltação na ressurreição e ascensão (2.9). Ele se tornou menor do que os anjos por causa do sofrimento da morte. Assim, sendo Jesus ao mesmo tempo Filho de Deus e Filho do Homem, ele foi infinitamente superior aos anjos, pois ao assumir a forma humana, como nosso representante e substituto, ele experimentou por nós a morte, para alcançar para nós a glória que Deus prometera ao homem. A morte que Jesus suportou por nós foi sacrificial, vicária e substitutiva. Ele provou a morte não apenas sorvendo parte do cálice, mas bebendo-o até a última gota.

Kistemaker é oportuno quando escreve: "Jesus experimentou a morte em seu maior grau de amargura, não como um nobre mártir aspirando a um estado de santidade, mas como o Salvador sem pecado que morreu para libertar pecadores da maldição da morte espiritual".[101]

No entanto, ao provar Jesus a morte por todo homem, Deus o coroa de glória e de honra. O autor aos Hebreus combina duas ideias que parecem inicialmente ser opostas: *o sofrimento da morte* e *coroado de glória e de honra*. A glória e a honra outorgadas a Jesus são o resultado direto do sofrimento. A combinação entre as duas ideias, que é estranha ao pensamento natural, é, mesmo assim, central no Novo Testamento.[102] Estou de pleno acordo com Stuart Olyott quando ele diz que Jesus não morreu por todo homem no sentido de ser em favor de cada indivíduo sobre a face da terra. Isso resultaria numa salvação universal. Temos de lembrar que o autor está escrevendo aos crentes judeus e enfatizando que Cristo morreu pelos gentios tanto quanto pelos judeus.[103] O mesmo escritor ainda esclarece:

> De quem fala o escritor sagrado neste contexto? Ele se refere aos muitos filhos que serão conduzidos à glória (2.10), dos santificados que são um com o Santificador (2.11), daqueles que são chamados de irmãos de Cristo (2.12) e dos filhos que Deus deu a ele (2.13). É isto que nos dá o escopo e a referência de "todos" pelos quais Cristo experimentou a morte. Na verdade, Cristo sofreu a morte no lugar de cada um dos filhos que virão à glória e por todos os filhos que Deus deu a ele.[104]

Jesus precisou encarnar para conduzir muitos filhos à glória (2.10-13)

Agora Jesus é chamado de "o Autor da salvação" do seu povo, o pioneiro que abriu o caminho para Deus a fim de levar muitos filhos à glória. Raymond Brown escreve: "Cristo não veio apenas para participar de nossa humanidade, mas também e sobretudo para transformá-la".[105] A palavra grega *arquegos*, traduzida aqui por *autor*, significa mais que simplesmente cabeça ou chefe. Assim, Zeus era o cabeça dos deuses, e um general era o chefe de seu exército. Pode significar também "fundador" ou "originador". Nesse sentido, é usada para descrever o fundador de uma cidade, uma família ou uma escola filosófica. Também é empregada como fonte ou origem. Um bom governante nesse caso é o *arquegos* da paz, e o mau governante é o *arquegos* da confusão. Um *arquegos* é o que começa algo para que os outros possam ter acesso a isso. Por exemplo, ele inicia uma família para que outros possam nascer em seu seio; funda uma cidade para que outros possam habitá-la algum dia; inaugura uma escola filosófica para que outros possam segui-la. O *arquegos* é o autor de bênçãos ou maldições para os demais; é o que abre a porta para que outros entrem. Jesus é o *arquegos* da nossa salvação. Jesus é o pioneiro que abriu o caminho para Deus.[106]

Aquele que entrou no mundo como o unigênito de Deus (Jo 3.16) agora retorna ao céu como o primogênito de Deus (1.6), pois leva à glória, como irmão primogênito, muitos outros filhos de Deus (2.10), a quem não se envergonha de chamar irmãos (2.11). O autor cita Salmo 22.2, um salmo messiânico, no qual Cristo se refere à igreja como sendo seus irmãos. De igual modo, o autor cita Isaías 8.17,18, em que aqueles que creem são chamados não apenas de *irmãos*, mas também de *filhos*. Augustus Nicodemus é claro em sua posição: "Jesus veio ao mundo para que sejamos uma família, sendo ele o nosso irmão mais velho".[107]

O capitão da nossa salvação conduz muitos filhos à glória por meio da santificação (2.11). Ele saiu do céu à terra solitário e volta da terra ao céu com a multidão dos seus santos. Ele não conduzirá ao céu somente aqueles que santificar na terra. O Deus santo não receberá pessoas ímpias. Essa cabeça viva não admitirá membros mortos nem os levará à posse de uma glória que não amam e da qual não gostam. Não é suficiente dizer que Cristo fez expiação por nós; necessitamos de Cristo em nós. Não é só o que Cristo fez na cruz por nós que nos salva; é também o que ele faz em nós. Ele não apenas morreu por nós, mas também vive em nós.[108]

Jesus precisou encarnar para destruir o diabo e libertar os cativos (2.14,15)

Jesus tornou-se totalmente humano. Ele é nosso parente de sangue. É um de nós. É nosso irmão. A encarnação de Cristo tem uma necessidade e um propósito. Foi necessária para tornar os homens seus irmãos (2.14a). Seu propósito foi aniquilar a autoridade daquele que tinha o domínio sobre a morte (2.14b) e libertar seus cativos (2.15).

Jesus, por se identificar com o pecador e assumir o seu lugar, como seu representante, fiador e substituto, precisou morrer, pois o salário do pecado é a morte. Mas, ao morrer, Jesus matou a morte, pois arrancou seu aguilhão. Ao morrer, Jesus destruiu, ou seja, desarmou, aquele que tem o poder da morte, a saber, o diabo. O verbo "destruir" não significa "aniquilar", pois Satanás ainda está vivo e ativo. Significa "tornar inoperante, sem efeito". Satanás não está destruído, mas desarmado.[109] Embora o diabo ainda esteja presente, Jesus já decretou a sua derrota final. Satanás está perdido. Sua causa está perdida. Não há mais perspectiva de vitória para ele, porque Jesus destruiu o seu plano.[110]

É óbvio que a autoridade final sobre a morte não está nas mãos de Satanás, e sim nas mãos de Deus e do seu Cristo (Dt 32.39; Mt 10.28; Ap 1.8). Satanás não pode fazer coisa alguma se Deus não o permitir (Jó 1.12; 2.6). Porém, uma vez que Satanás é o autor do pecado (Jo 8.44), e que o pecado leva à morte (Rm 6.23), nesse sentido Satanás exerce poder quanto à morte. Agora, porém, podemos clamar: *Onde está, ó morte, a tua vitória? Onde está, ó morte, o teu aguilhão?* (1Co 15.55). Nós sabemos que nada, nem mesmo a morte, pode *nos separar do amor de Deus que está em Cristo Jesus* (Rm 8.38,39). Jesus matou a morte com sua morte, pois ele é a ressurreição e a vida. No céu, para onde vamos, a morte não mais existirá (Ap 21.4).

Jesus, então, veio para destruir o diabo (2.14) e suas obras (1Jo 3.8). Ele veio também para livrar os prisioneiros do diabo, tirando-os da escravidão. A morte de Jesus não foi uma derrota, mas uma vitória retumbante, pois foi na cruz que ele esmagou a cabeça da serpente (Gn 3.15), despojou os principados e as potestades e publicamente os expôs ao desprezo, triunfando deles na cruz (Cl 2.15). Concordo com Turnbull quando ele diz: "A cruz foi o Waterloo de Satanás. Ela foi o golpe que arrebentou os grilhões dos corações, tornando-os livres".[111] Nessa mesma linha de pensamento, Raymond Brown escreve: "O Novo Testamento deixa claro que a vinda de Jesus foi o começo do fim do diabo".[112]

Jesus precisou encarnar para ser fiel e misericordioso sumo sacerdote (2.16-18)

Jesus não morreu para socorrer os anjos caídos. Para esses, não há esperança nem redenção. Ele morreu para socorrer a descendência de Abraão (2.16). Frank Boyd diz corretamente que a capacidade que Jesus tem para nos socorrer se deve não apenas à sua divindade como Filho de Deus, mas também à sua humanidade, pela qual ele obteve a condição de condoer-se de nós (2.17).[113] Os descendentes de Abraão não são aqueles que têm o sangue de Abraão correndo em suas veias, mas aqueles que têm a fé de Abraão habitando em seu coração (Gl 3.6,7,29). Três verdades são destacadas aqui.

Em primeiro lugar, *Jesus morreu para socorrer a descendência de Abraão* (2.16). Não há redenção para os anjos caídos, mas para a descendência de Abraão. Jesus veio para buscar e salvar o que se havia perdido. Ele veio salvar pecadores. Ele veio para nos tirar da escravidão para a liberdade, da morte para a vida. Raymond Brown diz que a missão de libertação realizada por Cristo, aqui, é apresentada como uma urgente necessidade, um fato consumado e um contínuo processo.[114]

Em segundo lugar, *Jesus morreu para fazer propiciação pelos pecados do povo* (2.17). Jesus é o Sumo Sacerdote fiel a Deus e misericordioso a nós. Com sua morte, ele aplacou a ira de Deus contra nós. A tempestade da ira de Deus que deveria cair sobre a nossa cabeça foi desviada. Ele satisfez plenamente a justiça divina ao assumir o nosso lugar e cumpriu todas as demandas da lei ao morrer pelos nossos pecados. Por sua morte, somos declarados livres de condenação e reconciliados com Deus. É digno de nota que em nenhum outro livro do Novo Testamento Jesus é descrito como Sumo Sacerdote. Essa doutrina é plenamente desenvolvida nessa epístola (2.17,18; 3.1; 4.14-16; 5.1-10; 6.20; 7.14-19,26-28; 8.1-6; 9.11-28; 10).

Em terceiro lugar, *Jesus morreu para socorrer os que são tentados* (2.18). Ao encarnar, Jesus se identificou conosco. Ao assumir a natureza humana, foi tentado como nós e, por isso, pode compreender nossas fraquezas e nos socorrer quando somos tentados. Pois ele, mesmo sofrendo e sendo tentado, não caiu em tentação. Por isso, pode nos socorrer quando somos tentados.

Frank Boyd diz que a palavra *socorrer* é muito expressiva, sendo derivada do grego *boe,* "um grito", e *thesai,* "correr". O sentido completo então é "correr em atendimento a um grito". O crente clama a Deus pedindo socorro, e Deus o atende, correndo para o socorrer.[115]

Russell Champlin assevera: "Nenhum clamor deixará de ser ouvido, nenhuma tentação deixará de ser aliviada".[116] O apóstolo Paulo esclarece: *Não vos sobreveio tentação que não fosse humana; mas Deus é fiel, e não permitirá que sejais tentados além das vossas forças; pelo contrário, juntamente com a tentação vos proverá livramento, de sorte que a possais suportar* (1Co 10.13). Augustus Nicodemus diz que a boa notícia do evangelho é que temos um homem assentado à direita de Deus, intercedendo por nós. Um membro da raça humana foi exaltado, glorificado e, tendo feito o pagamento pelos nossos pecados, é o nosso representante.[117]

NOTAS

[89] TURNBULL, M. Ryerson, *Levítico e Hebreus*, p. 114.

[90] Ibidem, p. 115.

[91] KISTEMAKER, Simon, *Hebreus*, p. 100.

[92] OLYOTT, Stuart, *A carta aos Hebreus*, p. 26.

[93] Ibidem, p. 25.

[94] WILEY, Orton H., *Comentário exaustivo da carta aos Hebreus*, p. 118.

[95] BROWN, Raymond, *The message of Hebrews*, p. 55.

[96] WILEY, Orton H., *Comentário exaustivo da carta aos Hebreus*, p. 120.

[97] BOYD, Frank M., *Gálatas, Filipenses, 1, 2 Tessalonicenses e Hebreus*. Rio de Janeiro, RJ: CPAD, 1996, p. 125.

[98] WIERSBE, Warren W., *Comentário bíblico expositivo*, vol. 6, p. 365.

[99] WILEY, Orton H., *Comentário exaustivo da carta aos Hebreus*, p. 114.

[100] RIENECKER, Fritz; ROGERS, Cleon. *Chave linguística do Novo Testamento grego*. São Paulo, SP: Edições Vida Nova, 1985, p. 495.

[101] KISTEMAKER, Simon, *Hebreus*, p. 99.

[102] Guthrie, Donald, *Hebreus: introdução e comentário*, p. 81.
[103] Olyott, Stuart, *A carta aos Hebreus*, p. 27.
[104] Ibidem, p. 27.
[105] Brown, Raymond, *The message of Hebrews*, p. 58.
[106] Barclay, William, *Hebreos,* 1973, p. 31-32.
[107] Lopes, Augustus Nicodemus, *Hebreus*, p. 53.
[108] Wiley, Orton H., *Comentário exaustivo da carta aos Hebreus*, p. 129,131.
[109] Wiersbe, Warren W., *Comentário bíblico expositivo,* vol. 6, p. 366.
[110] Lopes, Augustus Nicodemus, *Hebreus*, p. 53.
[111] Turnbull, M. Ryerson, *Levítico e Hebreus*, p. 117.
[112] Brown, Raymond, *The message of Hebrews*, p. 69.
[113] Boyd, Frank M., *Gálatas, Filipenses, 1, 2 Tessalonicenses e Hebreus.*, p. 129.
[114] Brown, Raymond, *The message of Hebrews*, p. 65.
[115] Boyd, Frank M., *Gálatas, Filipenses, 1, 2 Tessalonicenses e Hebreus*, p. 129.
[116] Champlin, Russell Norman. *Novo Testamento interpretado versículo por versículo.* São Paulo, SP: Editora Hagnos, vol. 5, 2014, p. 646.
[117] Lopes, Augustus Nicodemus, *Hebreus*, p. 55.

Capítulo 5

Nossos privilégios em Cristo

(Hb 3.1-6)

NOS CAPÍTULOS 1 E 2, O AUTOR aos Hebreus prova que Jesus é maior que os profetas e que os anjos. Agora, ele mostra que Jesus é, também, maior que Moisés. Mesmo que isso pareça um anticlímax, é preciso destacar que Moisés era a personagem mais reverenciada pelo povo judeu. É o nome da personagem veterotestamentária mais mencionada no Novo Testamento, ou seja, cerca de 85 vezes.

Cristo veio como um segundo Moisés. Os paralelos entre Moisés e Cristo são numerosos. Moisés levantando a serpente é um tipo de Cristo sendo levantado na cruz (Jo 3.14). Moisés deu o maná no deserto, mas Cristo dá o verdadeiro pão do céu (Jo 6.31). As palavras proféticas de Moisés em Deuteronômio 18.15 são aplicadas a Cristo em Atos 3.22; 7.37.[118]

Se os anjos foram os mediadores para entregar a lei no Sinai, Moisés foi o recebedor da lei e o transmissor dela ao povo. Moisés foi o maior líder de Israel, o homem que tirou o povo da escravidão do Egito e o conduziu por quarenta anos no deserto.

O propósito do autor da carta aos Hebreus é mostrar que, não obstante os judeus tivessem o mais alto conceito sobre Moisés, pois com ele Deus falava face a face (Nm 12.6,7), Jesus era superior ao patriarca (3.3). Moisés serviu com fidelidade na casa de Deus, mas Jesus constituiu a casa. Moisés era um servo na casa, mas Jesus é o Filho. Moisés é um enviado de Deus e embaixador de Deus, mas Jesus é o Apóstolo. Moisés intercedeu pelo povo, mas Jesus é o Sumo Sacerdote. Moisés, como nós, fazia parte da família de Deus, mas Jesus edificou e é o dono da casa.

Portanto, voltar do cristianismo para o judaísmo é sair da realidade para a sombra e da consumação para a promessa. Para evitar esse retrocesso, os crentes precisavam *considerar atentamente o Apóstolo e Sumo Sacerdote da nossa confissão, Jesus* (3.1). A palavra grega *katanoien,* "considerar", tem um significado mais profundo do que apenas olhar algo superficialmente. É mirar com a máxima atenção. É observar atentamente. Barclay diz que é fixar a atenção em algo ou em alguém de tal maneira que seu significado profundo e a lição que traz possam ser assimilados.[119] Orton Wiley diz que a palavra "considerar" é um termo usado na astronomia, derivado da raiz latina *sidus,* que significa estrela ou constelação, e dela temos *sideral,* o que pertence aos astros ou ao céu. *Considerai* contém a ideia de que, assim como os astrônomos fitam longa e atentamente os céus a fim de obter informações sobre o sistema solar, também nós, como cristãos, devemos continuamente fitar Jesus Cristo com admiração e adoração.[120]

Stuart Olyott destaca que o autor aos Hebreus usa diversas armas diferentes do seu arsenal. No versículo 1, ele emprega a exortação. Nos versículos 2 a 6, ele passa ao ensino. Então, nos versículos 7 a 19, ele se dedica à admoestação.[121]

Quando lançamos esse olhar atento para compreender a verdade cristã, o que vemos? Vemos nossos privilégios em Cristo.

Somos participantes de uma vocação celestial (3.1)

O nosso chamado não é apenas para uma jornada na terra, mas para uma caminhada rumo ao céu. Nosso chamado veio do céu, e nosso destino é o céu. Nossa vocação procede do céu, e nossa peregrinação é para o céu. Raymond Brown ressalta que "não somos apenas chamados a partir do céu, mas também somos chamados para o céu".[122] Donald Guthrie tem razão ao dizer que o escritor fala também do dom celestial (6.4), do santuário celestial (8.5), das coisas celestiais (9.23), da pátria celestial (11.16) e da Jerusalém celestial (12.22). Em todos os casos, o "celestial" é contrastado com o terrestre, e em todos os casos o celeste é o superior, a realidade comparada com a sombra.[123]

Moisés conduziu o povo por um deserto com vistas a conquistar Canaã. Nós somos conduzidos por Cristo para a Canaã celestial. Nossa pátria não está aqui. No céu deve estar o nosso foco. William Barclay é oportuno quando escreve:

> O chamado que recebe um cristão tem dupla direção. É um chamado desde o céu e para o céu; uma voz que vem de Deus e nos convoca para Deus; é um chamamento que exige uma atenção concentrada tanto por sua origem como por seu destino, tanto por sua fonte como

por seu propósito. Não se pode mirar desinteressadamente um convite a Deus e da parte do próprio Deus.[124]

Fazemos parte da família santa de Deus (3.1)

O autor aos Hebreus chama os membros da igreja de *santos irmãos*. Somos santos porque fomos separados do mundo para Deus. Somos santos porque fomos purificados pelo sangue do Cordeiro. Somos santos porque o Espírito Santo habita em nós e nos transforma de glória em glória na imagem de Jesus.

Somos irmãos, porque, em Cristo, judeus e gentios foram reconciliados num só corpo. O muro de inimizade foi derrubado pelo sangue de Cristo. Somos uma só igreja, uma só família, um só rebanho, um só povo.

Temos Jesus como Apóstolo e Sumo Sacerdote da nossa confissão (3.1)

Jesus é o divino Apóstolo e o gracioso Sumo Sacerdote da nossa confissão. Como Apóstolo, Jesus Cristo representou Deus diante dos homens na terra; como Sumo Sacerdote, ele representa os homens diante de Deus no céu.[125] O que é a nossa confissão? É aquilo que declaramos diante do mundo. Dizemos ao mundo que Deus enviou Jesus para trazer-nos sua mensagem, dar sua vida por nós e interceder por nós.

Essa é a única vez no Novo Testamento que Jesus é chamado de Apóstolo. A palavra "apóstolo" tem aqui dois significados: primeiro, um enviado de Deus, com a autoridade de Deus; segundo, um embaixador de Deus, que fala em nome de Deus e representa seu país.

Moisés era enviado de Deus para libertar o povo de Israel e foi um embaixador de Deus para falar ao povo em nome de Deus. Jesus, porém, não é apenas um apóstolo; ele é *o* Apóstolo. Ele foi enviado por Deus para redimir um povo exclusivamente para Deus, zeloso de boas obras (Tt 2.14). Ele foi enviado para ser nosso Redentor. Foi enviado para dar sua vida por suas ovelhas. Foi enviado para comprar, com o seu sangue, aqueles que procedem de toda tribo, raça, povo, língua e nação (Ap 5.9).

Se Moisés foi um intercessor do povo como sacerdote e se Arão foi chamado de sumo sacerdote, em muito maior grau Jesus é o nosso Sumo Sacerdote. Simon Kistemaker explica que, enquanto o termo *apóstolo* se relaciona por comparação a Moisés, a designação *Sumo Sacerdote* é rememorativa de Arão. As funções separadas desses dois irmãos são combinadas e cumpridas na pessoa única de Jesus. E, em sua obra, Jesus é maior do que ambos, Moisés e Arão.[126]

A palavra latina para sacerdote é *pontifix*. Significa "construtor de pontes", mediador. Jesus é aquele que, sendo Deus e homem ao mesmo tempo, pode trazer Deus a nós e levar-nos a Deus. Ele pode ser o perfeito Mediador entre nós e Deus (1Tm 2.5). Ao morrer na cruz em nosso lugar, ele foi o sacerdote e o sacrifício, o ofertante e a oferta. Ele nos reconciliou com Deus e, agora, está à destra de Deus, de onde intercede por nós, fielmente, como nosso Sumo Sacerdote!

Temos Jesus como alguém superior a Moisés (3.2-5)

O autor aos Hebreus destaca a fidelidade de Moisés na casa de Deus e a fidelidade de Jesus. Os crentes devem considerar a fidelidade com que Cristo realizou sua missão. Deus enviou seu Filho com uma missão bem definida, muito específica: conduzir muitos filhos à glória. E, na realização da sua obra, Jesus foi fiel (Jo 4.34; 5.30; 6.38; 7.4).[127] Embora Moisés tenha sido a figura mais destacada no judaísmo, o autor ressalta a superioridade de Jesus sobre Moisés, usando três argumentos.[128]

Em primeiro lugar, *o construtor é maior do que a casa* (3.2-4). A palavra grega *oikos,* traduzida aqui por *casa*, não se refere a uma casa física, material, mas ao povo de Deus. Aqui o termo *casa* é um sinônimo para a família de Deus. Moisés foi fiel a Deus servindo à igreja, no deserto, durante a jornada dos quarenta anos, e Jesus é digno de muito maior glória porque ele é o fundamento, o dono, o edificador e o protetor da igreja (Mt 16.18). Foi Jesus quem estabeleceu a igreja. Foi ele quem a redimiu. Ele é Salvador da igreja e o seu noivo. Agora, a igreja é composta por judeus e gentios que se arrependem e creem no nome do Senhor Jesus Cristo. De ambos os povos, Deus fez um só povo, uma só igreja (Ef 2.14).

Em segundo lugar, *o Filho é maior do que o servo* (3.5a,6). Moisés foi um servo na casa de Deus, mas Jesus é o Filho. O autor aos Hebreus não usou a palavra *doulos* para servo, mas o termo *therepho,* que significa "servo livre".[129] Deus é o arquiteto da casa, e Jesus é o construtor da casa, mas Moisés foi apenas um servo na casa de Deus.[130] O Filho unigênito é da mesma substância do Pai. Concordo com o que diz William Barclay: "Moisés não criou a lei, foi apenas seu transmissor; não criou a casa, apenas serviu nela; nunca falou por si mesmo, pois tudo o que disse só apontava para as coisas maiores que Jesus Cristo faria. Em síntese, Moisés foi o servo, Jesus é o Filho; Moisés conheceu algo sobre Deus, Jesus era Deus".[131]

Em terceiro lugar, *a realização é maior do que seu símbolo* (3.5b). Moisés deu testemunho das coisas que haveriam de vir. Jesus tornou essas coisas realidade. Ele é a consumação daquilo que Moisés anunciou como sombra. Assim escreve

Kistemaker: "Moisés teve a função de um profeta e foi um tipo de Jesus, o grande profeta (Dt 18.15,18). Ele testificou a respeito daquilo que seria dito no futuro, especialmente o evangelho que Jesus proclamou como a totalidade da revelação de Deus (Hb 1.2)".[132] Augustus Nicodemus corrobora dizendo: "Moisés falou em figuras e de coisas que ainda aconteceriam. Falou de Cristo, o alvo de sua mensagem (Jo 5.46; Lc 24.27). Jesus é o cumprimento do que Moisés anunciou, por isso é digno de maior glória e honra, razão pela qual devemos nos concentrar nele".[133]

Somos a morada de Deus (3.6)

Como já afirmamos, o termo *casa* é uma referência ao povo de Deus, e não um edifício material. Moisés ministrou a Israel, o povo de Deus, sob a antiga aliança. Hoje, Cristo ministra à sua igreja, o povo de Deus, sob a nova aliança.[134] Esse conceito da igreja como casa e morada de Deus é robustamente provado no Novo Testamento (1Co 3.16; 6.19; 2Co 6.16; 1Pe 2.5). Nós somos a casa de Deus, pois Deus habita na igreja. Agora, os crentes em Jesus Cristo, e não os judeus, constituem a família de Deus (Ef 2.19-22; 1Tm 3.15). Nós somos o santuário do Espírito, o templo da morada do Altíssimo, o corpo de Cristo.

Duas condicionais são apresentadas.

Em primeiro lugar, *se guardarmos até o fim a ousadia* (3.6). Os crentes judeus estavam sendo tentados a voltar para o judaísmo. O medo da perseguição estava levando muitos deles de volta às sombras. A salvação é garantida àqueles que perseveram. A evidência da salvação é a perseverança ousada, apesar dos perigos. Certamente, o propósito do escritor era concitar seus leitores a permanecerem fiéis ao cristianismo (3.6,14; 4.14). Concordo com Stuart

Olyott quando ele diz que, se alguém, já tendo professado a Cristo, o abandona para sempre, será porque sua profissão de fé nunca foi autêntica. A única garantia certa de que você é filho de Deus é que você continua, e continua, e continua na fé, a despeito de suas falhas. Se alguém não continuar na fé, perseverando até o fim, será porque não pertence a Cristo. Portanto, está perdido eternamente.[135]

Em segundo lugar, *se guardarmos até o fim a exultação da esperança* (3.6). A esperança cristã não é uma esperança vaga, mas uma certeza absoluta (Rm 5.5). Caminhamos neste mundo com os olhos fitos na recompensa. Aqui, enfrentamos tribulação e somos perseguidos. Aqui choramos, gememos e passamos por vales escuros, mas, a despeito das circunstâncias adversas, a jornada deve ser jubilosa e exultante, porque caminhamos para o céu, atendendo à nossa vocação celestial. O próprio autor de Hebreus corrobora: *Guardemos firme a confissão da esperança, sem vacilar, pois quem fez a promessa é fiel* (10.23).

Notas

[118] Lightfoot, Neil R., *Hebreus*, p. 97.
[119] Barclay, William, *Hebreos,* 1973, p. 34-35.
[120] Wiley, Orton H., *Comentário exaustivo da carta aos Hebreus*, p. 158.
[121] Olyott, Stuart, *A carta aos Hebreus*, p. 31.
[122] Brown, Raymond, *The message of Hebrews*, p. 75.
[123] Guthrie, Donald, *Hebreus: introdução e comentário*, p. 91.
[124] Barclay, William, *Hebreos.* 1973, p. 35.
[125] Wiersbe, Warren W., *Comentário bíblico expositivo.* Vol. 6, p. 368-369.

[126] Kistemaker, Simon, *Hebreus*, p. 123.
[127] Turnbull, M. Ryerson, *Levítico e Hebreus*, p. 120.
[128] Wiley, Orton H., *Comentário exaustivo da carta aos Hebreus*, p. 162.
[129] Ibidem, p. 163.
[130] Kistemaker, Simon, *Hebreus*, p. 125.
[131] Barclay, William, *Hebreos,* 1973, p. 37.
[132] Kistemaker, Simon, *Hebreus*, p. 127.
[133] Lopes, Augustus Nicodemus, *Hebreus*, p. 62,.
[134] Wiersbe, Warren W., *Comentário bíblico expositivo,* vol. 6, p. 369.
[135] Olyott, Stuart, *A carta aos Hebreus*, p. 34.

Capítulo 6

A ameaça da incredulidade

(Hb 3.7-19)

Na passagem em tela, o autor aos Hebreus avança da argumentação para a exortação.[136] Visto que Jesus é superior a Moisés, voltar a Moisés nessa época de perseguição seria um erro tão trágico quanto aquele que Israel cometeu quando a nação se voltou contra Moisés em Cades-Barneia.[137]

No texto anterior, vimos que Moisés foi fiel à missão que Deus lhe deu. Então, por que não introduziu Israel na terra de Canaã? A resposta encontra-se nessa passagem que, agora, vamos considerar. A passagem descreve a incredulidade manifestada por Israel, como a registram os capítulos 13 e 14 do livro de Números. Eles falharam em alcançar Canaã, não em virtude da infidelidade de Moisés, pois ele foi fiel, mas por causa da incredulidade do povo.[138] O texto é claro: *Vemos que não puderam entrar por causa da incredulidade*.

Depois de provar que Jesus é maior do que Moisés e depois de demonstrar que aqueles que se levantaram contra Moisés pereceram no deserto, o autor aos Hebreus aponta que virar as costas para Jesus é um pecado ainda mais grave e de consequências ainda mais devastadoras. Augustus Nicodemus, nesta mesma linha de pensamento, diz: "Se os que endureceram seu coração sob o ministério de Moisés foram castigados duramente, quanto mais aqueles que endureceram o seu coração sob Cristo, que é maior que Moisés".[139]

O autor da epístola aproveita o fato de Israel não ter entrado em Canaã como aviso solene, uma tremenda advertência a seus leitores. Para destacar a força dessa advertência, Turnbull faz um paralelo entre Israel e os leitores da epístola aos Hebreus: 1) Israel tinha sido escravo no Egito – seus leitores haviam sido escravos no judaísmo. 2) Israel tinha deixado o Egito cheio das mais altas esperanças – seus leitores haviam deixado o judaísmo e aceitado o cristianismo com zelo e entusiasmo reais e sinceros. 3) Israel vacilou em sua fé em virtude das dificuldades que se lhe depararam na jornada – seus leitores estavam vacilando na fé por causa das perseguições. 4) Israel tinha procurado voltar ao Egito (Nm 14.4) – seus leitores estavam pensando em voltar para o judaísmo. 5) Aquela geração de Israel pereceu no deserto por causa da sua incredulidade – seus leitores perder-se-iam se persistissem em sua incredulidade.[140]

Como fica claro, o autor, deixando a exposição, passa à exortação. Ele faz, no texto em apreço, várias exortações, que abordamos a seguir.

Ouça a voz do Espírito através da Escritura (3.7)

O autor aos Hebreus não menciona o nome de Davi, que escreveu o Salmo 95, citado nesse versículo, mas diz que o que Davi escreveu no Salmo 95 é a própria voz do Espírito Santo. Assim, ele entende que a Escritura é inspirada e ouvi-la é ouvir o próprio Deus. O Espírito Santo fala ao homem por meio da Palavra de Deus. Concordo com Simon Kistemaker quando ele diz: "Deus é o autor primário da Escritura, e o homem é o autor secundário por quem Deus fala".[141] Calvino tem razão ao dizer: "O que encontramos nos livros dos profetas são as palavras de Deus mesmo, e não as dos homens".[142]

Sua exortação à igreja dos hebreus não procede dele mesmo; emana das Escrituras. Sua autoridade para exortar o povo de Deus não vem dele mesmo, mas do próprio Espírito Santo. Se queremos ouvir a voz do Espírito, precisamos nos voltar para as Escrituras, pois ela é a sua fonte e seu intérprete. Deus ainda nos fala, e nos fala por sua Palavra. Nós somos conclamados a ouvir, a crer, a obedecer e a proclamar a Palavra de Deus.

Não endureça o seu coração (3.8-11)

O povo de Israel foi tirado do Egito com mão forte e poderosa. Deus quebrou o jugo do povo e o tornou livre. Deus desbancou as divindades do Egito. Deus abriu o mar Vermelho. Deus fez brotar água da rocha e fez chover maná do céu. Deus enviou codornizes para alimentar o povo e não permitiu que suas sandálias e vestes envelhecessem. Deus enviou uma coluna de fogo para aquecê-los do frio da noite e clarear o caminho pelo deserto e, também, enviou uma coluna de nuvem para refrescá-los no calor do dia. Deus derrotou diante deles os seus adversários e manifestou diante deles a sua glória. Milagre após milagre foi realizado por Deus para suprir suas necessidades e cumprir suas promessas. A despeito de tudo isso, o povo de Israel insurgiu-se contra Deus. Duvidou de sua presença entre eles. Murmurou contra Deus e provocou o Senhor à ira. Então, Deus jurou na sua ira não permitir ao povo entrar na terra prometida. O povo rebelde perambulou pelo deserto por quarenta anos, e suas areias escaldantes tornaram-se o cemitério para sepultar seus mortos.

Agora, o autor aos Hebreus exorta a igreja a não incorrer no mesmo pecado. Há em Hebreus outras advertências similares, como em 6.4-8 e 10.26-31. Contudo, essas advertências não nos permitem deduzir que todos os crentes a quem ele se dirige eram nascidos de novo e justificados pela fé em Cristo.[143] O autor, obviamente, não está negando a doutrina da perseverança dos santos. Ele não corrobora a ideia de que um salvo possa perder a salvação.

Stuart Olyott tem razão ao dizer que a apostasia é algo que acontece apenas com aqueles que aparentam ser verdadeiros crentes, pois todos nós conhecemos pessoas que pareciam ser cristãos de destaque, mas acabaram deixando de professar qualquer cristianismo e morreram nesse estado (1Jo 2.19).[144] Jesus, na conclusão do Sermão do Monte, falou a respeito dos falsos crentes (Mt 7.21-23). Ele também mencionou o solo duro, o solo rochoso e o solo cheio de espinhos, na parábola do semeador, onde a semente não frutificou (Mt 13.1-23). Judas Iscariotes, mesmo sendo um apóstolo, não era convertido, por isso não estava limpo (Jo 13.11,18). Ele era ladrão (Jo 12.6). Jesus chamou-o de filho da perdição (Jo 17.12). Demas, depois de ter sido cooperador do apóstolo Paulo, abandonou-o por ter amado o presente século (2Tm 4.10).

Destacamos a seguir alguns pontos.

Em primeiro lugar, *o pecado é uma ofensa contra Deus* (3.8,9). Não foram os egípcios nem os povos pagãos os acusados de dureza de coração, mas o povo de Deus. Orton Wiley diz que Satanás nos aconselha a postergar para amanhã o que é para hoje, e a demora faz endurecer o coração. As palavras gregas *me skleroute, não endureçais*, são usadas em referência à ressecação ou ao enrijecimento por doença ou à rigidez fria daquilo que deveria ser maleável e macio.[145] Concordo com Warren Wiersbe quando ele diz que "o cerne de todo problema é o problema do coração".[146]

Os israelitas cometeram três pecados contra Deus, dos quais tratamos a seguir.

Provocação (3.8). Em Êxodo 17.7, o lugar da provação é chamado de Meribá, que é traduzido por *rebelião* (Nm 20.13). Donald Guthrie diz que a palavra grega *parapikrasmos,* usada para *rebelião*, ocorre no Novo Testamento apenas aqui e no versículo 15, e vem da raiz *pikros* ("amargo"); pode ter sido sugerida pelo incidente em Meribá, onde a água foi achada amarga.[147]

Tentação (3.8). Em Êxodo 17.7, o lugar da tentação é chamado de Massá, que é traduzido por *tentação.*

Puseram o Senhor à prova (3.9). Os israelitas não se rebelaram contra Deus apenas uma vez; depois da volta dos espias, eles colocaram Deus à prova dez vezes (Nm 14.22).

Em segundo lugar, *o pecado é uma ingratidão a Deus* (3.10). O povo provocou Deus à ira, tentou a Deus e o colocou à prova durante quarenta anos; ao longo dessas quatro décadas, Deus lhes mostrou as suas obras. Deus realizou milagres para abençoá-los, e eles se rebelaram contra Deus. O Senhor lhes demonstrou o seu cuidado, e eles se insurgiram contra Deus. O Senhor lhes revelou o seu amor, e eles viraram as costas para Deus. O pecado é uma conspiração contra a bondade de Deus. É uma afronta à graça de Deus. É um gesto de profunda ingratidão à generosa providência de Deus (Êx 13.21; 16.4,5; 17.6; Dt 29.5). Deus disse a Moisés: *Até quando me provocará este povo e até quando não crerá em mim, a despeito de todos os sinais que fiz no meio dele?* (Nm 14.11).

Em terceiro lugar, *o pecado atrai a ira de Deus* (3.10,11). O pecado é malignníssimo, pois se insurge contra o Deus Todo-poderoso. Deus ficou indignado contra o povo. Sua ira se acendeu contra o povo. Então, Deus jurou na sua ira que o povo não entraria em seu descanso. O descanso que Deus tinha para os israelitas era em Canaã; o descanso de um tempo de servidão no Egito e das exaustivas peregrinações no deserto (Dt 12.9). O Senhor chama *meu descanso* porque o prometera a seu povo.[148]

Em quarto lugar, *o pecado é uma resistência deliberada e contínua contra Deus* (3.10b). Deus acusou o povo de Israel de sempre errar no coração e desconhecer os seus caminhos. Pecar é errar o alvo. Pecar é tapar os ouvidos à voz de Deus e desobedecer-lhe. Pecar é desviar-se dos caminhos de Deus, em vez de andar neles.

Não se renda à incredulidade (3.12-14)

Os pecados de Israel contra Deus foram uma expressão afrontosa de incredulidade. Eles não creram nas promessas de Deus. Eles duvidaram da Palavra de Deus. Esse mesmo perigo ainda hoje ameaça a igreja. Por isso, o autor aos Hebreus faz algumas exortações.

Em primeiro lugar, *acautele-se contra a incredulidade* (3.12a). *Tende cuidado, irmãos...* Kistemaker diz que, num sentido, Hebreus 3.12 pode ser chamado de resumo das exortações pastorais na epístola.[149] A palavra grega *blepete, tende cuidado*, está no imperativo presente, que expressa uma duração contínua. Precisamos vigiar constantemente. A incredulidade é um laço, uma armadilha insidiosa, que, como rede, nos apanha e nos torna prisioneiros. Nas palavras de Augustus Nicodemus, a incredulidade é a recusa obstinada de crer em Deus e nas suas promessas.[150] Precisamos, portanto, vigiar. Precisamos estar alerta. Nosso coração é enganoso, corrupto e inclinado a desviar-se de Deus. Precisamos ter cautela. Essa expressão *tende cuidado* aparece novamente em Hebreus 12.25 e, nos dois casos, Donald Guthrie diz que há uma questão séria envolvida: assim como os israelitas se tornaram presa da descrença, também seus sucessores, os cristãos, devem ter cuidado para não cair na mesma armadilha.[151]

Em segundo lugar, *a origem da incredulidade* (3.12b). *Tende cuidado, irmãos, jamais aconteça haver em qualquer de vós perverso coração de incredulidade*. A expressão grega *kardia ponera, perverso coração*, significa coração maligno. O coração maligno e pervertido é o laboratório no qual a incredulidade é criada. O coração perverso é o útero no qual a incredulidade é gestada. A incredulidade não vem de fora, mas de dentro, de dentro do próprio coração maligno.

Em terceiro lugar, *o efeito da incredulidade* (3.12c). ... *que vos afaste do Deus vivo*. A palavra grega *apostenai*, traduzida aqui por *vos afaste*, dá origem à palavra "apostasia", que sugere o fim terrível a que a descrença em Deus conduz.[152] A incredulidade desemboca na apostasia, o desvio da verdade e o afastamento do Deus vivo. Afastar-se de Deus, a despeito do seu livramento, da sua providência e das suas obras extraordinárias, é uma conspiração contra seu amor. Apostatar de Deus é enveredar-se pelo caminho da morte.

Em quarto lugar, *a ameaça da incredulidade* (3.13b). ... *a fim de que nenhum de vós seja endurecido pelo engano do pecado.* O pecado é enganoso, pois oferece prazer e dá desgosto; oferece liberdade e escraviza; oferece vida e mata. O pecado sempre levará mais longe do que você gostaria de ir; reterá mais tempo do que você gostaria de ficar; e custará um preço mais alto do que você gostaria de pagar. O pecado é um embuste, uma farsa. Seu brilho é falso, suas ofertas são mentirosas, seu salário é a morte. O pecado tem a capacidade de calcificar o coração, anestesiar a consciência e destruir a vida. Neil Lightfoot corrobora essa ideia: "O pecado é enganoso por natureza. Atraente no exterior, é corrupto por dentro; parecendo sábio, cega os homens para a verdade; oferecendo promessas de ganhos, leva inexoravelmente à ruína".[153]

Em quinto lugar, *o antídoto contra a incredulidade* (3.13a,14). Três são os antídotos apontados pelo autor aos Hebreus contra a incredulidade.

A exortação mútua (3.13a). *Pelo contrário, exortai-vos mutuamente cada dia, durante o tempo que se chama Hoje...* O *Hoje* é estendido para representar a totalidade da presente era da graça.[154] A afeição fraternal leva à admoestação mútua, e esta mantém a integridade da família da fé. A igreja é uma comunidade de irmãos que se amam e que velam uns pelos outros. Precisamos ser exortados, confrontados e consolados uns pelos outros. Não podemos enfrentar o pecado sozinhos. Precisamos de cuidado dos membros da família da fé todo dia e o dia todo. Negligenciar isso é dar brechas ao endurecimento do coração. Kistemaker diz que, se a igreja for fiel a Jesus individual e coletivamente, o perigo da apostasia se retirará do seu perímetro.[155]

A nossa união com Cristo (3.14a). *Porque nos temos tornado participantes de Cristo...* Estamos unidos a Cristo, como um membro do corpo à cabeça e como um ramo à videira. Somos membros do seu corpo. Estamos enxertados nele. Fomos crucificados com ele. Morremos com ele. Ressuscitamos com ele. Estamos assentados nas regiões celestiais com ele. Nossa união com ele é orgânica e vital.

A perseverança na fé (3.14b). *... se, de fato, guardarmos firme, até ao fim, a confiança que, desde o princípio, tivemos.* O paralelo entre Hebreus 3.6 e 3.14 é assaz estreito. Somente os crentes que continuam a professar com firmeza sua fé em Jesus são salvos. Deus não nos salva no pecado, mas do pecado. Os salvos são aqueles que perseveram até o fim. Stuart Olyott é enfático: "Nenhuma pessoa que professa ser crente entrará no céu se não perseverar na fé até o fim".[156]

Saiba que a incredulidade desemboca em graves pecados contra Deus (3.15-18)

O autor aos Hebreus retorna novamente ao Salmo 95 e, a partir daí, faz novas advertências sobre o perigo da incredulidade. Esse terrível pecado é a fonte da qual emanam outros pecados. Que pecados?

Em primeiro lugar, a *dureza de coração* (3.15). Quando Deus fala, ele é digno de ser ouvido e obedecido, em vez de ser resistido. Tapar os ouvidos à voz de Deus produz endurecimento do coração. Um coração de pedra, mesmo que seja alvo do gotejamento da sã doutrina, nada sente, pois está insensível. Um coração duro rejeita a oferta da graça e permanece rebelde mesmo diante da mais eloquente expressão de amor.

Em segundo lugar, a *rebeldia contra Deus* (3.16). O autor faz uma pergunta e ele mesmo responde. Os que ouviram e mesmo assim se rebelaram foram aqueles que saíram do Egito por intermédio de Moisés. Foi o povo a quem Deus libertou. Foi o povo de quem Deus cuidou. Foi o povo que viu os milagres de Deus. O Senhor deu a eles uma redenção poderosa, líderes consagrados, provisão extraordinária e livramentos portentosos, mas, diante de tudo isso, ainda se rebelaram contra Deus.

Em terceiro lugar, o *pecado contra Deus* (3.17). Novamente o autor usa o expediente da pergunta e da resposta para dizer que o povo contra quem Deus se indignou por quarenta anos foi o que pecou contra ele, cujos cadáveres caíram no deserto.

Em quarto lugar, a *desobediência contra Deus* (3.18). O autor ainda pergunta acerca daqueles contra quem Deus jurou que não entrariam no seu descanso e responde que são os mesmos que foram desobedientes. A incredulidade desemboca em desobediência, e a desobediência provoca o juízo divino. Deus suspendeu a promessa e aplicou o juízo contra aqueles que desobedeceram à sua Palavra. Augustus Nicodemus tem razão em dizer que a incredulidade levou o povo de Israel a buscar outros deuses, a murmurar, a reclamar de tudo e a desafiar o Altíssimo.[157]

Em quinto lugar, a *privação do descanso de Deus* (3.19). Os hebreus não puderam entrar na terra prometida, no descanso de Deus, por causa da incredulidade. Concordo com Kistemaker quando ele diz: "A descrença rouba Deus de sua glória e rouba o descrente do privilégio das bênçãos de Deus".[158] O capítulo 3 de Hebreus se inicia com a fidelidade de Cristo e termina com a infidelidade de Israel.[159]

Fritz Laubach traz um lampejo de esperança na conclusão da passagem em apreço, quando escreve:

> Acima desse bloco de Hebreus 3.7-19, que nos propõe o quadro sombrio da incredulidade, da apostasia frente ao Deus vivo, brilha o

reconhecimento de Hebreus 3.1-6: Jesus é maior que Moisés! Moisés não era capaz de proteger o povo de Israel contra a apostasia. Jesus, no entanto, pode conduzir sua igreja, pode levar-nos até o alvo da glória. Ele pode resgatar-nos integralmente. Nada é capaz de nos arrancar de sua mão (7.25; Jo 10.28). Em cada tentação que atravessamos, ele também cria a possibilidade de subsistir (1Co 10.13). Por isso vigora na tribulação a palavra de consolo do apóstolo Paulo: *O Senhor é fiel, ele vos fortalecerá e protegerá diante do mal* (2Ts 3.3).[160]

Notas

[136] Lightfoot, Neil R., *Hebreus*, p. 102.
[137] Henrichsen, Walter A., *Depois do sacrifício.* São Paulo, SP: Editora Vida, 1985, p. 34.
[138] Turnbull, M. Ryerson, *Levítico e Hebreus*, p. 120.
[139] Lopes, Augustus Nicodemus, *Hebreus*, p. 66.
[140] Turnbull, M. Ryerson, *Levítico e Hebreus*, p. 120-121.
[141] Kistemaker, Simon, *Hebreus*, p. 131.
[142] Calvino, João, *Hebreus*, p. 85.
[143] Lopes, Augustus Nicodemus, *Hebreus*, p. 67.
[144] Olyott, Stuart, *A carta aos Hebreus*, p. 36.
[145] Wiley, Orton H., *Comentário exaustivo da carta aos Hebreus*, p. 170.
[146] Wiersbe, Warren W., *Comentário bíblico expositivo,* vol. 6, p. 371.
[147] Guthrie, Donald, *Hebreus: introdução e comentário*, p. 98.
[148] Wiley, Orton H., *Comentário exaustivo da carta aos Hebreus*, p. 176-177.
[149] Kistemaker, Simon, *Hebreus*, p. 135.
[150] Lopes, Augustus Nicodemus, *Hebreus*, p. 67.
[151] Guthrie, Donald, *Hebreus: introdução e comentário*, p. 99.
[152] Wiley, Orton H., *Comentário exaustivo da carta aos Hebreus*, p. 179.
[153] Lightfoot, Neil R., *Hebreus*, p. 104.

[154] Guthrie, Donald, *Hebreus: introdução e comentário*, p. 100.
[155] Kistemaker, Simon, *Hebreus*, p. 137.
[156] Olyott, Stuart, *A carta aos Hebreus*, p. 36.
[157] Lopes, Augustus Nicodemus, *Hebreus*, p. 69.
[158] Kistemaker, Simon, *Hebreus*, p. 141.
[159] Lightfoot, Neil R., *Hebreus*, p. 106.
[160] Laubach, Fritz, *Carta aos Hebreus*, p. 74.

Capítulo 7

O descanso de Deus

(Hb 4.1-13)

É sabido que, em face da perseguição à igreja, os crentes judeus estavam sendo tentados a voltar para o judaísmo. O propósito do autor dessa carta, como já acentuamos, foi exortar esses crentes que voltar para o judaísmo era abandonar a Cristo, e isso representa uma condenação inexorável.

Voltar para o judaísmo é deixar a realidade para voltar às sombras. É apostatar da fé. É negligenciar a tão grande salvação. É perder o descanso prometido por Deus. É retroceder. Concordo com Augustus Nicodemus quando ele diz que a religião judaica era preparatória, provisória e simbólica; quando Cristo veio, o judaísmo deveria se transformar em cristianismo, porque, na verdade, o cristão é um judeu consumado. É um judeu que alcançou o propósito do judaísmo. Nós somos os verdadeiros filhos de Abraão. A igreja é o Israel de Deus.[161]

Orton Wiley diz que é nesse capítulo da epístola aos Hebreus que o autor trata do "descanso da fé" como um aspecto importante e estrutural da vida de santidade. É descanso não apenas da culpa e do poder do pecado, mas também da presença do próprio pecado.[162]

No capítulo anterior, vimos que o povo de Israel não pôde entrar no descanso de Deus, ou seja, na terra prometida, por causa da incredulidade (3.19). Seguindo a mesma toada, o autor continua advertindo sobre esse perigo no texto em tela. Destacaremos, aqui, cinco verdades importantes.

O descanso é uma promessa de Deus (4.1)

O primeiro imperativo endereçado à igreja é *temamos* (4.1). Se o povo de Israel não entrou na terra prometida por causa da incredulidade, retroceder agora é desqualificar-se e falhar também em tomar posse do descanso prometido por Deus. O que aconteceu com Israel deve servir de lição para a igreja. O que foi escrito tem o propósito de nos advertir para não incorrermos no mesmo erro. Rebelar-se contra a Palavra de Cristo é agir como a geração de Moisés. É incorrer no mesmo pecado. Kistemaker está correto quando diz que Deus cumpre suas promessas somente naqueles que aceitam sua Palavra pela fé e confiam, sejam Josué e Calebe, ou "a alma que descansa em Jesus". Ninguém entre os israelitas poderia completar a jornada no deserto e entrar na terra prometida, exceto aqueles que demonstraram uma fé verdadeira em Deus. E ninguém entrará no descanso eterno de Deus, a menos que sua fé seja colocada em Jesus, o Filho de Deus.[163]

O descanso só pode ser apropriado por aqueles que perseveram na fé em Cristo (4.2,3)

O autor aos Hebreus faz um contraste entre os israelitas que morreram no deserto e não entraram no descanso de Deus por causa da incredulidade e os crentes verdadeiros. Stuart Olyott diz que, não obstante os israelitas tivessem ouvido a Palavra de Deus, eles não acataram a sua mensagem. Não creram nela. Resistiram a ela. Por isso, não entraram na terra prometida.[164]

Dois fatos nos chamam a atenção aqui.

Em primeiro lugar, *as boas-novas a Israel não foram aproveitadas* (4.2). O povo de Israel ouviu as boas-novas. Deus falou com eles. Eles ouviram a Palavra e viram as maravilhas de Deus. Não obstante, rejeitaram a voz de Deus e, por incredulidade, deixaram de usufruir a promessa. Tapar os ouvidos à voz de Deus produz um resultado desastroso. O que aconteceu no passado é advertência para a igreja hoje.

Em segundo lugar, *as boas-novas à igreja precisam ser acompanhadas com fé* (4.2,3). Ouvir as boas-novas de Deus e não crer nelas implica a perda dos privilégios. Foi isso o que aconteceu com Israel no deserto. Porém, a igreja é o povo que responde às boas-novas do evangelho com fé. Ou seja, nós, que cremos, entramos no descanso prometido de Deus. Esse descanso é usufruído aqui e agora e ruma para uma consumação gloriosa, quando, então, desfrutaremos dele de forma completa e plena na eternidade. Note que o autor sagrado não usa o tempo futuro "entraremos", mas o presente *entramos*, para mostrar que a promessa de Deus se tornou realidade. Orton Wiley corrobora essa ideia quando diz que o descanso da fé é um repouso pessoal, espiritual, da alma em Deus, prometido como herança a todos os que são filhos de Deus.[165]

O descanso é a bênção final e maior concedida por Deus (4.4-10)

O autor aos Hebreus, em escala ascendente, fala sobre três tipos de descanso. Os dois primeiros são tipológicos e apontam para o terceiro.

Em primeiro lugar, *o descanso da criação* (4.4,5). Deus criou os céus e a terra pela palavra do seu poder, e também criou o homem e a mulher à sua imagem e semelhança, e descansou no sétimo dia. Esse é o descanso da criação. Concordo com Wiley quando ele diz que a palavra *descanso*, aqui, não significa folga para recuperação das forças físicas e mentais exauridas durante o trabalho, uma vez que Deus não se cansa nem se fatiga (Is 40.28).[166]

Vale destacar que, do primeiro ao sexto dia, houve manhã e tarde, mas não consta no registro de Gênesis que houve manhã e tarde no sétimo dia. Isso significa que o sétimo dia é um símbolo do descanso prometido por Deus ao seu povo, um descanso que não tem limite de tempo, pois é eterno. Walter Henrichsen, nessa mesma linha de pensamento, explica que a tradição rabínica judaica ensina que a tarde não é mencionada no sétimo dia porque o descanso de Deus continua para sempre. Visto que o descanso de Deus foi concluído na criação, ao terminar ele a sua obra, é um descanso perpétuo. É por isso que *resta um repouso para o povo de Deus* (4.9).[167]

Não é demais enfatizar que o termo *descanso* para Deus não tem o sentido de ociosidade, pois Jesus diz: *O meu pai trabalha até agora, eu trabalho também* (Jo 5.17). Deus não está inativo. Ele está presente na obra da criação. Ele não é apenas o Deus transcendente, mas também imanente. Ele não criou o Universo e o deixou para lá, como um relojoeiro que fabrica um relógio o deixa trabalhando sozinho. Deus intervém na obra da criação.

Wiley é oportuno quando diz que se associa a cada um dos membros da Trindade uma obra consumada e uma contínua. Com relação ao Pai, a obra consumada é a criação, e a contínua, a sua preservação e a providência para ela. A obra consumada do Filho é a expiação; a contínua, a intercessão pelos salvos. A obra consumada do Espírito Santo é a purificação da alma; a contínua é a sua presença constante como Consolador, Revelador de Cristo, Guia da verdade e da unção à igreja.[168]

Donald Guthrie reforça essa ideia quando escreve: "A glorificação do descanso (*katapausis*) não subentende que o trabalho é um infortúnio. O 'descanso' aqui não deve ser considerado como sinônimo de inatividade nem mesmo de repouso, mas de paz, alegria e concórdia".[169]

Em segundo lugar, *o descanso de Canaã* (4.6). O descanso da terra prometida seria o descanso das jornadas pesadas de dia e de noite pelo deserto, bem como o descanso do ataque de inimigos (Dt 12.10). Essa promessa foi cumprida literalmente quando Josué se dirigiu ao povo das tribos de Rúben e Gade e à meia tribo de Manassés: *Tendo o* SENHOR*, vosso Deus, dado repouso a vossos irmãos, como lhes havia prometido, voltai-vos, pois, agora, e ide-vos para as vossas tendas, à terra da vossa possessão, que Moisés, servo do* SENHOR*, vos deu dalém do Jordão* (Js 22.4). A entrada e a posse de Canaã eram um símbolo do céu, onde cessarão todos os nossos sofrimentos e todas as nossas fadigas.

Josué foi incapaz de subjugar a terra inteira (Js 13.1,2), portanto a promessa apontava para um descanso posterior a ser cumprido. Wiley está correto quando diz que, como o sábado do Decálogo, Canaã só poderia ser um símbolo daquele descanso espiritual que Deus preparou para seus filhos. Assim, o estabelecimento de Israel em Canaã é frequentemente considerado uma alegoria do descanso prometido por Deus para o seu povo.[170]

Em terceiro lugar, *o descanso do céu* (4.7-10). Stuart Olyott diz que o sétimo dia após a criação é um tipo do céu. Como o dia de descanso [*shabat*], assim é a paz de consciência que todo crente experimenta quando se converte a Cristo. Um tipo representa uma realidade espiritual, mas não é essa realidade. O próprio céu é um lugar onde não entramos ainda.[171]

O descanso que Josué deu ao povo de Israel não era perfeito nem pleno. Era apenas uma antevisão do descanso perfeito, o descanso espiritual, o descanso do pecado e do mal. Josué introduziu o povo na terra da promessa, mas Jesus, que é maior do que Josué, é quem introduz o povo no céu, no descanso final e pleno de Deus. Até aqui o autor aos Hebreus já provou que Jesus é maior do que os anjos e do que Moisés; agora, ele deixa claro que Jesus é também maior do que Josué. A palavra para descanso ou repouso que resta ao povo de Deus é *sabbatismos,* traduzida pela palavra "sábado". Portanto, o sábado não é um dia de sábado isolado, mas uma vida de sábado. É o próprio descanso em Deus, o deleite que desfrutamos em sua presença. Concordo, portanto, com Kistemaker quando ele diz que, para o crente, o sábado não é meramente um dia de descanso no sentido de cessação do trabalho; antes, é um descanso espiritual, uma cessação de pecar. Portanto, o dia de descanso é um emblema do descanso eterno![172] Stuart Olyott conclui dizendo que o descanso prometido de Deus é o feliz e perfeito prazer na presença de Deus.[173]

O descanso é dado aos que se esforçam na obediência (4.11)

Embora a salvação não seja recebida pelo esforço das obras, mas, sim, pela graça mediante a fé, aqueles que receberam a salvação precisam se esforçar para entrar no descanso de Deus. A palavra grega *spoudasomen oun,* traduzida aqui por *esforcemo-nos*, significa ser diligente, apressar-se, estar alerta.

É claro que o esforço aqui referido é o esforço da fé. A salvação é de graça, mas permanecer nela exige esforço. A batalha é do Senhor, mas devemos tomar a espada. Devemos desenvolver a nossa salvação com temor e tremor, diz a Escritura (Fp 2.12). Os salvos perseveram. Os salvos obedecem. Os salvos não retrocedem. Os salvos não capitulam à desobediência. Os salvos, na luta contra o pecado, resistem até o sangue (12.4). Kistemaker é enfático ao dizer que a descrença leva a uma desobediência voluntária, que resulta numa incapacidade de arrepender-se. O resultado é a condenação eterna.[174]

O descanso é para aqueles que permanecem firmes na Palavra de Deus (4.12,13)

O foco do autor nessa última seção é no poder da Palavra de Deus (4.12) e na incapacidade de o homem esconder-se dela (4.13).[175] Israel caiu no deserto e não entrou na terra prometida porque não creu na Palavra de Deus. Nós, porém, precisamos nos firmar mais e mais na Palavra, e isso por várias razões, como vemos a seguir.

Em primeiro lugar, *a Palavra de Deus é viva* (4.12). A Palavra de Deus é viva e tem vida em si mesma. Ela é o sopro do próprio Deus, e não uma coletânea de doutrinas e preceitos. Nas palavras de Olyott, a Bíblia não é um livro morto, mas muito vivo. É ativa e poderosa. Cutuca, fere, corta e mata mais efetivamente que a melhor e mais cortante espada. Atinge onde mais nada consegue atingir. Separa até aquilo que é inseparável.[176] Nessa mesma linha de pensamento, escreve David Stern: "A Bíblia não fala meramente nos tons já mortos do passado, mas aplica a verdade viva às pessoas de hoje".[177] Ela tem vida em si mesma e age por si mesma. O próprio Jesus disse: *As palavras que vos tenho falado são espírito e vida* (Jo 6.63).

Em segundo lugar, *a Palavra de Deus é eficaz* (4.12). O termo grego *energes*, traduzido por *eficaz*, significa poder em ação, em contraste com poder em potencial.[178] A Palavra de Deus é poderosa e sempre cumpre os propósitos para os quais foi designada. A Palavra de Deus é o bisturi de um cirurgião que descobre os mais delicados nervos do corpo humano.[179]

Em terceiro lugar, *a Palavra de Deus é irresistível* (4.12). Ela é como uma espada de dois gumes, dá vida e mata, salva e condena, traz promessas e juízos. Ela corta a nossa dependência do pecado e o nosso apego ao mundo. Essa mesma metáfora é usada em Efésios 6.17 e Apocalipse 1.16. A Palavra de Deus é arma de ataque e também de defesa. A Palavra de Deus tem resistido aos ataques mais furiosos do inimigo. Tem saído vitoriosa das fogueiras da intolerância. O fogo não pode destruir a verdade. A Palavra de Deus tem saído sobranceira do ataque dos céticos. Drapeja a verdade desde o cume dos montes. Nada pode resistir a ela. Ela não pode falhar. Passam o céu e a terra, mas a Palavra de Deus jamais passará.

Em quarto lugar, *a Palavra de Deus é penetrante* (4.12). Quando a lemos, ela nos lê. Quando a examinamos, ela nos perscruta. Ela penetra até o ponto de dividir alma e espírito, juntas e medulas. Trata dos nossos pensamentos e penetra até mesmo nossas intenções. Wiley emite o seu parecer ao dizer:

> A parte imaterial do homem é considerada pelo escritor da Epístola aos Hebreus de duas maneiras: a alma, que anima o corpo, e o espírito, que é a fonte de nossas relações com Deus. É isto que dá origem ao seu ensino sobre a tricotomia *funcional*, embora adote uma dicotomia *essencial*.[180]

Calvino afirma que o substantivo "alma" frequentemente significa o mesmo que "espírito", mas, quando ambos se associam (1Ts 5.23; Is 26.9), a primeira inclui todas as afeições, enquanto o último indica a faculdade a que chamam *intelectual*. Isso significa que a Palavra examina toda a alma de uma pessoa. Explora seus pensamentos e sonda sua vontade e todos os seus desejos.[181] Concordo com James Freerkson quando ele diz que essa frase aponta para o fato de que não existe nenhuma parte no homem que a Palavra de Deus não possa penetrar, seja imaterial, seja física.[182]

Em quinto lugar, *a Palavra de Deus é discernidora* (4.12,13). A Palavra de Deus é como os raios-X: ela perscruta o que está em nosso íntimo, devassa os corredores escuros da nossa alma e revela os segredos do nosso coração. Ela traz à luz o que está oculto. Nada fica escondido diante de sua sondagem. Um dia estaremos face a face com o reto e justo Juiz para prestarmos contas da nossa vida. Deus é inescapável. Ele olha desde os céus e vê todos os filhos dos homens (Sl 33.13,14). É impossível fugir de sua presença (Sl 139.7-10). Nas palavras de Severino da Silva, "Deus está em todas as coisas, dentro mas não enclausurado, fora mas não excluído, acima mas não levantado, embaixo mas não comprimido. Ele encontra-se inteiramente acima, presidindo, sustentando totalmente por dentro, preenchendo todo espaço".[183]

As palavras de Kistemaker são oportunas:

> Os livros devem ser examinados, todas as contas, pagamentos e recibos devem ser entregues para exame. O homem deve prestar contas de si mesmo diante de Deus, o auditor. Os livros da consciência do homem estão abertos diante dos olhos de Deus. Nada escapa a ele. No último dia os pecadores podem clamar às montanhas e às rochas: *Caí sobre nós e escondei-nos da face daquele que se assenta no trono e da ira do Cordeiro* (Ap 6.16). No julgamento final, todos devem prestar contas de si mesmos. Somente aqueles que estão em Cristo Jesus ouvirão a palavra libertadora: *absolvido*![184]

Augustus Nicodemos resume essa passagem bíblica em cinco instruções: 1) o descanso é a bênção maior e final que Deus tem para o seu povo; 2) o descanso é dádiva de Deus, e não resultado de nossos esforços; 3) a fé em Jesus é a condição para entrarmos nesse descanso; 4) esse descanso começa neste mundo; 5) a única maneira de nos assegurarmos de que estamos a caminho desse repouso é permanecendo firmes na Palavra de Deus.[185]

NOTAS

[161] LOPES, Augustus Nicodemus, *Hebreus*, p. 80.
[162] WILEY, Orton H., *Comentário exaustivo da carta aos Hebreus*, p. 189.
[163] KISTEMAKER, Simon, *Hebreus*, p. 152.
[164] OLYOTT, Stuart, *A carta aos Hebreus*, p. 38.
[165] WILEY, Orton H., *Comentário exaustivo da carta aos Hebreus*, p. 196.
[166] Ibidem, p. 198.
[167] HENRICHSEN, Walter A., *Depois do sacrifício*, p. 45.

[168] Wiley, Orton H., *Comentário exaustivo da carta aos Hebreus*, p. 200-201.

[169] Guthrie, Donald, *Hebreus: introdução e comentário*, p. 109.

[170] Wiley, Orton H., *Comentário exaustivo da carta aos Hebreus*, p. 200.

[171] Olyott, Stuart, *A carta aos Hebreus*, p. 40.

[172] Kistemaker, Simon, *Hebreus*, p. 160.

[173] Olyott, Stuart, *A carta aos Hebreus*, p. 39.

[174] Kistemaker, Simon, *Hebreus*, p. 162.

[175] Ibidem, p. 165.

[176] Olyott, Stuart, *A carta aos Hebreus*, p. 40.

[177] Stern, David H, *Comentário judaico do Novo Testamento.* Belo Horizonte, MG: Editora Atos, 2008, p. 733.

[178] Wiley, Orton H, *Comentário exaustivo da carta aos Hebreus*, p. 216.

[179] Kistemaker, Simon, *Hebreus*, p. 167.

[180] Wiley, Orton H, *Comentário exaustivo da carta aos Hebreus*, p. 217.

[181] Calvino, João, *Hebreus*, p. 107-108.

[182] Freerkson, James, *The Epistle to the Hebrews*. In: *The complete bible commentary*. Nashville, TN: Thomas Nelson Publishers, 1999, p. 1682.

[183] Silva, Severino Pedro, *Epístola aos Hebreus*. Rio de Janeiro, RJ: CPAD, 2013, p. 77.

[184] Kistemaker, Simon, *Hebreus*, p. 170.

[185] Lopes, Augustus Nicodemus, *Hebreus*, p. 74-78.

Capítulo 8

Jesus, nosso grande Sumo Sacerdote

(Hb 4.14-16)

O AUTOR AOS HEBREUS faz uma transição da Palavra de Deus para o Sumo Sacerdote providenciado por Deus. Nos versículos anteriores (4.12,13), ele deixou os leitores conscientes do julgamento divino. Agora, assegura-lhes que, apesar de Jesus vir na consumação de todas as coisas como nosso Juiz, agora ele é o nosso Advogado, o nosso intercessor, o nosso Sumo Sacerdote.

Três verdades essenciais são destacadas no texto em tela.

A apresentação do Sumo Sacerdote (4.14)

O tema de Jesus como nosso Sumo Sacerdote foi apresentado em Hebreus 2.17. Aqui o autor recapitula o que disse em 2.5-18 e acrescenta que Jesus tem uma natureza humana semelhante à nossa, mas sem a mácula do pecado. Por isso, pode compadecer-se de nós. O Sumo Sacerdote que nos é apresentado tem algumas características singulares, como vemos a seguir.

Em primeiro lugar, *ele é grande* (4.14). Aqui está um claro contraste entre o sacerdócio de Cristo e o sacerdócio de Arão. Jesus é grande tanto em relação à sua pessoa como à sua obra.[186] Jesus é maior que os profetas, que os anjos, que Moisés, que Josué e também que Arão. Jesus é grande porque ele realizou sua obra redentora na terra e agora exerce o seu ministério sacerdotal no céu.

Merrill Unger diz que Jesus é grande por causa de sua obra consumada, uma vez que penetrou os céus; é grande ainda porque é o Filho de Deus, qualificado para representar o homem diante do trono de Deus, sendo compassivo com suas fraquezas; e, finalmente, é grande porque transformou o trono de Deus de justo julgamento contra os pecadores em trono da graça para os crentes.[187]

Estou de pleno acordo com o que diz Kistemaker ao afirmar que o adjetivo *grande* indica que Jesus está acima dos pastores e sumos sacerdotes terrenos. Ele é o grande Sumo Sacerdote, não como aquele que entrava no Lugar Santíssimo uma vez por ano e aspergia o sangue para expiar primeiro os próprios pecados e depois os pecados das outras pessoas. Jesus, como grande Sumo Sacerdote, excede os sumos sacerdotes terrenos.[188] Nessa mesma linha de pensamento, Severino da Silva diz que Jesus é o grande Sumo Sacerdote porque substituiu qualquer ordem ou casta sacerdotal da terra, não havendo mais necessidade de sumos sacerdotes. Em Jesus, o conceito sumo sacerdotal acha plena concretização, pois ele não é apenas um entre muitos, como foram os sacerdotes levíticos, ou um entre uma longa sucessão de sumos sacerdotes. Jesus é o fim e o cumprimento dessa sucessão.[189]

Em segundo lugar, *ele penetrou os céus* (4.14). O sumo sacerdote podia, uma vez por ano, penetrar além do véu e entrar no Santo dos Santos, mas Jesus penetrou os céus e subiu à presença excelsa de Deus. O sumo sacerdote tinha de oferecer sacrifícios primeiro por si mesmo e depois pelo povo. Esse sacrifício precisava ser repetido ano após ano, mas Jesus ofereceu um único sacrifício, perfeito, completo e cabal. Ele consumou a nossa redenção e então foi exaltado por Deus sobremaneira (Fp 2.9), *mais alto que os céus* (7.26). Fritz Laubach diz que ele adentrou o mundo invisível de Deus a partir do nosso mundo terreno (1.3). Em lugar algum, uma placa de advertência lhe nega acesso.[190] Jesus atravessou não o véu, mas o céu, esse espaço que está entre nós e Deus. Arão jamais poderia ter feito isso. Nenhum sumo sacerdote poderia fazer isso. Ao morrer e ressuscitar, Jesus subiu aos céus e rompeu a barreira entre nós e Deus.[191]

Em terceiro lugar, *ele é tanto homem como Deus* (4.14). Ele é Jesus, o Filho de Deus. Sendo Deus, fez-se homem, por isso o chamamos de Jesus. Mas, ao se fazer homem, ele não deixou de ser Deus, por isso o conhecemos como Filho de Deus. Ele é perfeitamente homem e perfeitamente Deus. Nas palavras de Olyott, "ele é o eterno Filho de Deus e ainda carrega o nome humano de Jesus".[192] Portanto, por ser homem, Jesus pode nos compreender e nos representar. Por ser Deus, Jesus pode fazer um sacrifício completo e cabal em favor de todos aqueles que o Pai lhe deu.

Em quarto lugar, *ele é absolutamente confiável* (4.14). Porque Jesus, o Filho de Deus, é o nosso grande Sumo

Sacerdote que penetrou os céus, devemos conservar firme a nossa confissão. Retroceder à lei, a Moisés, a Arão, ao judaísmo, é voltar aos rudimentos, retornar à sombra e abandonar a realidade. Em vez de claudicar em nossa confissão, devemos mantê-la inabalável. Aqueles que em face da perseguição retrocedem, esses apostatam da fé e fecham após si mesmos a porta da graça.

A compaixão do Sumo Sacerdote (4.15)

Três verdades são enfatizadas no texto em destaque.

Em primeiro lugar, *Jesus se compadece de nossas fraquezas* (4.15). O nosso Sumo Sacerdote não é apenas grande, mas também gracioso, compassivo e misericordioso. Embora não tenha nenhuma fraqueza, ele se compadece das nossas fraquezas. Ele conhece a nossa estrutura. Sabe da nossa fragilidade. Mesmo assim, não nos esmaga por causa das nossas fraquezas, mas delas se compadece. Temos muitas fraquezas: fraquezas físicas, emocionais, morais e espirituais. Deixados à própria sorte, nenhum de nós pode sequer ficar de pé escorado no bordão da autoconfiança.

Em segundo lugar, *Jesus foi também tentado semelhantemente a nós* (4.15). Nosso Sumo Sacerdote desceu até nós desde os céus. Ele vestiu pele humana, calçou as sandálias da humildade e andou entre nós. Tornou-se um de nós, semelhante a nós: comeu o nosso pão, bebeu a nossa água, pisou o nosso chão, sentiu as nossas dores. Em tudo foi tentado semelhantemente a nós. Kistemaker diz, com razão, que ele foi tentado em extensão e amplitude. Nada na experiência humana é estranho para ele. O pecado é a única experiência humana pela qual Cristo não passou.[193] Suas tentações foram como as nossas e em todos os aspectos. Ele sentiu fome, sede, cansaço, fadiga, angústia. Foi acusado injustamente.

Foi esbofeteado e cuspido. Foi levado para a cruz como uma ovelha é levada ao matadouro. Mas ele não abriu sua boca nem proferiu impropérios contra seus malfeitores.

Em terceiro lugar, *Jesus triunfou sobre todas as tentações* (4.15). Mesmo sendo exposto a todas as provas e tentações, ele jamais sucumbiu ao pecado. Jamais cedeu às propostas sedutoras do tentador. Nunca deu guarida às vozes melífluas e insinuantes do diabo. Jamais se curvou ao poder sedutor do pecado. O apóstolo João chama os três tipos básicos de tentação de *concupiscência dos olhos, concupiscência da carne e soberba da vida* (1Jo 2.15-17). Adão e Eva sucumbiram diante dessas tentações no jardim do Éden (Gn 3.1-6), enquanto Jesus resistiu aos três tipos de tentação quando o Adversário o tentou no deserto (Mt 4.1-11). Concordo com Donald Guthrie quando ele diz que a impecabilidade de Jesus é demonstrada para seu povo não tanto como exemplo quanto como inspiração. Nosso Sumo Sacerdote é altamente experiente nas provações da vida humana.[194]

A exortação à igreja em virtude de termos Jesus como Sumo Sacerdote (4.16)

Essa mesma exortação é repetida em Hebreus 10.23,24. Destacamos alguns aspectos dessa exortação.

Em primeiro lugar, *devemos nos aproximar de Deus com confiança* (4.16). A palavra grega *parresia,* traduzida aqui por *confiadamente*, significa "com ousadia, liberdade de expressão e ausência de medo".[195] Oh, nenhum temor deve ser encontrado em nós! O rosto do Pai nos é favorável. No tribunal de Deus, não pesa mais nenhuma condenação sobre nós, que estamos em Cristo. Fomos aceitos no Amado. O véu foi rasgado. Agora, temos livre acesso ao trono da graça. Calvino, falando sobre essa confiança, escreve:

> A base de tal confiança consiste em que o trono de Deus não é caracterizado por uma majestade visível a assustar-nos, mas se acha adornado com um novo nome, a saber: graça. Se volvermos nossa mente só para a glória de Deus, o efeito que ela produzirá em nós não será outro senão nos encher de desespero, tal é a sublimidade de seu trono. Portanto, com o fim de auxiliar-nos em nossa carência de confiança, e com o fim de livrar nossa mente de todos os temores, o autor no-la reveste com a graça e lhe dá um nome que nos enche de coragem por sua doçura. É como se dissesse: Visto que Deus fixou em seu trono como que, por assim dizer, uma bandeira de graça e de amor paternal para conosco, não há razão para sua majestade afugentar-nos de sua aproximação.[196]

Walter Henrichsen diz que, nos impérios do Oriente Médio durante os tempos bíblicos, só uma pessoa tinha permissão de entrar na presença do rei sem ser convidado: o filho primogênito, herdeiro do trono. A própria rainha não podia entrar na presença do marido sem convite. Aqui, portanto, o escritor sugere que temos os mesmos direitos do primogênito do rei e herdeiro do trono. O Rei dos reis e Senhor dos senhores estendeu-nos os mesmos privilégios de que seu Filho desfruta. Entrando na presença de Deus, podemos receber misericórdia pelos nossos erros e uma porção generosa de sua graça em tempos de necessidade.[197]

Em segundo lugar, *temos livre acesso ao trono da graça* (4.16). Jesus é o Filho de Deus, portanto seu trono é trono de glória. Mas ele é também Filho do Homem, e seu trono é trono de graça. Logo, o trono de Deus está repleto de graça aos que reconhecem suas fraquezas e buscam refúgio em Jesus. Augustus Nicodemus diz que essa figura remete ao antigo sistema de monarquia: se o rei estivesse assentado em seu trono e alguém chegasse para lhe pedir um favor, tal pessoa se humilhava, abaixava a cabeça e, então, o rei estendia o cetro, dizendo: "Vou conceder o seu pedido". Deus está assentado no trono do Universo, e nós podemos nos aproximar dele confiadamente, pois sabemos que ele estenderá em nossa direção o cetro da graça. Ao lado dele, está o herdeiro que intercederá em nosso favor, dizendo: "Esse me pertence. Pode atendê-lo, Pai. Pode estender o cetro da graça, porque eu morri por ele, sofri por ele, eu o entendo e o conheço, e sei o que ele está passando, Pai. Conceda-lhe a graça que ele está pedindo".[198]

Em terceiro lugar, *recebemos graça e misericórdia da parte do trono* (4.16). Graça é o que Deus nos dá e não merecemos; misericórdia é o que Deus não nos dá e merecemos. Nada merecemos da parte de Deus, e ele nos dá o seu favor: isso é graça. Merecemos o juízo de Deus, e ele não o aplica a nós: isso é misericórdia. Westcott faz uma importante distinção entre graça e misericórdia quando diz que o homem necessita de misericórdia por causa das falhas passadas e de graça para as obras presentes e futuras. Há também, segundo ele, uma diferença quanto ao modo de realização em cada caso. A misericórdia é para ser "tomada", pois é estendida ao homem em sua fraqueza; a graça é para ser "buscada" pelo homem de acordo com sua necessidade.[199]

O Sumo Sacerdote fiel e misericordioso convida o pecador fraco e sujeito à tentação a ir ao trono da graça. O pecador que vai ao trono da graça arrependido e com fé encontra a graça perdoadora de Jesus.[200]

Em quarto lugar, *encontramos socorro sempre que nos achegamos ao trono da graça* (4.16). A ocasião oportuna é aquela em que nos sentimos tentados e buscamos refúgio em Jesus, nosso grande Sumo Sacerdote. Deus providencia o livramento e os meios para uma saída de nossas tentações (1Co

10.13). Olyott escreve: "Não procure esconder de Cristo as fraquezas que possui – ele está disposto a ajudar. Ele conhece todos os erros que você já cometeu e continua a cometer. Sabe quantas vezes você precisará voltar para ele".[201]

NOTAS

[186] GUTHRIE, Donald, *Hebreus: introdução e comentário*, p. 113.
[187] UNGER, Merrill G. *The new unger's bible handbook.* Grand Rapids, MI: Baker Book House, 1984, p. 588.
[188] KISTEMAKER, Simon, *Hebreus*, p. 178.
[189] SILVA, Severino Pedro, *Epístola aos Hebreus*, p. 77-78.
[190] LAUBACH, Fritz, *Carta aos Hebreus*, p. 84.
[191] LOPES, Augustus Nicodemus, *Hebreus*, p. 83.
[192] OLYOTT, Stuart, *A carta aos Hebreus*, p. 41.
[193] KISTEMAKER, Simon, *Hebreus*, p. 181.
[194] GUTHRIE, Donald, *Hebreus: introdução e comentário*, p. 116.
[195] Ibidem, p. 117.
[196] CALVINO, João, *Hebreus*, p. 115.
[197] HENRICHSEN, Walter A., *Depois do sacrifício*, p. 49.
[198] LOPES, Augustus Nicodemus, *Hebreus*, p. 84-85.
[199] WESTCOTT, B. F., *Commentary on the epistle to the Hebrews.* Grand Rapids, MI: Eerdmans, 1950, p. 109.
[200] KISTEMAKER, Simon, *Hebreus*, p. 182.
[201] OLYOTT, Stuart, *A carta aos Hebreus*, p. 41.

Capítulo 9

Jesus, o nosso incomparável Sumo Sacerdote

(Hb 5.1-10)

O AUTOR AOS HEBREUS entra agora no ponto central de sua epístola, mostrando-nos, com cores vivas, que o Jesus que é maior que os profetas, maior que os anjos, maior que Moisés, maior que Josué, é também maior que Arão. Ele é o nosso grande Sumo Sacerdote. Somente Hebreus se refere dessa forma a Jesus. Esse tema é o coração dessa carta. O ministério de Jesus como Sumo Sacerdote é o tema mais proeminente da carta aos Hebreus.

De acordo com Wiley, pode-se dizer que o sacerdócio é considerado principalmente nos capítulos 5, 6 e 7; o santuário, nos capítulos 8 e 9; e o sacrifício, no capítulo 10. Assim como Levítico 16 é o grande capítulo da expiação do Antigo Testamento, Hebreus 9 e 10 são os grandes capítulos neotestamentários da expiação: o capítulo 9 mostra Cristo como o Ofertante sumo sacerdotal, e o capítulo 10 mostra-o como a Oferta sacrificial.[202]

O autor destaca os privilégios do sacerdócio levítico, para então se concentrar no sacerdócio de Cristo segundo a ordem de Melquisedeque. Ele também compara e contrasta os dois ministérios, mostrando que Jesus segue os mesmos princípios do sacerdócio levítico, mas dele se distingue por ser perfeito e definitivo. Estou de pleno acordo com o que escreve Donald Guthrie: "Os quatro primeiros versículos do capítulo 5 de Hebreus são históricos e dizem respeito à ordem de Arão. Se a epístola é dirigida a cristãos judeus, as declarações vêm como lembrança para servir de pano de fundo para a introdução de uma ordem superior (5.5-10)".[203]

As excelências do sacerdócio araônico (5.1-4)

O autor faz várias declarações solenes acerca do sacerdócio levítico, como nomeação, responsabilidade e obrigações, informando que tudo isso foi divinamente estipulado e, portanto, deve ser cuidadosamente observado. Algumas verdades importantes devem ser aqui destacadas.

Em primeiro lugar, *o sumo sacerdote é tomado entre os homens* (5.1). Ele não é tomado entre os anjos, mas entre os homens. Um sumo sacerdote precisa ser homem, pois lida com os pecados e as fraquezas humanas. Mas, no caso do sacerdócio levítico, deveria ser tomado também da família de Arão. Somente Arão e seus filhos tinham permissão para servir no altar.

Em segundo lugar, *o sumo sacerdote é encarregado de um trabalho espiritual* (5.1). Ele não é um agente social ou político. Ele é chamado para cuidar das coisas concernentes a Deus, ou seja, fazer propiciação pelos pecados do povo (2.17). É constituído para um trabalho em favor dos homens, e não contra eles. Seu ofício é oferecer dons e sacrifícios pelo pecado. Donald Guthrie diz que nesse caso os dons devem referir-se às oferendas de cereais, e os sacrifícios, às ofertas de sangue.[204] O sumo sacerdote era um intermediário entre Deus e o seu povo. É bem verdade que, nos dias em que Cristo veio ao mundo, o sacerdócio estava corrompido e o sumo sacerdote ocupava também uma posição política, presidindo o Sinédrio, o tribunal dos judeus.

Em terceiro lugar, *o sumo sacerdote precisa ser um homem compassivo* (5.2). O sumo sacerdote era encarregado de apresentar-se a Deus, em nome dos pecadores, para oferecer sacrifícios em favor dos que pecaram por ignorância e também em favor dos que pecaram por fraquezas. O reconhecimento de suas próprias fraquezas e da possibilidade de cair em tentação faz com que o sumo sacerdote seja moderado com os homens a quem representa na presença de Deus. Porém, é digno de nota que não havia provisão para os pecados deliberados. Não há perdão, a não ser para aqueles que, arrependidos, buscam o favor divino (Nm 15.22-31; Lv 22.14; Sl 95.7-11).

Em quarto lugar, *o sumo sacerdote precisa oferecer sacrifícios pelos pecados do povo e por seus próprios pecados* (5.3). O sumo sacerdote era um homem tirado dentre os homens, com as mesmas fraquezas dos demais homens, "embrulhado em fraqueza".[205] Portanto, era um homem imperfeito, oferecendo um sacrifício imperfeito, em favor de homens imperfeitos. Por ser fraco como os pecadores que representava, devia sentir compaixão pelos pecadores. A lei era meridianamente clara em afirmar que Arão deveria sacrificar uma oferta pelo pecado e queimar uma oferta pelo próprio pecado e pelo povo

(Lv 9.7; 16.6,15,16). Fica aqui acentuada a superioridade de Cristo sobre Arão, uma vez que a diferença mais significativa é que Jesus não tem necessidade, como os sumos sacerdotes, de oferecer todos os dias sacrifícios, primeiro por seus próprios pecados e, depois, pelos do povo; porque ele fez isso uma vez por todas quando a si mesmo se ofereceu (7.27).

Em quinto lugar, *o sumo sacerdote precisa ser chamado por Deus* (5.4). Nenhum homem podia se autointitular sumo sacerdote. Trata-se de um chamado divino. É uma honra e um privilégio que não se compram com dinheiro nem se herdam por tradição familiar. Só Deus podia constituir um sumo sacerdote. Donald Guthrie tem razão ao dizer que a ordem araônica não fez disposição para a eleição democrática, mas somente para nomeações teocráticas autoritárias.[206] Aqueles que buscaram tomar para si o ofício sacerdotal, como, por exemplo, os filhos de Coré (Nm 16.1-40), depararam com o furor da ira e do juízo de Deus.[207] Warren Wiersbe, nessa mesma linha de pensamento, diz que nenhum homem tinha poder para nomear-se sacerdote muito menos sumo sacerdote. O rei Saul tentou desempenhar funções sacerdotais e perdeu o reino (1Sm 13). Coré e seus companheiros rebeldes tentaram ordenar-se sacerdotes e foram julgados por Deus (Nm 16). Quando o rei Uzias tentou entrar no templo para queimar incenso, Deus o feriu com lepra (2Cr 26.16-21).[208] Assim deve ser, ainda hoje, o ministério da Palavra. Sem um chamado divino, o ministério da Palavra torna-se um peso insuportável para o obreiro e para a obra, para o pastor e para a igreja.

As excelências do sacerdócio de Cristo (5.5-10)

Assim como o autor aos Hebreus enfatizou o ministério sacerdotal segundo a ordem levítica, destacando a figura de Arão, agora ele volta sua atenção para o sacerdócio de Cristo segundo a ordem de Melquisedeque. O sacerdócio levítico era uma preparação para o sacerdócio de Cristo. O sacerdócio de Cristo, segundo a ordem de Melquisedeque, é a consumação do sacerdócio levítico. Aquele era temporário e transitório; este é permanente e eterno. Aquele era sombra; este é a realidade.

Destacamos a seguir alguns aspectos do sacerdócio de Cristo.

Em primeiro lugar, *Cristo como Sumo Sacerdote foi constituído por Deus Pai* (5.5,6). À semelhança de Arão, Cristo não glorificou a si mesmo para tornar-se sumo sacerdote. Ele foi constituído pelo Pai. Foi nomeado desde a eternidade. Realizou seu ministério de acordo com um propósito eterno. Em João 8.54, Jesus deixa claro que não honra a si mesmo, mas é honrado pelo Pai. Todo sumo sacerdote procedia da tribo de Levi e da família de Arão. Esse ministério era hereditário e sucessivo. Cristo, porém, não foi sacerdote da mesma ordem. Ele era da tribo de Judá. Por isso, não pertencia à classe sacerdotal levítica. Foi constituído sacerdote de uma ordem eterna, a ordem de Melquisedeque.

Wiley diz que as seguintes características a respeito de Melquisedeque ilustram o caráter de Cristo como o verdadeiro sacerdote daquela ordem divina: 1) Melquisedeque era sacerdote por seu próprio direito, e não em virtude de suas relações com os outros; 2) era sacerdote para sempre, sem substituto nem sucessor; 3) não foi ungido com óleo, mas com o Espírito Santo, como sacerdote do Altíssimo; 4) não ofereceu sacrifícios de animais, mas pão e vinho, símbolos da Ceia que Cristo instituiu; 5) uniu em si as funções sacerdotais e reais, coisa estritamente proibida em Israel, mas a ser manifestada em Cristo, Sacerdote no seu reino (Zc 6.13).[209]

O autor aos Hebreus deixa claro que, da mesma forma que Arão foi chamado e indicado por Deus (Êx 28; Nm 16 e 17) para servir como sumo sacerdote, *assim, também Cristo a si mesmo não se glorificou para se tornar sumo sacerdote*. Melquisedeque era rei de Salém. Portanto, surge aqui a ideia de que Cristo é sacerdote-rei (Gn 14.18). Essa mesma ideia aparece novamente em Salmo 110.1: *Assenta-te à minha direita, até que eu ponha os teus inimigos debaixo dos teus pés*. E, reforçando essa verdade, o texto de Salmo 110.4 é enfático: *Tu és sacerdote para sempre segundo a ordem de Melquisedeque*. Zacarias conclui esse pensamento ao escrever: *Ele mesmo edificará o templo do SENHOR e será revestido de glória; assentar-se-á no seu trono, e dominará, e será sacerdote no seu trono; e reinará perfeita união entre ambos os ofícios* (Zc 6.13). Cumprindo essa profecia, quando Jesus nasceu em Belém, os magos do Oriente o chamaram de *rei dos judeus* (Mt 2.2).

Em segundo lugar, *Cristo como Sumo Sacerdote foi verdadeiramente homem* (5.7). O sumo sacerdote representava o povo diante de Deus, por isso precisava ser homem. Jesus se fez carne. Ele foi verdadeiramente homem sem deixar de ser verdadeiramente Deus. Ele foi em tudo semelhante a nós, exceto no pecado. Ele não se tornou sacerdote depois de sua ascensão, mas já durante sua vida na terra ofereceu orações e petições.

Em terceiro lugar, *Cristo como Sumo Sacerdote foi um intercessor* (5.7). Jesus como homem perfeito foi um homem de oração. Ele começou o seu ministério com oração (Lc 3.20,21). Considerou a vida de oração mais importante que ensinar e curar (Lc 5.15,16). Para ele, orar era mais importante que o descanso (Mc 1.35) e mais importante que o sono (Lc 6.12). Jesus iniciou, continuou e concluiu seu ministério terrestre com oração (Lc 23.34). Ele iniciou o seu ministério celestial com oração (7.25; Rm 8.34; 1Jo 2.1).

Cristo ofereceu a Deus orações e súplicas, com forte clamor e lágrimas. Ele experimentou não apenas o sofrimento, mas o maior de todos os sofrimentos, o sofrimento vicário. Sendo santo, foi feito pecado por nós. Sendo bendito, foi feito maldição. Sendo o Amado do Pai, foi desamparado na cruz. Ele derramou sua alma na morte. Bebeu o cálice amargo da ira de Deus. Suportou em seu corpo o justo castigo que a lei impõe. Foi ferido e traspassado pelas nossas transgressões. No Getsêmani e na cruz, suportou angústia de morte e sofreu não apenas uma morte física, como se um mártir fosse, mas sofreu a morte eterna, uma morte vicária. Na verdade, ali no Calvário ele desceu ao inferno ao suportar o castigo que nos traz a paz.

Jesus não apenas deu o grito da angústia, mas de seus olhos saíram torrentes de lágrimas. Ele não apenas chorou no Getsêmani, mas também sangrou. O Filho de Deus tingiu a terra com suas lágrimas e com seu sangue! Travou por nós a mais terrível batalha, a batalha de sangrento suor. Foi ali que ele enfrentou a angústia do inferno rondando seu peito. Foi ali que o inferno lançou sobre ele todo o bafo de Satanás. Foi ali que ele bebeu, sozinho, todo o amargo cálice da ira de Deus em nosso favor. Simon Kistemaker retrata esse momento dramático da seguinte forma:

> O que Jesus experimentou no Jardim do Getsêmani e na cruz foi a morte eterna. Seu brado, "Deus meu, Deus meu, por que me desamparaste?", refletiu uma completa separação de Deus. E essa é uma morte inimaginável. Nós não podemos compreender a profundidade da agonia de Jesus quando ele experimentou a morte eterna. Nós

> concluímos dizendo que Jesus, em sua separação de Deus, experimentou o próprio inferno.[210]

Em quarto lugar, *Cristo como Sumo Sacerdote foi ouvido em seu clamor por causa de sua piedade* (5.7). O sumo sacerdote representava o povo diante de Deus, colocando-se na brecha em favor dele. Jesus endereçou ao Pai suas orações tanto no Getsêmani como na cruz (Mt 26.39,42; Mc 14.36; Lc 22.42; 23.34,46). Jesus orou, clamou, chorou e sangrou no Getsêmani. Jesus foi ouvido por causa de sua piedade. Ele pediu o afastamento do cálice, a morte eterna, resultado do juízo divino sobre o pecado. O Pai, porém, não o livrou da morte, mas do poder da morte pela ressurreição.

Assim proclamou o apóstolo Pedro em seu sermão: *Deus o ressuscitou, rompendo os grilhões da morte; porquanto não era possível fosse ele retido por ela* (At 2.24). Kistemaker diz que Jesus se submeteu totalmente à vontade do Pai para entrar na morte a fim de remover a maldição, cumprir a sentença pronunciada contra ele e redimir seu povo. Por causa da expiação de Cristo e da vitória sobre a morte e a sepultura, nunca conheceremos o peso do pecado, a severidade da maldição, a pena do julgamento ou o significado da morte eterna e do inferno. Fomos inocentados e libertos por causa de Jesus, nosso Sumo Sacerdote.[211] Fica, portanto, a pergunta: em que sentido Jesus foi atendido em sua oração? A resposta inequívoca é: na sua perfeita aceitação da vontade do Pai! Nessa mesma linha de pensamento, Wiley declara que a oração de Jesus não é para ser isento da morte física, mas para dela ser libertado pela ressurreição. A oração foi respondida, pois, ao terceiro dia, ele ressuscitou e surgiu a clamar: *Eis que estive morto, mas estou vivo pelos séculos dos séculos* (Ap 1.18). Assim, a morte foi o início de sua glória.[212]

Em quinto lugar, *Cristo como Sumo Sacerdote aprendeu pelas coisas que sofreu* (5.8). Cristo, mesmo sendo Filho, aprendeu pelas coisas que sofreu. É claro que esse aprendizado não está relacionado à sua divindade, pois, como Deus, ele conhece tudo, sabe tudo e nele habitam todos os tesouros da sabedoria. Mas, como homem, ele cresceu em sabedoria, estatura e graça diante de Deus e dos homens (Lc 2.52). É óbvio também que Cristo não aprendeu no sentido do aprendizado pelo erro. Ele jamais errou. Nunca houve dolo em sua boca. Ele foi tentado em tudo, mas jamais cedeu à tentação. Mas seus sofrimentos vicários o fizeram, como homem, conformar-se com a vontade do Pai. Por isso, ele foi obediente até a morte, e morte de cruz (Fp 2.8).

O resultado da obediência de Cristo é proclamado pelo apóstolo Paulo: *Porque, como, pela desobediência de um só homem, muitos se tornaram pecadores, assim também, por meio da obediência de um só, muitos se tornarão justos* (Rm 5.19). Segundo Wiley, não é dito aqui que o Filho aprendeu a obedecer, pois sempre foi obediente; tampouco lhe foi imposta uma lição de obediência por meio do sofrimento, pois a respeito dele está escrito: *Deleito-me em fazer a tua vontade, ó Deus meu* (Sl 40.8; Hb 10.7). Portanto, aprender obediência é experimentar toda a extensão e profundidade daquele sofrimento que ele, como Salvador, exigiu de si mesmo e ao qual se submeteu, a fim de assegurar a plena redenção do seu povo.[213]

Em sexto lugar, *Cristo como Sumo Sacerdote tornou-se o Autor da salvação* (5.9). Cristo é a fonte da salvação para todos aqueles que a ele obedecem. Nas palavras de Kistemaker, "Jesus é o capitão, o chefe, o originador e a causa da nossa salvação".[214] Não há salvação em nenhum outro nome dado entre os homens (At 4.12). Guthrie diz:

"Aquilo que não vem através de Jesus não é nenhuma salvação verdadeira".[215] Nenhum sacerdote pode aproximar o homem de Deus, exceto Jesus. Todos os sacerdotes do sistema levítico apontavam para Cristo. Todos os sacrifícios oferecidos pelos sacerdotes apontavam para Cristo. Tudo era sombra da plena realidade que se cumpriu em Cristo. Ele foi o sacerdote perfeito. Ele ofereceu o sacrifício perfeito. Seu sangue nos purifica de todo pecado. Sua morte foi substitutiva. Ele abriu para nós um novo e vivo caminho para Deus. Agora, por meio de sua morte, fomos reconciliados com Deus e temos nele o Autor da nossa salvação.

Em sétimo lugar, *Cristo como Sumo Sacerdote foi nomeado por Deus segundo a ordem de Melquisedeque* (5.10). Melquisedeque é mencionado em apenas duas passagens de todo o Antigo Testamento (Gn 14.18-24; Sl 110.4). Seu nome significa "Rei de Justiça", e ele também era "Rei de Salém [paz]". Portanto, Melquisedeque era rei e sacerdote. Somente em Jesus Cristo e em Melquisedeque, uma figura anterior à lei, é que esses dois cargos são unidos em uma só pessoa. Jesus Cristo é Rei e Sumo Sacerdote. Ele é o Sumo Sacerdote entronizado.[216]

A ordem levítica encerrou sua atividade. Era sombra da realidade que veio em Cristo. Um sacrifício perfeito e cabal foi realizado. O Cordeiro de Deus, que tira o pecado do mundo, foi imolado. Agora, uma nova ordem perpétua foi inaugurada. Cristo é sacerdote para sempre segundo a ordem de Melquisedeque. Ele morreu pelos nossos pecados segundo as Escrituras. Foi sepultado e ressuscitou segundo as Escrituras (1Co 15.3). Sua morte não foi um acidente nem sua ressurreição foi uma surpresa. Ele está no céu intercedendo por nós, por isso pode salvar-nos totalmente (7.25). Donald Guthrie tem razão ao dizer que o sacerdócio de Jesus é para sempre porque nunca poderá ficar melhor do que já é. Sendo perfeito, nunca chega a ponto de ceder lugar a um melhor. Por ser da ordem de Melquisedeque, não tem sucessão como tinha a ordem de Arão.[217]

NOTAS

[202] WILEY, Orton H., *Comentário exaustivo da carta aos Hebreus*, p. 237.
[203] GUTHRIE, Donald, *Hebreus: introdução e comentário*, p. 117.
[204] Ibidem, p. 118.
[205] Ibidem, p. 119.
[206] Ibidem, p. 118.
[207] OLYOTT, Stuart, *A carta aos Hebreus*, p. 44.
[208] WIERSBE, Warren W., *Comentário bíblico expositivo*, vol. 6, p. 375.
[209] WILEY, Orton H., *Comentário exaustivo da carta aos Hebreus*, p. 249-250.
[210] KISTEMAKER, Simon, *Hebreus*, p. 197-198.
[211] Ibidem, p. 198.
[212] WILEY, Orton H., *Comentário exaustivo da carta aos Hebreus*, p. 256.
[213] Ibidem, p. 258-259.
[214] KISTEMAKER, Simon, *Hebreus*, p. 201.
[215] GUTHRIE, Donald, *Hebreus: introdução e comentário*, p. 124.
[216] WIERSBE, Warren W., *Comentário bíblico expositivo*, vol. 6, p. 376.
[217] GUTHRIE, Donald, *Hebreus: introdução e comentário*, p. 121.

Capítulo 10

Crescimento espiritual, a evidência da maturidade

(Hb 5.11–6.1-3)

Depois de enfatizar que Jesus é o nosso Sumo Sacerdote pela ordem de Melquisedeque, o autor aos Hebreus passa a exortar os crentes, mostrando-lhes que esse não é um tema de fácil compreensão para aqueles que deixaram de crescer espiritualmente. Esse não era um dos temas mais familiares no judaísmo da época.[218] Concordo com Kistemaker quando ele diz que o assunto é difícil de explicar, não por causa da inabilidade do escritor, mas por causa da incapacidade de compreensão dos leitores.[219] No texto em tela, o autor subitamente interrompe sua reflexão para fazer uma exortação, uma vez que aquilo que o aflige é a preocupação ardente com o estado espiritual da igreja.[220]

Na vida cristã, há duas coisas fundamentais: nascimento e crescimento. Há algumas coisas na vida cristã que acontecem uma única vez e jamais precisam ser repetidas, como a regeneração, a adoção de filhos e a justificação. Porém, há outras que demandam crescimento e progresso, como a santificação, a plenitude do Espírito Santo e a maturidade.

Além de alguns crentes, destinatários dessa epístola, estarem de malas prontas, por medo da perseguição, para embarcarem de volta para o judaísmo, alguns deles também estavam estagnados na vida espiritual. Augustus Nicodemus chama a atenção para o fato de que os judeus que se convertiam ao cristianismo no primeiro século estavam sujeitos a sofrer severa perseguição por parte dos seus compatriotas, podendo perder o emprego, ser excluídos da sinagoga, ser denunciados pelos próprios judeus às autoridades romanas, ser presos, perder seus bens, ser torturados e até mesmo mortos. A única alternativa a todo esse sofrimento, pensavam alguns, era abandonar a fé em Cristo, negá-lo, deixar o cristianismo e voltar para o judaísmo.[221]

Além dessa possibilidade de voltar para o judaísmo, esses crentes já tinham tempo suficiente de carreira cristã para serem mestres, mas mostravam um crescimento retardado e não passavam de meninos imaturos na fé. Bebiam leite nos rudimentos da vida cristã, quando já deveriam se alimentar de comida sólida, demonstrando maturidade espiritual. O autor faz um duplo contraste para descrever essa realidade: menino *versus* adulto; leite *versus* alimento sólido.

A passagem que ora consideramos nos enseja algumas lições oportunas, que passamos a destacar a seguir.

A lentidão para ouvir (5.11)

Jesus nos é apresentado no Antigo Testamento como Profeta e Rei, e isso de forma robusta. Porém, a mesma ênfase não é dada ao seu ofício sacerdotal de uma nova ordem, a ordem de Melquisedeque. Esse era um tema que exigia maior esforço dos crentes para ser assimilado. O autor aos Hebreus diz que sobre esse assunto havia muita coisa a ser dita. Livros e mais livros já foram escritos, e jamais o assunto é esgotado. Na verdade, passaremos toda a eternidade conhecendo a Cristo, sua pessoa, sua obra, sua glória, e jamais esgotaremos esse conhecimento. Ele é inesgotável em seu ser.

Como já dissemos, aqueles crentes hebreus estavam sendo tentados não apenas a retroceder ao judaísmo, abandonando as fileiras de Cristo, mas também demonstravam uma lentidão em ouvir sobre Jesus como o Supremo Sacerdote. Para quem está indisposto a ouvir, as doutrinas referentes a Cristo tornam-se difíceis de explicar. Augustus Nicodemus diz que aqueles crentes tinham perdido o ânimo, a disposição e a vontade de aprender mais. Não formavam uma congregação ávida para aprender, crescer, mudar, desenvolver, progredir no conhecimento de Deus.[222] A palavra grega *nothros,* traduzida por *tardios*, significa "tardio de mente, torpe em entender, duro de ouvido, néscio e insensatamente esquecidiço". Aplica-se ao membro entorpecido de um animal enfermo e a uma pessoa que tem natureza de pedra, insensível e letárgica.[223] Severino da Silva tem razão, portanto, ao dizer que a incapacidade desses ouvintes não era natural, mas criada pela indiferença e pela preguiça. A incapacidade deles se devia ao fato de terem rejeitado as oportunidades. Era uma incapacidade cheia de culpa. Repousava sobre a negligência espiritual.[224]

O crescimento retardado (5.12)

O propósito de Deus é que todos os crentes sejam maduros na fé e alcancem a perfeita varonilidade, à medida da estatura da plenitude de Cristo (Ef 4.13). Os crentes hebreus já deviam ser mestres, mas ainda estavam na classe dos aprendizes. Deviam ser maduros na fé, e ainda estavam verdes. Deviam ser professores, mas não passavam de iniciantes. Nas palavras de Donald Guthrie, eles tinham o potencial de ensinar os outros, mas não tinham o entendimento básico necessário.[225] Isso fica claro pelo uso do verbo grego *opheilontes,* traduzido por *devíeis*, que subentende uma obrigação, e não apenas uma característica desejada.[226]

Kistemaker acrescenta que os escritores dos catecismos na época da Reforma incorporaram três documentos cristãos em seus ensinos: o Credo dos Apóstolos, os Dez Mandamentos e a Oração do Pai-Nosso, que foram considerados por eles o abecê da fé cristã. Se um crente soubesse como explicar as doutrinas básicas desses três elementos da crença cristã, ele poderia testificar de Cristo e ensinar a outros.[227] Os crentes hebreus, por sua vez, precisavam ainda ser ensinados por alguém sobre aquilo que já deviam estar ensinando a outrem. Eles perderam até aquilo que já sabiam, ou seja, seu entendimento dos princípios elementares. Precisaram lançar novamente os antigos fundamentos. Voltaram à estaca zero. Os princípios elementares da fé cristã precisavam ser ensinados novamente para eles, que revelavam um crescimento retardado.

A infância é uma linda fase da vida. Mas nenhum pai se sente feliz em ver seus filhos avançando em idade e permanecendo como crianças. Espera-se dos filhos crescimento e maturidade. O mesmo deve ocorrer na vida espiritual. A dieta de leite é para bebês. Um adulto precisa de alimento sólido. A censura do autor aos Hebreus é semelhante às severas observações de Paulo aos crentes de Corinto, descritas em 1Coríntios 3.1,2. Paulo chamou os crentes de Corinto de crianças e também de carnais. O autor dessa epístola, de igual modo, usa a palavra *crianças* para envergonhar seus leitores. Não tem medo de admoestá-los e orientá-los a um nível mais alto de desenvolvimento espiritual. Eles devem entender que o crescimento requer alimento sólido.[228]

Concordo com Donald Guthrie quando ele diz que o contraste entre *leite* e *alimento sólido* não visa torná-los mutuamente exclusivos, mas, sim, sugerir um desenvolvimento normal de um para o outro. A fase do leite é tão essencial quanto a fase do alimento sólido.[229]

É óbvio que um crente imaturo não é apenas um problema para si, mas também para os outros. Nas palavras de Augustus Nicodemus, eles "se tornam um fardo para a igreja".[230]

A inexperiência na Palavra da justiça (5.13)

Onde os ouvidos estão indispostos a dar guarida à Palavra de Deus e o crescimento se torna retardado, a inexperiência na Palavra da justiça é consequência inevitável. Crentes imaturos tropeçam na doutrina e na ética. Crentes instáveis como crianças vivem sempre discutindo os rudimentos da fé e jamais avançam rumo à maturidade. Claudicam no conhecimento e fracassam no testemunho. Sua superficialidade na Palavra desemboca na vulnerabilidade de suas atitudes.

A criança deve anteceder o homem. Ninguém quer permanecer criança perpetuamente. O apóstolo Paulo deixa isso claro em outra passagem: *Quando cheguei a ser homem, desisti das coisas próprias de menino* (1Co 13.11). Os homens feitos não são sustentados com uma dieta de leite.

As vantagens da maturidade (5.14)

O alimento sólido dos adultos não está em oposição ao leite das crianças. O alimento deve ser adequado para cada faixa etária. Dar uma dieta de alimento sólido para uma criança não é adequado, assim como não o é dar leite para um adulto. Espera-se que uma criança deixe o leite para alimentar-se de comida sólida à medida que avança rumo à fase adulta. Assim também se espera que um novo convertido amadureça na fé e deixe de ser um bebê espiritual. O contraste entre o cristão maduro e a criança, o alimento sólido e o leite, ocorre com frequência no Novo Testamento (1Co 2.6; 3.2; 14.20; Ef 4.13-16; 1Pe 2.2).

Duas coisas são mencionadas aqui.

Em primeiro lugar, *a maturidade é resultado não apenas do conhecimento, mas sobretudo da prática* (5.14). Um crente maduro não é necessariamente aquele que sabe mais, mas aquele que sabe aplicar o conhecimento que tem das Escrituras para viver de modo digno de Deus. O conhecimento sem a prática não produz maturidade espiritual. A expressão grega *dia ten hexin,* traduzida por *pela prática*, significa "pelo hábito". Essa palavra só ocorre aqui em todo o Novo Testamento. A maturidade espiritual não advém dos eventos isolados nem de uma grande explosão espiritual. Advém de uma aplicação regular da disciplina espiritual.[231]

Em segundo lugar, *a maturidade é demonstrada pelo discernimento espiritual* (5.14). Warren Wiersbe tem razão ao dizer que uma característica das crianças pequenas é sua falta de discernimento. Um bebê coloca qualquer coisa na boca. Um cristão imaturo ouve qualquer pregador e não é capaz de determinar se ele é fiel às Escrituras ou não.[232] Um crente imaturo não tem filtro espiritual. Não sabe identificar as falsas doutrinas. Não é cuidadoso em sua dieta. Ingere qualquer coisa. Não sabe identificar a morte na panela.

Só um crente maduro, que transforma conhecimento em prática de vida, tem suas faculdades exercitadas para discernir o bem e o mal. Walter Henrichsen está certo ao dizer que, cronologicamente, as pessoas descritas tinham idade suficiente para serem mestres, mas espiritualmente ainda se alimentavam de sopinha e leite morno. Na expressão *pela prática*, o autor da epístola põe o dedo na ferida. Os destinatários da carta eram assim porque haviam deixado de aplicar a Palavra de Deus à sua vida. O processo de estudar e aplicar a Palavra é precisamente aquilo de que se necessita para assegurar desenvolvimento e maturidade saudáveis.[233]

Augustus Nicodemus diz que o bem e o mal sobre os quais o autor fala não são, necessariamente, morais e éticos, mas bem e mal em termos teológicos e doutrinários.[234] Como já enfatizamos, crentes imaturos não possuem filtro espiritual. Não sabem distinguir sã doutrina de heresia. Não discernem a diferença entre o sagrado e o profano (Jr 15.19). Estou de acordo com o que afirma Fritz Laubach quando ele diz que "o bem e o mal", os quais nos compete discernir, sempre se referem simultaneamente à doutrina e à vida. Estão em jogo não somente conceitos éticos, mas também a capacidade e a séria responsabilidade de diferenciar entre doutrina benéfica e doutrina nociva.[235]

Uma jornada rumo à perfeição (6.1-3)

Kistemaker está correto ao dizer que, em vez de ensinar as verdades elementares da Palavra de Deus mais uma vez (5.12), o autor incentiva seus leitores a ir além dessas verdades.[236] William Barclay explica que a palavra grega *stoiqueia,* traduzida por *rudimentos*, tem uma variedade de significados. Na gramática, significa as letras do alfabeto, o abecê; na física, os quatro elementos básicos dos quais o mundo é composto; na geometria, os elementos de prova como o ponto e a linha reta; na filosofia, os primeiros princípios nos quais os estudantes são iniciados.[237] É claro que o autor aos Hebreus lamenta que, depois de tanto tempo de cristianismo, seus fiéis não tenham sequer passado a linha divisória das verdades elementares da fé cristã. Espera-se de um crente maduro na fé a atitude de colocar de lado os princípios elementares da doutrina de Cristo, para ser levado rumo ao que é perfeito. Enquanto alguns crentes consideravam a possibilidade de dar marcha a ré e voltar para o judaísmo, o autor os exorta a progredirem na vida cristã.

Muitos crentes estavam voltando às sombras depois de terem chegado à realidade. Estavam voltando à velha aliança depois da inauguração da nova aliança. Os rituais judaicos, os sacrifícios, as festas e tudo mais haviam passado, pois se cumpriam em Cristo. Ele é a consumação e o cumprimento de todas aquelas coisas. O judaísmo se consumaria no cristianismo. O cristianismo é a plenitude, a realidade, a consumação.

Uma pergunta essencial deve ser feita: aonde pretendemos chegar? Qual é o alvo do cristão? Para onde ele caminha? O nosso alvo é a perfeição (6.1). A palavra grega *teleiotes,* traduzida por *perfeição*, tem um significado técnico especial. Pitágoras dividia seus estudantes em *manthanontes,* "aprendizes", e *teleioi,* "maduros". Fílon separava seus estudantes em três classes diferentes: *arcomenoi,* "os principiantes", *prokoptontes,* "os que estão progredindo", e *teleiomenoi,* "os que começam a atingir a maturidade".[238]

O autor aos Hebreus diz que não podemos alcançar essa perfeição ou maturidade espiritual sendo tardios para ouvir ou demonstrando um crescimento retardado. Há muita coisa a ser feita, e para isso são necessários empenho, esforço e dedicação.

Para alcançar a perfeição, precisamos nos render ao propósito divino. O autor usa a expressão *deixemo-nos levar*

(6.1), que está na voz passiva, significando que, embora haja a necessidade de nossa consciência e nossa participação nesse processo rumo à perfeição, é o próprio Deus que opera em nós e nos capacita.

Outra questão vital é: o que é necessário para alcançarmos a perfeição? O que precisa ser feito? Em resposta a essa pergunta, a primeira coisa a ser feita é colocar de lado os princípios elementares da doutrina de Cristo (6.1). Augustus Nicodemos diz que os destinatários dessa carta eram crentes judeus e consideravam o Antigo Testamento como o oráculo de Deus, a base de sua verdadeira religião. Tal base já fora lançada, esses oráculos apontavam para Cristo e já se haviam cumprido em Cristo, razão pela qual o crente deveria colocar isso de lado e prosseguir, não retrocedendo mais às cerimônias e aos ritos judaicos. Os crentes deveriam buscar somente Cristo, em vez de se deterem nesses princípios elementares.[239] Concordo com Walter Henrichsen quando ele diz que todo edifício precisa de alicerce, mas somente de um. Lance-o uma vez e lance-o bem. Havendo lançado o fundamento, não tente relançá-lo periodicamente. Vá em frente com a construção da estrutura. O fundamento de sua vida cristã suportará, pois está edificado sobre a promessa de Deus, e não sobre sua experiência pessoal.[240]

O autor aos Hebreus levanta três parelhas de dois e evidencia seis doutrinas em que eles ainda estavam patinando e precisavam avançar. F. F. Bruce salienta que os itens listados entre os ensinos elementares são tão judaicos como cristãos.[241] Stuart Olyott é da opinião que o primeiro par trata da salvação; o segundo, das ordenanças; e o terceiro, do estado final. Ou seja, o primeiro par se refere ao início da vida cristã; o segundo aborda a vida cristã diária; e o terceiro aponta para onde vai a vida cristã.[242] Vejamos esses três pares a seguir.

Em primeiro lugar, *arrependimento de obras mortas e fé em Deus* (6.1). O arrependimento é a grande mensagem das Escrituras do Antigo e do Novo Testamentos (At 2.38; 3.19). Envolve mudança de mente, tristeza pelo pecado segundo Deus e mudança de conduta. Atinge a razão, a emoção e a volição. O Antigo Testamento exigia o arrependimento, mas agora os crentes hebreus precisam compreender que esse arrependimento incluía a recusa de crer em Jesus como o Messias.

De igual modo, os judeus que estavam voltando para o judaísmo afirmavam crer em Deus, mas se recusavam a crer em Cristo como o Messias. Portanto, a fé que demonstravam era incompleta, imperfeita e insuficiente. Eles tinham de prosseguir para crer em Jesus também (Jo 14.1). Kistemaker diz que, para o escritor de Hebreus, a fé constitui uma confiança completa como a demonstrada por Josué, que pela fé entrou na terra que Deus havia prometido (4.8). Todos que põem sua fé no evangelho entram no descanso de Deus (4.2,3).[243]

Em segundo lugar, *ensino de batismos e da imposição de mãos* (6.2). A palavra *batismos* aqui retrata as muitas cerimônias de purificação, como a lavagem de objetos e pessoas. Todos esses rituais eram figuras da purificação definitiva que Jesus fez. Agora todas aquelas abluções cessaram e deixaram de existir. A realidade chegou em Jesus!

A questão da imposição de mãos está presente tanto no Antigo como no Novo Testamentos. Pedro e João impuseram as mãos sobre os samaritanos, e estes receberam o Espírito Santo (At 8.17). Ananias impôs as mãos sobre Saulo, e este recebeu tanto a visão como o Espírito Santo

(At 9.17). Paulo impôs as mãos sobre alguns discípulos de João Batista em Éfeso, e estes receberam o Espírito Santo (At 19.6). A imposição de mãos foi usada para ordenação dos diáconos (At 6.6), para envio dos missionários (At 13.3) e para pastoreio da igreja (1Tm 4.14; 2Tm 1.6). A imposição de mãos também está relacionada à cura de enfermos (Mt 9.18; At 28.8). O Antigo Testamento ensina que, quando o animal era levado para ser sacrificado, o sacerdote impunha as mãos sobre ele e, ao declarar os pecados do ofertante, esses pecados eram transferidos para o animal. O animal era sacrificado, e os pecados eram perdoados. Essa imposição de mãos nos animais para o sacrifício era um símbolo de Jesus, o Cordeiro de Deus, que tira o pecado do mundo (Jo 1.29). Quando Jesus estava na cruz, o Pai lançou sobre ele a iniquidade de todos nós (Is 53.6). Jesus carregou no seu corpo, sobre o madeiro, os nossos pecados (1Pe 2.24). Ele, que não conheceu pecado, foi feito pecado por nós (2Co 5.21).

Em terceiro lugar, *ressurreição dos mortos e juízo final* (6.2). Os judeus acreditavam na ressurreição dos mortos (Sl 16.10; Is 26.19; Ez 37.10; Dn 12.2), mas agora precisavam entender que isso só era possível porque Cristo ressuscitou como primícia dos que dormem (1Co 15.23). Portanto, quando ele voltar, todos os mortos ouvirão a sua voz e sairão dos túmulos, uns para a ressurreição da vida e outros para a ressurreição do juízo (Jo 5.28,29). Nas palavras de Augustus Nicodemus, os crentes hebreus precisavam deixar os rudimentos para compreender que Cristo é a raiz, o centro, a origem, o objetivo e o fim de todas as coisas.[244]

Os judeus também acreditavam no juízo final. Sabiam que Deus julgaria os vivos e os mortos, mas agora precisavam entender que o Juiz que julgará a todos, nesse julgamento, será o Senhor Jesus Cristo (At 17.30,31). Tudo apontava para Jesus. Ele é a consumação de todas essas promessas. Kistemaker destaca que a promessa de que Cristo retornará para julgar vivos e mortos é um ensinamento básico, formulado nos três credos gerais da igreja: o Credo Apostólico, o Niceno e o Atanasiano.[245]

O autor faz a exortação e em seguida dá o encorajamento ao escrever: "Isso faremos, se Deus permitir". Calvino interpreta essa passagem da seguinte maneira: "É como se ele estivesse dizendo: Aqui não pode haver procrastinação, porque nem sempre haverá oportunidade de progresso. Não se acha no poder do homem arrancar-se do ponto de partida ao sabor de sua vontade. O avanço de nossa trajetória é dom especial de Deus".[246]

NOTAS

[218] GUTHRIE, Donald, *Hebreus: introdução e comentário*, p. 126.
[219] KISTEMAKER, Simon, *Hebreus*, p. 211.
[220] LAUBACH, Fritz, *Carta aos Hebreus*, p. 91.
[221] LOPES, Augustus Nicodemus, *Hebreus*, p. 96.
[222] Ibidem, p. 98.
[223] BARCLAY, William, *Hebreos*, 1973, p. 56.
[224] SILVA, Severino Pedro, *Epístola aos Hebreus*, p. 89.
[225] GUTHRIE, Donald, *Hebreus: introdução e comentário*, p. 126.
[226] Ibidem.
[227] KISTEMAKER, Simon, *Hebreus*, p. 211.
[228] Ibidem.
[229] GUTHRIE, Donald, *Hebreus: introdução e comentário*, p. 127.
[230] LOPES, Augustus Nicodemus, *Hebreus*, p. 100.
[231] GUTHRIE, Donald, *Hebreus: introdução e comentário*, p. 128.
[232] WIERSBE, Warren W., *Comentário bíblico expositivo*, vol. 5, p. 381.

[233] Henrichsen, Walter A., *Depois do sacrifício*, p. 66.
[234] Lopes, Augustus Nicodemus, *Hebreus*, p. 100.
[235] Laubach, Fritz, *Carta aos Hebreus*, p. 94.
[236] Kistemaker, Simon, *Hebreus*, p. 216.
[237] Barclay, William, *Hebreos,* 1973, p. 57.
[238] Ibidem, p. 59.
[239] Lopes, Augustus Nicodemus, *Hebreus*, p. 107.
[240] Henrichsen, Walter A., *Depois do sacrifício*, p. 67.
[241] Bruce, F. F. "The Epistle to the Hebrews". In: *New International commentary on the new testament series*. Grand Rapids, MI: Eerdmans, 1964, p. 112-113.
[242] Olyott, Stuart, *A carta aos Hebreus,* p. 50-51.
[243] Kistemaker, Simon, *Hebreus,* 2003, p. 219.
[244] Lopes, Augustus Nicodemus, *Hebreus*, p. 108.
[245] Kistemaker, Simon, *Hebreus*, p. 221.
[246] Calvino, João, *Hebreus*, p. 144.

Capítulo 11

O perigo da apostasia

(Hb 6.4-8)

Depois de exortar os crentes sobre o perigo da negligência espiritual e da falta de maturidade, ou seja, da necessidade de eles serem ensinados novamente sobre os rudimentos da fé, quando já deveriam ser mestres (5.12), o autor os adverte de um perigo ainda maior, o perigo da apostasia (6.4-8). O assunto é tratado em Hebreus 3.12-19 e volta a ser abordado novamente em 10.26-31 e 12.25-29. Philip Hughes está certo ao dizer que o perigo da apostasia não é uma ameaça imaginária, mas real, pois, se assim não fora, essas admoestações seriam desnecessárias e até ridículas.[247]

A passagem em apreço é, certamente, um dos textos mais complexos de

Hebreus e, por que não dizer, de todo o Novo Testamento. Muitos e acirrados debates têm sido travados no sentido de encontrar o verdadeiro significado dessa passagem. Estamos certos de que daqui para a frente novos confrontos virão. Não temos a pretensão de dar a última palavra sobre o assunto.

É claro que não existe consenso no meio cristão sobre o real significado da passagem em tela, e isso acontece desde os Pais da igreja. A grande questão é se um crente salvo pode cair da graça e perder-se eternamente. Estaria essa passagem na contramão de outros textos meridianamente claros, que ensinam a perseverança dos santos? Pode uma pessoa regenerada, selada pelo Espírito, justificada pela fé, habitada pelo Espírito, segura nas mãos de Cristo, escondida com Cristo em Deus nas regiões celestes, batizada pelo Espírito no corpo de Cristo, perder-se eternamente? Pode alguém que foi adotado na família de Deus ser lançado fora? Pode alguém ser filho de Deus pela manhã e filho do diabo à noite? Pode alguém estar a caminho do céu num dia e rumando para o inferno no outro? Pode alguém arrebatar das mãos de Cristo uma ovelha de Cristo, que recebeu dele a vida eterna? Pode alguém ou algo afastar uma pessoa salva do amor de Deus que está em Cristo Jesus? Pode alguém que recebeu vida eterna sofrer penalidade eterna? Será que essa passagem deita por terra todo o edifício da segurança dos salvos?

Não resta dúvida de que há uma clara distinção entre um membro da igreja visível e aquele que é membro da igreja invisível. Uma pessoa pode entrar para a igreja visível, ser batizada, ter comunhão com os crentes, pregar a Palavra, exercer ministério, ocupar posição de liderança na igreja e depois sair da igreja e morrer no pecado. Quando isso acontece, não questionamos a veracidade da doutrina da segurança dos salvos, mas a real experiência dessa pessoa. Judas Iscariotes era apóstolo de Cristo, mas não era convertido. Demas era cooperador de Paulo, mas amou o presente século e abandonou o veterano apóstolo. Simão, o mágico, foi batizado e tornou-se membro da igreja, mas estava em fel de amargura. O apóstolo João é enfático ao referir-se a esses apóstatas: *Eles saíram de nosso meio; entretanto, não eram dos nossos; porque, se tivessem sido dos nossos, teriam permanecido conosco; todavia, eles se foram para que ficasse manifesto que nenhum deles é dos nossos* (1Jo 2.19).

Como, então, interpretar o texto de Hebreus 6.4-8? É sabido que uma das leis da hermenêutica cristã é que a Bíblia interpreta a Bíblia e que uma passagem obscura deve ser interpretada à luz de textos claros, e não o contrário. Logo, vamos examinar essa passagem tendo em mente esses pressupostos hermenêuticos.

A quem o autor se refere nessa passagem? (6.4,5)

O escritor faz um alerta sobre o perigo real da apostasia, uma vez que muitos crentes professos estavam de malas prontas para voltar para o judaísmo. Por medo da perseguição, para poupar a própria vida, estavam negando a Cristo e voltando à fé judaica. Mas negar a Cristo não é poupar a vida; é cair nas teias da apostasia, e essa é uma queda sem volta, uma condenação inexorável. Raymond Brown diz que, ao descrever esses apóstatas, o texto menciona três características: eles desprezaram os dons de Deus (6.4,5), rejeitaram o Filho de Deus (6.6) e desistiram das bênçãos de Deus (6.7,8).[248]

Philip Hughes está correto ao dizer que a plena confiança do autor aos Hebreus expressa em Hebreus 6.9 e 10.39

fortalece a convicção de que a verdadeira obra do Espírito Santo havia sido eficaz no meio daquela igreja. Isso, contudo, não excluía a possibilidade de alguns membros serem rebeldes de coração, a ponto de atingirem uma irremediável apostasia.[249]

É preciso deixar claro também que existe uma profunda diferença entre queda e apostasia. Um salvo é passível de cair, mas um salvo nunca apostata. Apostasia é uma queda sem retorno. É um abandono deliberado. É voltar as costas para Deus e negar a Cristo consciente e deliberadamente. É renegar aquilo que um dia se professou. É calcar debaixo dos pés aquilo que um dia se defendeu. É deixar de crer naquilo que um dia foi o conteúdo de sua confissão. Um crente cai e levanta. Um salvo tropeça e é restaurado. Um apóstata, porém, vira as costas para Deus e jamais demonstra sinais de arrependimento. Apostasia é rebelião consumada contra Cristo. É endurecimento de coração. É cair sem a possibilidade de ser renovado para o arrependimento. Essa é a diferença, por exemplo, entre Pedro e Judas Iscariotes. Pedro caiu. Negou Jesus três vezes. Acovardouse na luta. Escondeu-se. Porém, arrependido, voltou, foi perdoado e restaurado. Judas Iscariotes, entretanto, traiu Jesus e não demonstrou sincero arrependimento, por isso foi e enforcou-se.

Fica evidente, portanto, que o texto em tela não está falando sobre os salvos, pois o autor aos Hebreus, quando se refere a seus remetentes, no versículo 9, diz que a eles pertence a salvação (6.9). A mesma verdade é reafirmada mais adiante na epístola: *Nós, porém, não somos dos que retrocedem para a perdição; somos, entretanto, da fé, para a conservação da alma* (10.39).

Qual o significado das experiências descritas no texto? (6.4,5)

Nos versículos 4 e 5, o autor cita cinco experiências vivenciadas pelas pessoas que caíram. Elas:

1. Foram iluminadas;
2. provaram o dom celestial;
3. tornaram-se participantes do Espírito Santo;
4. provaram a boa Palavra de Deus;
5. provaram os poderes do mundo vindouro.

Todas essas experiências foram vividas pelos israelitas rebeldes que pereceram no deserto (1Co 10.1-11). Agora, muitos crentes, membros da igreja que recebeu essa carta, estavam, por medo da perseguição, abandonando a Cristo e voltando para o judaísmo (3.12-19). Oh, quantas pessoas fazem parte da igreja visível sem terem seu nome arrolado no livro da vida! Essas não perseverarão. Podemos ver esse triste fato em toda a Bíblia. Há aqueles que abraçam a fé como Simão, o mágico, e são batizados, mas não são verdadeiramente convertidos (At 8.13), ou entram para a igreja e se tornam cooperadores, como Demas (2Tm 4.10), mas amam o presente século e abandonam a causa do evangelho. Ou mesmo exercem liderança na igreja como Judas Iscariotes, mas são filhos da perdição (Jo 17.12). Todos esses experimentaram essas realidades, porém não eram verdadeiramente convertidos.

Por que é impossível renovar essas pessoas que caíram para o arrependimento? (6.6)

Depois de afirmar que, não obstante essas experiências, essas pessoas caíram, o autor diz que é impossível renová-las para arrependimento (6.6). Para justificar sua afirmação, ele usa dois argumentos:

1. De novo estão crucificando para si mesmos o Filho de Deus.
2. Estão expondo o Filho de Deus à ignomínia.

Nos versículos 7 e 8, o autor ilustra seu argumento com uma analogia da terra que, ao receber chuva, produz erva útil, contra aquela que, mesmo recebendo chuva, produz espinhos e abrolhos. Dessa forma, ele contrasta o verdadeiro crente com o apóstata.

Muitos estudiosos debruçados sobre essa passagem buscaram interpretá-la. Eis algumas opiniões.

Erasmo, no século 16, substituiu a palavra "impossível" por "difícil" e a partir daí muitos passaram a acreditar que não deveríamos tomar a palavra "impossível" literalmente.

Ambrósio, Tomás de Aquino, Wordsworth e Bengel, entre outros, tentaram explicar que a impossibilidade está nos homens, e não em Deus.[250]

Lightfoot, cita o que diz Wuest e F. F. Bruce sobre o assunto: Wuest é da opinião que o escritor aos Hebreus está tratando apenas de um caso hipotético, e não de uma ameaça real.

F. F. Bruce é categórico em dizer que o autor está, nessa passagem, fazendo uma advertência real contra um perigo real.[251]

Calvino interpreta essa passagem, dizendo que o autor não se refere aqui a um pecado qualquer, como furto, perjúrio, homicídio, embriaguez e adultério. Sua referência é a uma apostasia irreversível do evangelho.[252]

Stuart Olyott ensina que essa passagem é uma espécie de aplicação da principal parábola de Jesus, a parábola do semeador (Mt 13.1-23; Mc 4.1-20; Lc 8.1-15), na qual três quartos da semente semeada não produziram frutos, embora a semente que caiu no meio das pedras e no meio do espinheiro tenha brotado e vicejado, mas não frutificou.

A semente que caiu no terreno pedregoso e a que caiu no meio dos espinhos germinaram, estenderam raízes e cresceram rapidamente. Pela aparência, era impossível dizer que elas não frutificariam. Assim também não é possível discernir, nessa fase inicial da vida cristã, a diferença entre o verdadeiro crente e o futuro apóstata.[253]

Se a semente que caiu em boa terra produziu a 30, a 60 e a 100 por um, a semente que caiu no meio dos espinhos foi sufocada. No final, está estéril e sem frutos. Assim é o crente nominal que vivenciou todas as coisas vividas pelo verdadeiro crente. Por um tempo, ele deu indícios de ser um verdadeiro crente. Tinha viço, beleza, esplendor. Mas, depois, a fascinação das riquezas, os prazeres da vida ou o medo das perseguições suplantaram a boa semente, e esse crente virou as costas para Deus, afastando-se deliberadamente de Cristo e renegando-o. Não é assim, porém, com aquele que nasceu de novo. Ele é perseguido, sofre até reveses na vida, mas prossegue, persevera, sai da fase do leite e começa a alimentar-se de comida sólida. Deixa a meninice espiritual e torna-se adulto. Amadurece. Frutifica. É como uma terra na qual cai a chuva – a chuva da Palavra e do Espírito –, e essa terra produz fruto digno de Deus.

Fica aqui um alerta solene de Olyott:

> Embora uma doutrina correta seja vital, a prova de que alguém é verdadeiramente cristão não está no fato de crer em todas as coisas certas. Até mesmo o diabo poderia subscrever as grandes confissões de fé da Reforma! A prova de que alguém é crente autêntico não está em ter vivido tais experiências, mas está em seu caráter verdadeiramente transformado. Isso se vê em seu crescimento no entendimento das coisas espirituais, em sua crescente semelhança a Cristo, em sua perseverança na fé até o fim. O fato é que o verdadeiro crente é

salvo eternamente e todos os outros – não importa o que aparentem ser na vida – estão perdidos.[254]

À luz das considerações retromencionadas, na dependência do Espírito e buscando a coerência nas Escrituras, entendemos que a passagem em tela não nega a doutrina da perseverança dos santos, mas trata do pecado da apostasia, ou seja, daquele abandono ostensivo, deliberado e consciente; daqueles que, embora tenham estado na igreja, recebido seus sacramentos, ouvido e até pregado a Palavra de Deus, nunca nasceram de novo e por isso, em dado momento, revelaram toda a dureza do seu coração e viraram as costas para Deus, calcando aos pés a graça e negando o Senhor Jesus Cristo. Essas pessoas não podem ser restauradas porque jamais demonstram sincero arrependimento. Elas não têm o coração quebrantado. Não há nelas sinais de arrependimento sincero. Ao contrário, elas permanecem endurecidas para sempre e, por isso, são como a terra que, a despeito de receber a chuva, só produziu espinhos e abrolhos.

Essa realidade pode ser vista ao longo das Escrituras:

- O autor aos Hebreus fez referência à apostasia daqueles que saíram do Egito (3.7-19), mencionando Salmo 95.7,8.
- O que dizer do rei Saul que, mesmo sendo ungido rei de Israel, apostatou e foi procurar uma médium (1Sm 28)?
- Jesus falou, na parábola do semeador, que muitos parecem ser verdadeiros crentes, mas não são; aparentam ter uma genuína profissão de fé, mas não perseveram (Mt 13.1-23).

- Em Mateus 7.21-23, Jesus mencionou aqueles que profetizaram, expeliram demônios e fizeram milagres, mas não eram conhecidos por ele.
- Em Marcos 3.29, Jesus fala sobre o pecado que não tem perdão, a blasfêmia contra o Espírito Santo; esse mesmo fato é registrado em Mateus 12.32. E também em 1João 5.16, o apóstolo cita o pecado para a morte.
- Em João 15.1-8, Jesus falou sobre os galhos removidos e queimados.
- Em João 17.12, Jesus declarou que seus discípulos foram guardados por ele e nenhum deles pereceu, exceto Judas, o filho da perdição.
- Em Atos 8.9-13, há o registro acerca de Simão, o mágico, que, na cidade de Samaria, abraçou a fé, foi batizado, entrou para o rol de membros da igreja, mas não era convertido.
- Em 1Timóteo 4.1, o apóstolo Paulo afirma: *Nos últimos tempos alguns apostatarão da fé, por obedecerem a doutrina de demônios.*
- Em 2Timóteo 4.10, Paulo falou sobre Demas, que, tendo amado o presente século, o abandonou.
- Em 2Pedro 2.20,22, o apóstolo Pedro cita aqueles que não foram transformados e retrocederam.
- Em 1João 2.19, o apóstolo João menciona aqueles que saíram do meio da igreja, porque a ela não pertenciam verdadeiramente.

Qual é o verdadeiro significado da expressão "caíram"? (6.6)

O autor aos Hebreus é categórico em exortar a igreja sobre o risco dessa queda para a qual não há recuperação. Sobre que tipo de queda ele está falando? Não pode ser sobre uma queda resultante da fraqueza humana, pois os crentes constantemente precisam se voltar a Deus para confessar seus pecados e buscar refúgio no grande Sumo Sacerdote (4.14-16; Pv 28.13; 1Jo 1.5-10).

Essa queda não é aquela à qual os salvos estão sujeitos. Trata-se de uma queda para a qual não existe arrependimento, ou seja, não há reconhecimento do erro, não há tristeza segundo Deus, nem volta para Deus (2Co 7.10). Ao contrário, é um abandono definitivo e final da fé cristã. É uma rebelião consumada. É uma apostasia completa. Esse pecado é também chamado nas Escrituras de blasfêmia contra o Espírito Santo (Mc 3.28-30) e pecado para morte (1Jo 5.16). Quem comete esse pecado é réu de pecado eterno (Mc 3.29). Não terá perdão neste mundo nem no porvir (Mt 12.32).

Falando sobre a blasfêmia contra o Espírito Santo, Olyott afirma que os inimigos de Cristo atribuíram as obras de Cristo ao diabo. Chamaram de diabólico aquilo que estava claro ser divino. Denominaram trevas o que claramente era luz. Chamaram de erro aquilo que estava claro ser certo. Para eles, a santidade era má. Isso é blasfêmia contra o Espírito Santo, e é óbvio que alguém nessas condições jamais se aproximará de Cristo para a salvação, pois nem a deseja.[255] Por isso, as Escrituras declaram que, para esse pecado, não há perdão nem neste mundo nem no vindouro. Quem o pratica é réu de pecado eterno!

Resta claro que os apóstatas cometem o mesmo pecado. Tratam a verdade como se fosse falsa, e suas experiências como se jamais tivessem acontecido. Os salvos, porém, mesmo quando caem, voltam para o Senhor e por ele são restaurados (4.16). Não é assim, obviamente, a queda dos apóstatas. Portanto, apostasia não é queda temporal, mas definitiva. Não é imaturidade espiritual (5.12-14), mas rebelião consumada. Concordo, portanto, com Olyott, quando ele diz: "O único sinal seguro de que você é verdadeiramente cristão é a continuidade, permanecer sempre na fé. Não há caminho seguro, a não ser andar adiante, em frente, para sempre (12.14)".[256]

Por que é impossível renovar novamente aqueles que caíram para o arrependimento? (6.6)

O autor aos Hebreus elenca dois motivos solenes em resposta a essa questão.

Em primeiro lugar, *porque essas pessoas novamente estão crucificando para si mesmas o Filho de Deus* (6.6). Aqueles que estavam deixando as fileiras do cristianismo e voltando para o judaísmo agiam como aqueles que bradaram diante de Pilatos: Crucifica-o!

Em segundo lugar, *porque essas pessoas estão expondo novamente o Filho de Deus à ignomínia* (6.6). Virar as costas para o sacrifício de Cristo e voltar para o judaísmo é expor novamente o Filho de Deus à ignomínia da cruz. É dizer que o seu sacrifício não teve valor. É desprezar toda a sua obra vicária.

Uma perfeita ilustração acerca dos resultados da apostasia (6.7,8)

O autor lança mão de uma imagem já conhecida nas Escrituras, a figura da terra que produz erva útil e da terra que produz espinhos e abrolhos. Nas palavras de Donald Guthrie, "os fenômenos naturais podem servir de analogias espirituais".[257] Sobre ambas as terras caiu a mesma chuva, que ambas absorveram, mas uma terra produziu frutos e a outra, espinhos. Assim é o coração do homem. Um ouve a palavra e produz bons frutos; o outro ouve a mesma palavra e produz espinhos. Um abraça o evangelho e persevera; outro o acolhe por um tempo e depois vira as costas e apostata!

Notas

[247] Hughes, Philip Edgcumbe, *A commentary on the epistle to the Hebrews*. Grand Rapids, MI: Eerdmans, 1977, p. 206.
[248] Brown, Raymond, *The message of Hebrews*, p. 110.
[249] Hughes, Philip Edgcumbe, *A commentary on the epistle to the Hebrews*, 1977, p. 212.
[250] Ibidem.
[251] Lightfoot, Neil R, *Hebreus*, 1981, p. 147.
[252] Calvino, João, *Hebreus*, 2012, p. 145.
[253] Olyott, Stuart, *A carta aos Hebreus*, p. 55.
[254] Ibidem, p. 57.
[255] Ibidem.
[256] Ibidem, p. 58.
[257] Guthrie, Donald, *Hebreus: introdução e comentário*, p. 137.

Capítulo 12

Uma segurança inabalável

(Hb 6.9-20)

Depois de fazer uma severa advertência sobre o perigo da apostasia, o autor aos Hebreus, como um pastor zeloso, encoraja os destinatários de sua carta, os membros da igreja, chamando-os de *amados*. Essa é a única vez, nessa epístola, que seus leitores são assim chamados. Ele tempera advertência com encorajamento, revelando que não estava descrevendo-os, ao falar sobre a apostasia, mas apenas alertando-os sobre esse terrível perigo.

Calvino destaca: "Visto que as expressões precedentes ecoaram como trovões, e quem sabe atordoaram os leitores, tal aspereza carecia de ser amenizada".[258] Estou de acordo com o que escreve Donald

Guthrie ao afirmar: "Deve ser levado em conta que nenhuma indicação é dada nesta passagem de que qualquer dos leitores tinha cometido o tipo de apostasia mencionada".[259] Nessa mesma trilha de pensamento, Kistemaker escreve: "Os destinatários da epístola não devem pensar que eles são os apóstatas descritos na passagem precedente. Ao contrário, o autor encoraja-os ao assegurar que eles receberão melhores coisas que pertencem à salvação deles".[260]

No texto em tela algumas verdades devem ser destacadas.

Uma convicção inabalável (6.9)

Aqui o autor aos Hebreus contrasta o destino miserável do apóstata com a herança gloriosa do crente.[261] A posição cristã verdadeira sempre estará do lado melhor em comparação com o pior. O escritor, como um amável pastor, está persuadido de que os crentes, para quem escreve, não são daqueles que caem sem recuperação e apostatam para a perdição (6.6), mas são amados, a quem pertence a salvação (6.9). Longe de ensinar a possibilidade da perda da salvação, o autor reafirma sua inabalável convicção de que os crentes, a quem ele se dirige, são pessoas salvas. Donald Guthrie esclarece: "Embora o escritor esteja expondo um caso extremo, tem confiança nos seus leitores".[262]

Uma evidência eloquente (6.10)

O trabalho e o amor que os crentes evidenciaram por Deus, traduzidos no serviço aos santos, são uma evidência de sua salvação, e não a causa de sua salvação. Uma vida transformada demostra amor, fruto do Espírito. Guthrie diz que aqueles que demonstram amor servindo aos santos estão exibindo os resultados das coisas que são melhores.[263] Fritz Laubach acrescenta acertadamente que "amor" e "trabalho" não podem se separar um do outro. O amor não se restringe a sentimentos, porém impele para a ação que ajuda o semelhante. O amor a Jesus busca a comprovação no serviço aos santos (Gl 5.6).[264]

Deus não os recompensa no sentido de pagar-lhes o que lhes é devido, mas, como fruto de sua generosidade, ainda os galardoa por aquilo que realizam pela força de sua graça. Calvino é oportuno quando escreve: "Não são propriamente nossas obras em si que Deus considera, e sim sua graça em nossas obras. Deus reconhece nelas a si próprio e a obra de seu Espírito".[265]

Portanto, estou de pleno acordo com Calvino quando ele diz que o texto não se refere expressamente à causa de nossa salvação e, portanto, não se deve extrair dessa passagem nenhuma conclusão referente aos méritos das obras, nem é possível determinar desse fato que as obras são uma dívida. Em toda a Escritura está evidente que não existe outra fonte de salvação além da graciosa misericórdia divina.[266]

A Bíblia nos ensina que Deus aceita como dádiva de nossa parte tudo o que fazemos em favor do nosso próximo (Mt 25.40; Pv 19.17). Ao mesmo tempo que Deus se esquece dos nossos pecados, ele se lembra dos atos de bondade que praticamos em prol do seu povo. Essas obras podem ser esquecidas por aqueles que a recebem, mas jamais serão esquecidas por Deus (Mt 25.40).

Uma diligência necessária (6.11)

Depois de expressar sua persuasão de que aos seus destinatários pertence a salvação, o autor os admoesta a mostrarem, diligentemente, progresso para a plena certeza da esperança. Precisamos desenvolver a nossa salvação com temor e tremor (Fp 2.12). O que recebemos por graça precisa ser desenvolvido com entusiasmo. O verbo grego *epithymoumen,* traduzido por *desejamos*, expressa mais do que um desejo piedoso. O forte desejo do escritor é que os leitores possam ter plena certeza da esperança. É possível que o conflito sobre a atração do judaísmo estivesse despojando-os da alegria dessa certeza. É possível os cristãos terem grande amor para com seus irmãos e ainda terem falta de certeza para si mesmos. Quem dera a diligência do amor transbordasse para a certeza![267]

A marca do verdadeiro convertido é a perseverança. Não basta entusiasmo inicial no serviço; é preciso continuidade. Não basta boa disposição para começar o labor cristão; é preciso avançar e perseverar até o fim. As lutas, as provas, as tentações e as perseguições podem nos levar ao cansaço de fazer o bem (Gl 6.9). Não podemos esmorecer. Augustus Nicodemus esclarece esse ponto:

> A base para a certeza da salvação não pode ser o ter tido uma experiência, ter sido criado na igreja, batizado, ter professado a fé, cantar no coral, ser pastor ou pregador. A base é a obra constante e contínua da santificação do Espírito Santo em nosso coração, que é medida pela perseverança, pela continuidade no evangelho: *Aquele que perseverar até o fim, será salvo* (Mt 24.13).[268]

Calvino diz corretamente que não há nada tão difícil como manter nossos pensamentos fixos nas coisas celestiais, quando todo o vigor de nossa natureza nos arrasta para baixo, e quando Satanás, usando de todo gênero de astúcia, nos mantém assombrados com as coisas terrenas. Por essas razões, o autor nos instrui a viver em constante alerta contra a indolência ou contra as deficiências.[269]

Uma imitação importante (6.12)

O escritor adverte os crentes sobre o perigo da indolência. Essa mesma palavra grega *nothroi* já foi usada para adverti-los da lerdeza em ouvir (5.11). A estagnação produz indolência. A falta de perseverança no serviço atrofia os músculos da alma, produz flacidez espiritual e desemboca em apatia espiritual. Longe de se acomodarem, os crentes deveriam olhar para os heróis da fé que, mesmo sob imensas pressões e gigantescas provas, tiveram paciência para confiar nas promessas feitas por Deus e saudá-las ainda que de longe (11.13).

Em vez de cogitarem a possibilidade de retroceder, os crentes deveriam olhar para vida daqueles que, piedosamente, na história bíblica, andaram com Deus e, então, imitar o seu exemplo.

No versículo 10, o autor havia falado sobre o amor e, no versículo 11, sobre a esperança. Agora ele apresenta a fé à igreja. Fé, amor e esperança são os pilares básicos sobre os quais repousa a vida da igreja de Jesus e dos quais os crentes nunca podem se apartar (1Co 13.13). Fé sem amor é fé racional, fria e morta; amor sem fé brota do idealismo humano; esperança que não está enraizada na comunhão de fé com Cristo e que não desagua na ação de amor que socorre o próximo é especulação egoísta e fanatismo.[270]

Uma promessa segura (6.13-17)

Como um perito escritor, o autor aos Hebreus, para aprofundar o tema da segurança da salvação, deixa de usar rebuscados argumentos teóricos para usar ilustrações práticas. Dessa forma, ele evoca a figura de Abraão para exemplificar o conceito de esperança (Rm 4.18). Calvino está correto ao dizer que o exemplo de Abraão é considerado não porque seja o único, mas porque é mais proeminente que os demais.[271]

Abrão tinha 75 anos quando Deus o chamou de Ur dos caldeus e prometeu que, nele, todas as famílias da terra seriam abençoadas (Gn 12.1-3). Mais tarde, Abrão diz a Deus que ainda não tinha descendência e que seu servo Eliezer é que seria seu herdeiro (Gn 15.1-3). Deus o fez, então, sair de sua tenda e contar as estrelas dos céus, dizendo: *Será assim a tua posteridade* (Gn 15.5). Ele creu no Senhor, e isso lhe foi imputado para justiça (Gn 15.6). Quando Abrão estava com 86 anos, Sara lhe sugeriu coabitar com sua serva Hagar e assim suscitar uma descendência. Abrão anuiu ao conselho de Sara, e nasceu Ismael (Gn 16.1-4,16). Quando Abrão completou 99 anos, Deus apareceu a ele e mudou seu nome para Abraão, explicando: *Abrão já não será o teu nome e sim Abraão; porque por pai de numerosas nações te constituí* (Gn 17.5). Tinha Abraão a idade de 100 anos quando lhe nasceu Isaque, o filho da promessa (Gn 21.5). Isaque casou-se aos 40 anos e esperou vinte anos até que Rebeca, sua mulher, fosse curada da esterilidade (Gn 25.26). Quando os netos de Abraão, Esaú e Jacó, nasceram, Abraão tinha 160 anos. Esse homem sabia o que era esperar, ainda que contra a esperança (Rm 4.18)!

Calvino tem razão ao dizer que, quando Deus prometeu a Abraão uma descendência inumerável, tal promessa parecia incrível. Sara fora estéril ao longo de sua vida; ambos haviam atingido a idade senil – estavam mais próximos do túmulo que do leito conjugal; não possuíam mais vigor para gerar filhos, e o ventre de Sara, que mesmo no período de sua vida em que deveria ser fértil, agora era sem vida. Quem poderia crer que de ambos nascesse uma raça, cujo número seria como as estrelas do céu e como as areias do mar? Tal coisa ia de encontro a toda e qualquer razão. Não obstante, Abraão atentou para tudo isso, sem medo de ficar desapontado, porquanto creu na palavra que Deus lhe falara.[272]

Isaque cresceu e tornou-se a própria materialização da promessa de Deus, quando o Senhor põe à prova a Abraão e lhe ordena: *Toma teu filho, teu único filho, a quem amas, e vai-te à terra de Moriá; oferece-o ali em holocausto, sobre um dos montes, que eu te mostrarei* (Gn 22.2). Abraão não questionou, não duvidou nem adiou, mas prontamente obedeceu. Deus, entretanto, providenciou um cordeiro substituto para Isaque e, então, disse a Abraão: *Jurei, por mim mesmo, diz o SENHOR, porquanto fizeste isso e não me negaste o teu único filho, que deveras te abençoarei e certamente multiplicarei a tua descendência como as estrelas dos céus e como a areia na praia do mar; a tua descendência possuirá a cidade dos seus inimigos, nele serão benditas todas as nações da terra, porquanto obedeceste à minha voz* (Gn 22.16-18).

Walter Henrichsen diz que, nos tempos bíblicos, antes da época dos advogados, dos registros de títulos e de outras instituições modernas, as pessoas resolviam suas pendências chegando a um entendimento mútuo, confirmando-o, a seguir, com um juramento. Tal juramento era definitivo em sua autoridade e o fim de toda contenda (6.16).[273] O autor aos Hebreus parte do argumento menor para o maior em sua exposição e diz que o homem, quando jura, precisa fazê-lo em nome de alguém maior do que ele. Porém, quando Deus faz juramento, não havendo ninguém acima dele por quem jurar, então ele jura por si mesmo. O homem precisa interpor sua palavra com juramento porque é passível de erro e engano, mas Deus não é homem para mentir. Sua palavra é plenamente confiável. Mesmo assim, Deus prometeu a Abraão abençoar sua descendência e reforçou sua palavra, que já é digna de inteira aceitação, com juramento. Deus mostra com tanta firmeza os seus imutáveis propósitos aos herdeiros da salvação que o faz com juramento (6.17).

Fritz Laubach diz que o juramento é a asseveração mais intensa e a última de uma declaração. Anula qualquer dúvida possível ou qualquer contradição. Deus confirma, por meio de um juramento, a inviolabilidade de sua vontade de conceder graça. Ele se apresenta como fiador de sua própria palavra.[274] Concordo com Calvino quando ele diz que a certeza da salvação é algo profundamente necessário; e, a fim de assegurá-la, Deus, que proíbe o juramento temerário, houve por bem confirmar sua promessa com juramento. Desse fato, podemos concluir quão grande importância ele atribui à nossa salvação.[275] A esperança da fé não é nenhuma fantasia, mas se apoia na promessa de Deus e em seu juramento, duas coisas imutáveis.[276]

O que caracterizou a esperança de Abraão? Foi o fato de que sua crença permaneceu sempre e sempre. Ele suportou com paciência, pois é assim que uma pessoa recebe o que foi prometido por Deus. Abraão perseverou porque a promessa era fiel (6.15).[277] O apóstolo Paulo diz que Abraão esperou contra a esperança (Rm 4.18). Os herdeiros da promessa, os filhos de Abraão, ou seja, não apenas aqueles que têm o sangue de Abraão em suas veias, mas sobretudo aqueles que têm a fé de Abraão no coração (Gl 3.7), podem igualmente confiar na imutabilidade do propósito de Deus, que avaliza sua própria palavra com juramento (6.17). Kistemaker diz que Deus faz a promessa de salvação e ao mesmo tempo se torna o intermediário que assegura que a promessa será cumprida.[278]

Duas coisas imutáveis (6.18a)

O autor aos Hebreus cita duas coisas imutáveis para dar-nos plena garantia da nossa salvação. Primeiro, o que Deus diz, a sua promessa; segundo, o que Deus jura, o seu juramento. A segurança da nossa salvação não está fundamentada em quem somos ou no que fazemos, mas está alicerçada na promessa e no juramento de Deus. Ele prometeu e ainda chancelou sua promessa com juramento. As Escrituras, que não podem falhar (Jo 10.35), dizem: *Deus não é homem, para que minta; nem filho do homem, para que se arrependa. Porventura, tendo ele prometido, não o fará? Ou tendo falado, não o cumprirá?* (Nm 23.19).

Três ilustrações eloquentes (6.18b-20)

Para reforçar a nossa convicção, são apresentadas três ilustrações: o refúgio da esperança, a âncora da alma e o precursor divino. Vejamos o que essas ilustrações nos ensinam.

Em primeiro lugar, *o refúgio da esperança* (6.18b). *... forte alento tenhamos nós que já corremos para o refúgio, a fim de lançar mão da esperança proposta.* Essa é uma alusão às cidades de refúgio em Israel, para as quais o responsável pela morte de alguém poderia fugir do vingador de sangue (Nm 35.11,12). Cristo é o nosso refúgio; quando corremos para ele e nele nos refugiamos, ficamos livres do vingador de sangue. Nele estamos a salvos. Nele temos plena e completa segurança.

Em segundo lugar, *a âncora da alma* (6.19). *A qual temos por âncora da alma, segura e firme e que penetra além do véu.* Esta é uma referência náutica, tirada da experiência da navegação. A palavra *âncora*, embora seja uma metáfora muito usada nos escritos gregos e romanos,[279] não ocorre nenhuma vez no Antigo Testamento; no Novo Testamento, só aparece aqui e na descrição do naufrágio de Paulo (At 27.29,40). Como a âncora pesada de ferro afunda nos grandes mares e fixa-se entre as rochas inabaláveis, mantendo o barco seguro e firme, assim a esperança é a âncora do cristão.[280]

A nossa segurança não está no fato de inexistirem problemas à nossa volta. A nossa vida não se desenrola numa estufa espiritual. A vida cristã não é uma sala *vip*. Não vivemos em uma colônia de férias nem em um parque de diversões. A vida cristã é como uma viagem por mares revoltos, sob fortes rajadas de vento. Ondas encapeladas se atiram contra nós com fúria indomável. O que mantém o nosso batel seguro nessa terrível tempestade é a âncora que está bem firmada nos rochedos invisíveis nas camadas abissais do mar. O que mantém o navio fora do perigo de naufrágio é a âncora. Ela parece invisível, mas segura o navio. Embora não possa ser vista, constitui-se na segurança da embarcação.

Calvino, com palavras fortes, descreve essa realidade da seguinte forma:

> Enquanto peregrinamos neste mundo, não temos terra firme onde pisar, senão que somos arremessados de um lado para o outro como se estivéssemos em meio a um oceano atingido por devastadora tormenta. O diabo jamais cessa de acionar incontáveis tempestades, as quais imediatamente fariam soçobrar e submergir nossa embarcação, se não lançássemos nossa âncora, com firmeza, nas profundezas. Olhamos, e nossos olhos não divisam nenhum porto, senão que, em qualquer direção que voltamos nossa vista, a única coisa que divisamos é água; na verdade, só vemos ondas em gigantescos vagalhões a nos ameaçarem. Mas assim como se lança uma âncora no vazio das águas, a um lugar escuro e oculto, e, enquanto permanece ali, invisível, sustenta a embarcação que se encontra exposta ao

> sabor das ondas, agora segura em sua posição para que não afunde, assim também nossa esperança está firmada no Deus invisível. Mas há uma diferença: uma âncora é lançada ao mar porque existe solo firme no fundo, enquanto nossa esperança sobe e flutua nas alturas, porquanto ela não encontra nada em que se firmar neste mundo. Ela não pode repousar nas coisas criadas, senão que encontra seu único repouso no Deus vivo. Assim como o cabo, ao qual a âncora se acha presa, mantém o navio seguro ao solo de um profundo e escuro abismo, também a verdade de Deus é uma corrente que nos mantém jungidos a ele, de modo que nenhuma distância de lugar e nenhuma escuridão podem impedir-nos de aderir a ele. Quando nos sentimos unidos assim a Deus, mesmo que tenhamos de enfrentar as constantes tempestades, estaremos a salvo do risco de naufrágio. Eis a razão por que o autor nos diz que a âncora é uma esperança segura e firme. É possível que uma âncora se quebre, ou que um cabo se rompa, ou que um navio se faça em pedaços pelo impacto das ondas. Isso sempre sucede no mar. Mas o poder de Deus, que nos protege, é algo completamente distinto, bem como também é a força da esperança e a plena estabilidade de sua palavra.[281]

Nossa âncora não está nas profundezas do mar, mas nas alturas do céu. Nossa esperança é como uma âncora que penetra além do véu e nos dá segurança na longa viagem rumo ao porto divinal. Severino Silva, nessa mesma linha de pensamento, diz que a diferença entre a âncora do navio e a âncora do cristão é que a âncora do navio aponta para baixo e, quanto mais os ventos sopram e as ondas movimentam o navio, tanto mais ela vai se enterrando no fundo e lhe oferecendo segurança. A âncora do cristão aponta para cima e, quanto mais as tempestades da vida lhe sobrevêm, tanto mais sua âncora (esperança) vai se fixando no trono de Deus, que lhe oferece uma proteção inabalável.[282] Uma âncora invisível está segura ao fundo do mar; nossa esperança invisível está nos altos céus.[283]

Em terceiro lugar, *o precursor divino* (6.19b,20). *... e que penetra além do véu, onde Jesus, como precursor, entrou por nós, tendo se tornado sumo sacerdote para sempre, segundo a ordem de Melquisedeque.* A palavra grega *prodromos,* traduzida por *precursor*, significa "batedor", "guarda avançada de um exército". Ela só aparece aqui no Novo Testamento e significa aquele que vai à frente, abrindo o caminho para que outros sigam seus passos.[284] Um precursor pressupõe outros para seguir.[285]

É óbvio que o autor abandona a metáfora da âncora para usar uma mais conhecida de seus leitores, a metáfora do precursor que entra além do véu. Eles conheciam bem a figura do tabernáculo e do templo. Sabiam que um véu separava o Lugar Santo do Lugar Santíssimo. Somente o sumo sacerdote podia atravessar esse véu uma vez por ano. Ele deixava as pessoas comuns do lado de fora daquele que era o próprio símbolo da presença de Deus.

Quando Jesus morreu, o véu do templo foi rasgado de alto a baixo (Mt 27.51). Agora podemos entrar livremente à santa presença de Deus. Ele, Jesus, como nosso Sumo Sacerdote, da ordem de Melquisedeque, como nosso precursor, entrou por nós, abrindo-nos um novo e vivo caminho para Deus (10.19,20). Ele mesmo é o caminho (Jo 14.6). Ele foi à frente, e nós o seguimos. Ele é o precursor, e nós seguimos suas pegadas. Jesus é o capitão da nossa salvação. Ele, sendo um sumo sacerdote perfeito, ofereceu um sacrifício perfeito e instituiu um culto perfeito, e, agora, todos nós podemos entrar além do véu, para desfrutar da própria presença de Deus. Um dia o nosso precursor virá buscar-nos para estarmos para sempre com ele (1Ts 4.17,18). Nesse dia, poderemos contemplar a glória de Deus e vê-lo como ele é (1Jo 3.2).

Wiley é oportuno quando escreve: "É significativo que o autor da epístola aos Hebreus, ao falar da entrada triunfal de nosso precursor nos céus, use a palavra *Jesus*, o nome humano de Cristo, e não o divino, *Senhor*. Aquele que foi o Deus-homem na terra é agora, em sentido real, o Homem-Deus nos céus, e assim é que temos um dentre nós mesmos sobre o trono intercessório".[286]

Com essas palavras de encorajamento e conforto, o autor estava exortando os crentes a não retrocederem, a não desviar os olhos de Cristo para embarcarem de volta para o judaísmo. Concluo com as palavras de Nicodemus, quando ele diz que a aplicação para os leitores era: "Não voltem atrás. Não abandonem Jesus por causa das perseguições, porque, no tempo de Deus, ele cumprirá as promessas como fez com Abraão".[287]

NOTAS

[258] CALVINO, João, *Hebreus*, p. 151.
[259] GUTHRIE, Donald, *Hebreus: introdução e comentário*, p. 136.
[260] KISTEMAKER, Simon, *Hebreus*, p. 235.
[261] Ibidem, p. 236.
[262] GUTHRIE, Donald, *Hebreus: introdução e comentário*, p. 137.
[263] Ibidem, p. 139.
[264] LAUBACH, Fritz, *Carta aos Hebreus*, p. 104.
[265] CALVINO, João, *Hebreus*, p. 152.
[266] Ibidem.
[267] GUTHRIE, Donald, *Hebreus: introdução e comentário*, p. 141.
[268] LOPES, Augustus Nicodemus, *Hebreus*, p. 127.

[269] Calvino, João, *Hebreus*, p. 156.
[270] Laubach, Fritz, *Carta aos Hebreus*, p. 105.
[271] Calvino, João, *Hebreus*, p. 157.
[272] Ibidem, p. 157-158.
[273] Henrichsen, Walter A., *Depois do sacrifício*, p. 71.
[274] Laubach, Fritz, *Carta aos Hebreus*, p. 106.
[275] Calvino, João, *Hebreus*, p. 161.
[276] Laubach, Fritz, *Carta aos Hebreus*, p. 106.
[277] Olyott, Stuart, *A carta aos Hebreus*, p. 63.
[278] Kistemaker, Simon, *Hebreus*, p. 248.
[279] Lightfoot, Neil R., *Hebreus*, p. 156.
[280] Wiley, Orton H., *Comentário exaustivo da carta aos Hebreus*, p. 307.
[281] Calvino, João, *Hebreus*, p. 164-165.
[282] Silva, Severino Pedro, *Epístola aos Hebreus*, p. 111-112.
[283] Kistemaker, Simon, *Hebreus*, p. 251.
[284] Lightfoot, Neil R., *Hebreus*, p. 157.
[285] Guthrie, Donald, *Hebreus: introdução e comentário*, p. 145.
[286] Wiley, Orton H., *Comentário exaustivo da carta aos Hebreus*, p. 310.
[287] Lopes, Augustus Nicodemus, *Hebreus*, p. 135.

Capítulo 13

Jesus, nosso Sumo Sacerdote

(Hb 7.1-28)

O AUTOR AOS HEBREUS, depois de exortar seus leitores sobre a ameaça da apostasia e encorajá-los com a imutabilidade dos propósitos divinos, retoma o assunto do sacerdócio de Cristo, tópico introduzido em 2.17; 3.1; 4.14; 5.6,10. Agora, ele vai tomar-nos pela mão e percorrer conosco os corredores iluminados da verdade, mostrando-nos a grandeza singular de Jesus como nosso Sumo Sacerdote.

Kistemaker chega a dizer que a essência da seção doutrinária da epístola está na discussão do sumo sacerdócio de Cristo registrado no capítulo 7. Todo o material que antecede esse capítulo é introdutório.[288] Como já temos enfatizado, os leitores originais da carta aos Hebreus eram judeus. Eles tinham se tornado cristãos, mas no momento estavam pensando em renunciar ao cristianismo e voltar para o judaísmo do qual saíram. Para demovê-los desse pensamento, o autor argumenta que o sacerdócio de Cristo, segundo a ordem de Melquisedeque, é superior ao sacerdócio de Arão.

Warren Wiersbe diz que o sacerdócio de Jesus Cristo é superior ao de Arão porque a ordem de Melquisedeque é superior à ordem de Levi.[289] Não há dúvidas de que a ênfase do capítulo 7 de Hebreus é que o sacerdócio de Cristo é superior em sua ordem. Em Hebreus 8, a ênfase é sobre a aliança superior de Cristo. Hebreus 9 enfatiza a superioridade de seu santuário. E Hebreus 10 conclui a seção argumentando em favor do sacrifício superior de Cristo. O capítulo em apreço apresenta-nos solenes verdades, as quais passamos a destacar a seguir.

A singularidade de Melquisedeque (7.1-3)

Melquisedeque é uma personagem importantíssima, porém enigmática. Philip Hughes diz corretamente que ele não é uma figura alegórica, mas tipológica.[290] Como já declaramos, o nome de Melquisedeque só aparece nas Escrituras do Antigo Testamento duas vezes, ou seja, em Gênesis 14.17-24 e Salmo 110.4. Porém, ele foi o mais perfeito tipo do sacerdócio de Cristo. Wiley diz que esse salmo profético é o único elo entre o evento histórico em Gênesis e sua aplicação em Hebreus.[291] Seguindo as pegadas de Raymond Brown, destacamos aqui cinco características desse rei-sacerdote.[292]

Em primeiro lugar, *a elevada posição de Melquisedeque* (7.1). Ele é chamado de sacerdote do Altíssimo. Não herdou esse *status* de sua família nem foi nomeado por homem algum. Recebeu seu sacerdócio das próprias mãos do Altíssimo e em seu nome o exerceu.

Em segundo lugar, *a destacada autoridade de Melquisedeque* (7.1). Ele abençoou Abraão e era maior do que Abraão, o pai da nação de Israel e o pai de todos os crentes. Logo, o sacerdócio de Melquisedeque, que precedeu o sacerdócio levítico, era superior ao sacerdócio levítico, uma vez que Levi era bisneto de Abraão e Abraão era maior que Levi.

Em terceiro lugar, *a dupla função de Melquisedeque* (7.1,2). Melquisedeque é sacerdote e rei. De acordo com seu nome, é rei de justiça e, de acordo com o nome de sua cidade, é rei de paz. Somente nele e em Cristo, justiça e paz ficam juntas.[293] Melquisedeque é sacerdote do Altíssimo e também rei de justiça e rei de paz. Nenhum sacerdote da ordem levítica ocupou a função de rei, e nenhum rei de Israel exerceu o ministério sacerdotal. Warren Wiersbe está correto ao dizer que, no sistema do Antigo Testamento, o trono e o altar eram separados.[294] Melquisedeque é um tipo de Cristo, que é rei e sacerdote. Sacerdote para sempre e rei de justiça e de paz. Justiça e paz caminham de mãos dadas na história da redenção (Is 32.17; Sl 72.7; 85.10; Tg 3.17,18). A própria carta aos Hebreus traz essa mesma ênfase (12.10,11). Hughes diz que em Cristo nós vemos aparência do esperado rei eterno prometido da linhagem de Davi, sob quem a justiça floresce e a paz é abundante (Sl 72.7; 97.2; 98.3,9). Jesus é o príncipe da paz (Is 9.6).[295]

Em quarto lugar, *a singularidade de Melquisedeque* (7.3a). Melquisedeque aparece sem falar de onde veio e vai embora sem deixar rastro. Ele não tem predecessor nem sucessor.[296] De acordo com David Stern, o texto em tela não quer dizer que Melquisedeque não tinha pai, mãe, antepassados, nascimento ou morte, mas que a lei não contém o registro deles.[297]

A Bíblia não informa a genealogia de Melquisedeque. É óbvio que ele foi uma pessoa real, que viveu no tempo dos patriarcas, uma vez que abençoou Abraão e recebeu dele dízimos. Kistemaker está certo quando diz que tanto a narrativa de Gênesis quanto a da epístola aos Hebreus descrevem Melquisedeque como uma figura histórica que era um contemporâneo de Abraão.[298]

Estou de pleno acordo com Warren Wiersbe ao afirmar que Melquisedeque era um homem de verdade, um rei de verdade e um sacerdote de verdade em uma cidade de verdade. No que se refere aos registros, ele nunca nasceu nem morreu. Nada sabemos sobre sua genealogia: seus pais, seu nascimento e sua morte. Nesse sentido, ele é um retrato do Senhor Jesus Cristo, o Filho eterno de Deus. É claro que nem Arão nem qualquer um de seus descendentes poderiam afirmar ser "sem genealogia" (7.3).[299] Concordo com Stuart Olyott quando ele escreve: "A realidade é Cristo; Melquisedeque é simplesmente figura do Filho de Deus que não herdou seu sacerdócio (porque o tem por direito) nem possui sucessor (porque é sacerdote para sempre)".[300] Nessa mesma linha de pensamento, Philip Hughes diz que, quando a Bíblia menciona que Melquisedeque não tinha princípio de dias nem fim de existência, isso apontava positivamente para Cristo, seu antítipo, e não para ele mesmo. Somente Cristo não tem começo nem fim. Só ele é eterno. Melquisedeque era apenas uma figura, mas Cristo é a realidade.[301]

Em quinto lugar, *a perpetuidade de seu sacerdócio* (7.3b). O seu sacerdócio permanece para sempre. Isso significa que, por ser ele um tipo de Cristo, permanece para sempre em Cristo. Cristo é sacerdote para sempre segundo a ordem de Melquisedeque.

A superioridade do sacerdócio de Melquisedeque (7.4-11)

Depois de mostrar a singularidade de Melquisedeque, o escritor aos Hebreus nos fala sobre a superioridade de seu sacerdócio em relação ao sacerdócio levítico. Três são as verdades que devem ser destacadas.

Em primeiro lugar, *Melquisedeque é grande porque recebeu dízimos de Abraão, o pai da nação de Israel* (7.4,5). Se os sacerdotes, filhos de Levi, por meio de mandamento, recebem dízimos de seus irmãos, Melquisedeque recebeu dízimos de Abraão, o pai da nação de Israel, de quem os levitas procederam.

John Wesley diz que os levitas são maiores que seus irmãos, os sacerdotes são maiores que os levitas, o patriarca Abraão é maior que os sacerdotes, e Melquisedeque, um tipo de Cristo, é maior do que Abraão.[302] Abraão reconheceu Melquisedeque como representante de Deus e, portanto, ao dar a Melquisedeque o dízimo, ele deu o dízimo a Deus.[303] Fica evidente que o sacerdócio de Melquisedeque não é apenas anterior ao sacerdócio levítico, mas também superior a ele. Se os levitas receberam dízimos de seus irmãos, aquele que é da ordem de Melquisedeque recebe dízimos dos crentes, os filhos de Abraão.

Craig Keener explica que o dízimo já era um costume do antigo Oriente Médio antes que fosse designado no Antigo Testamento, e uma forma dele também é atestada na literatura greco-romana. Nesse versículo, o autor recorre a Gênesis 14.20, a primeira ocorrência de dízimo na Bíblia.[304]

O termo "dízimo" significa "um décimo". O povo de Israel deveria entregar o dízimo de suas colheitas, gado e rebanhos (Lv 27.30-32). Esses dízimos eram entregues aos levitas (Nm 18.21ss), no tabernáculo e, posteriormente, no templo (Dt 12.5ss). Se a viagem era longa demais para transportar cereais, frutos e animais, o dízimo poderia ser convertido em uma soma em dinheiro (Dt 14.22-27). Resta claro que a prática do dízimo não teve origem em Moisés, pois Abraão pagou o dízimo a Melquisedeque mais de quatrocentos anos antes de a lei ser dada.

Em segundo lugar, *Melquisedeque é maior do que Abraão porque recebeu dízimos dele e o abençoou* (7.6-8). Como já deixamos claro, o sacerdócio de Melquisedeque não vem de uma família sacerdotal. No entanto, ele recebeu dízimos de Abraão e o abençoou. Não resta dúvidas de que o inferior é abençoado pelo superior. Logo, Melquisedeque é superior a Abraão, que é maior que os levitas, seus descendentes. Os levitas que recebem dízimos de seus irmãos são homens mortais, mas aquele que recebeu dízimos de Abraão, por ser um tipo de Cristo, *não teve princípio de dias, nem fim de existência* (7.3), ou seja, é *aquele de quem se testifica que vive* (7.8).

Se Abraão, o pai dos crentes, pagou dízimos a Melquisedeque, nós, filhos de Abraão, devemos pagar os dízimos a Jesus, o sacerdote segundo a ordem de Melquisedeque. Os dízimos são santos ao Senhor. São um reconhecimento de nossa dependência de Deus e uma evidência de nossa fidelidade a ele. Os dízimos foram pagos antes da lei, durante a lei e também no tempo da graça. A prática dos dízimos é ensinada nos livros da lei, nos livros históricos, nos livros poéticos, nos livros proféticos, nos Evangelhos e nas epístolas. Essa prática não cessou com a caducidade do sacerdócio levítico, porque é anterior e posterior a ele.

Em terceiro lugar, *Melquisedeque é superior a Levi* (7.9,10). Quando Abraão pagou dízimos a Melquisedeque, Levi ainda não existia, pois seria seu bisneto. Mas, porque Levi é descendente de Abraão, em Abraão, ele também pagou dízimos a Melquisedeque. Logo, Melquisedeque é maior que Levi, o pai da tribo dos levitas e sacerdotes. Levi pagou dízimos a Melquisedeque como um maior e mais alto sacerdote que ele mesmo. Corroborando esse pensamento, Warren Wiersbe escreve: "Quando seu pai, Abraão, reconheceu a grandeza de Melquisedeque, a tribo de Levi também foi incluída. O povo de Israel acreditava firmemente em uma 'solidariedade racial'. O pagamento dos dízimos envolveu não apenas o patriarca Abraão, mas também as gerações não nascidas de seus descendentes".[305]

O fim do sacerdócio levítico e a perpetuidade do sacerdócio de Cristo (7.11-19)

Depois de provar a superioridade de Melquisedeque sobre Abraão e Levi, o autor aos Hebreus mostra a transitoriedade do sacerdócio levítico e a perpetuidade do sacerdócio de Cristo. Stuart Olyott tem razão ao dizer que o simples fato de que o Messias seria de outra ordem de sacerdócio era prova suficiente de que a ordem levítica não supria nem jamais poderia suprir as necessidades do pecador.[306] David Peterson acrescenta que a perfeição não era possível sob o sacerdócio levítico; por isso, o sacerdócio de Cristo substituiu todo o sistema de aproximação de Deus do Antigo Testamento, oferecendo aos crentes um perfeito relacionamento com Deus.[307]

Concordo com Wiley quando ele diz que Arão simbolizou Cristo em sua humilhação, e Melquisedeque, em sua vida glorificada no céu. Arão era sacerdote da morte; Melquisedeque, da vida. Arão representava a cruz; Melquisedeque, o trono. Arão representava a expiação consumada de Cristo na terra; Melquisedeque, a sua intercessão contínua no trono dos céus. Arão não podia concluir ou aperfeiçoar sua obra por motivo da morte; Cristo, porém, tem um sacerdócio imutável – ele é sacerdote para sempre, segundo a ordem de Melquisedeque.[308]

Seis verdades devem ser aqui destacadas.

Em primeiro lugar, *o sacerdócio levítico é transitório* (7.11). O sacerdócio levítico teve um começo e um fim. Ele foi apenas sombra de uma realidade, apenas um sacerdócio preparatório que apontava para o sacerdócio perfeito. Ele cumpriu o seu papel e saiu de cena. Chegou ao fim e deixou de existir.

Em segundo lugar, *o sacerdócio levítico é imperfeito* (7.11). Ele é imperfeito porque é exercido por homens imperfeitos, oferecendo sacrifícios imperfeitos, em favor de homens imperfeitos. Ele não pode aperfeiçoar os pecadores. Por isso, foi substituído por um sacerdócio superior, o sacerdócio de Cristo, segundo a ordem de Melquisedeque. Wiersbe escreve: "Melquisedeque não apenas é maior do que Arão, como também tomou o lugar de Arão".[309] Uma nova ordem, a ordem de Melquisedeque, foi estabelecida, anulando e substituindo a ordem levítica.

Em terceiro lugar, *o sacerdócio de Cristo não procede da ordem levítica* (7.12-14). Se uma mudança de lei tinha de ocorrer, o próprio Deus teria de fazer a mudança. E isso é exatamente o que Deus fez quando, séculos depois que a lei foi dada, ele disse por intermédio de Davi: *O SENHOR jurou e não se arrependerá: Tu és sacerdote para sempre segundo a ordem de Melquisedeque* (Sl 110.4). Deus mudou a lei ao apontar seu Filho como Sumo Sacerdote em outra ordem e confirmar a mudança com um juramento. Com a vinda de Cristo, a ordem sacerdotal foi transformada e transferida. Com seu sacrifício único e válido para sempre, Cristo cumpriu a lei e tornou obsoleto o sacerdócio levítico.[310]

Cristo não procede da tribo de Levi, a tribo sacerdotal, mas da tribo de Judá, da qual jamais procedeu qualquer sacerdote e da qual ninguém prestou serviço ao altar. James Freerkson menciona o fato de que, quando o rei Uzias, da tribo de Judá, exerceu a função de sacerdote, Deus o puniu com lepra (2Cr 26.16-21). Enquanto perdurou, portanto, a lei mosaica, Jesus, sendo da tribo de Judá, jamais poderia exercer o sacerdócio.[311] Da mesma forma que um presidente brasileiro não poderia autoproclamar-se rei, uma vez que a Constituição do país não permite o sistema monárquico, assim também a lei de Moisés não permitia um sacerdócio procedente da tribo de Judá (7.14). Por isso, todo o sistema da lei cumpre-se em Jesus Cristo (Cl 2.13,14). Cristo é o fim da lei (1Co 10.4). Concordo com Wiersbe quando ele diz que esse novo sistema não significa que o cristão tem o direito de viver sem lei; antes, significa que somos livres para fazer a vontade de Deus (Rm 8.1-4). Obedecemos à lei não por uma compulsão exterior, mas por um constrangimento interior (2Co 5.14).[312]

Em quarto lugar, *o sacerdócio de Cristo é constituído por um poder superior* (7.15,16). O sacerdócio de Cristo não foi constituído conforme a lei de mandamento carnal, mas segundo o poder da vida indissolúvel. Ou seja, os sacerdotes eram procedentes da tribo de Levi e exerciam o seu ministério por um tempo determinado. A morte punha fim ao seu sacerdócio. Mas a morte foi vencida por Cristo, e seu ministério jamais é interrompido. Ele é sacerdote para sempre. David Peterson diz que essa última expressão é mais bem entendida como uma referência à sua ressurreição e exaltação celestial. Jesus claramente exerceu o papel de sumo sacerdote da nova aliança sobre a terra, quando ofereceu a si mesmo como o perfeito sacrifício por nossos pecados. Mas foi trazido à vida novamente para exercer a função de sumo sacerdote para sempre, servindo no santuário celeste, à mão direita de Deus Pai (8.1,2).[313] Kistemaker, nessa mesma linha de pensamento, afirma que a expressão *vida indissolúvel* só aparece aqui em todo o Novo Testamento. Embora Jesus se tenha oferecido como um sacrifício na cruz, sua vida não acabou. Ele venceu a morte e vive para sempre, atualmente sentado à mão direita de Deus, nas alturas (1.3). Mediante seu sacrifício único, ele cumpriu as responsabilidades do sacerdócio araônico e, por meio de sua vida sem fim, assume o sacerdócio na ordem de Melquisedeque.[314]

Em quinto lugar, *o sacerdócio de Cristo é estabelecido por um juramento divino* (7.17). O escritor aos Hebreus cita Salmo 110.4 para explicar que o sacerdócio de Cristo não vem por um mandamento legal nem por uma esteira hereditária, mas por um juramento divino. Deus, não tendo ninguém maior que ele mesmo por quem jurar, jura por si mesmo. Ele é o avalista de sua própria palavra. Ele garante o cumprimento de seu próprio juramento. Deus deixou claro que esse juramento era irreversível, dizendo ao Filho: *Tu és sacerdote para sempre...* Não há uma terceira ordem. Não há possibilidade de o sacerdócio de Cristo ser substituído por outra ordem sacerdotal. Seu sacerdócio é perpétuo. Ele é sacerdote para sempre.

Em sexto lugar, *o sacerdócio de Cristo traz esperança superior* (7.18,19). A ordenança anterior é revogada por causa de sua fraqueza e inutilidade. Era apenas sombra. Era apenas um símbolo. Apontava para o sacerdote perfeito, para o sacrifício perfeito, para o sacerdócio de Cristo. A lei nunca aperfeiçoou coisa alguma, não porque a lei fosse fraca em si, mas porque o homem, sendo pecador, não pode cumprir suas exigências (Rm 8.3). O sacerdócio de Cristo, então, é introduzido, trazendo-nos esperança superior, pela qual nos achegamos a Deus. Cristo é o Cordeiro de Deus que tira o pecado do mundo (Jo 1.29). Por meio dele, temos livre acesso à presença de Deus (4.14-16). Agora não há mais necessidade de irmos a um sacerdote humano para nos representar. Não há mais necessidade de sacrifícios de animais. Tudo isso era sombra; a realidade é Cristo. Nossa esperança está centrada em Cristo, nosso Salvador e Senhor. O que a lei não podia fazer, Jesus fez por nós. Nele temos eterna redenção e íntima comunhão com o Pai.

A superioridade do sacerdócio de Cristo (7.20-28)

Destacamos aqui sete verdades que enfatizam a superioridade do sacerdócio de Cristo.

Em primeiro lugar, *está baseado no juramento divino* (7.20,21). Kistemaker afirma que o sacerdócio araônico foi instituído por lei divina; o sacerdócio de Cristo, por juramento divino. Uma lei pode ser anulada; um juramento dura para sempre.[315] O sacerdócio de Cristo não vem de uma linhagem humana, mas do juramento divino. Os sacerdotes precisam provar que pertenciam à tribo de Levi (Ne 7.63-65) e preencher os requisitos físicos e cerimoniais (Lv 21.16-24). O sacerdócio de Cristo, porém, foi estabelecido com base em sua obra vicária na cruz, em seu caráter impoluto e no juramento de Deus (Sl 110.4).[316]

Em segundo lugar, *está fundamentado numa aliança superior* (7.22). Cristo é o fiador de uma nova aliança, a aliança firmada em seu sangue. O termo *fiador* significa aquele que garante que os termos de um acordo serão cumpridos. Judá se dispôs a servir de fiador para Benjamim, a fim de garantir ao pai que o menino voltaria para casa em segurança (Gn 43.1-14). Paulo se dispôs a servir de fiador para o escravo Onésimo (Fm 18,19). Wiersbe é oportuno quando escreve:

> Como Mediador entre Deus e o homem, Jesus Cristo é o grande Fiador. Nosso Salvador ressurreto e eterno garante que os termos da lei serão cumpridos em sua totalidade. Deus não abandonará seu povo. Mas Cristo não apenas nos garante que Deus cumprirá sua promessa, mas, como nosso representante diante de Deus, também cumpre perfeitamente os termos da lei em nosso nome. Jamais seríamos capazes, por conta própria, de cumprir esses termos; mas, uma vez que cremos nele, ele nos salvou e garantiu que nos guardará.[317]

Em terceiro lugar, *é demonstrado pela sua atividade permanente* (7.23,24). Os sacerdotes da ordem levítica não eram apenas imperfeitos, mas também tinham seu ministério interrompido pela morte. Olyott diz que nenhum sacerdote em Israel viveu para sempre. Uma geração de sacerdotes dava lugar à próxima geração. Enquanto novos sacerdotes entravam, os mais antigos estavam se aposentando ou morrendo. Permanecia o sacerdócio, mas não havia um sacerdote específico de quem se pudesse depender o tempo todo.[318] O ministério de Cristo, porém, é perfeito e dura para sempre, pois ele morreu pelos nossos pecados, venceu a morte, ressuscitou para a nossa justificação, voltou ao céu e está à destra do Pai intercedendo por nós. Ele vive para sempre. Segundo Olyott, isso quer dizer que, quando nos aproximamos de Deus por meio dele, ele está sempre presente, sempre à disposição e jamais se ausenta.

Sendo Todo-poderoso, não há quem ele não possa ajudar. Não importa o que, nem quantas vezes, tenhamos feito antes, ele jamais nos decepciona. Sua presença no céu como representante do pecador é garantia de que ninguém que nele confia será rejeitado. É sempre bem-sucedida a sua intercessão em favor dos fracos e falhos pecadores.[319]

Em quarto lugar, *é demonstrado pelo seu ilimitado poder* (7.25a). O sacerdócio levítico não podia aperfeiçoar o pecador, mas Jesus pode salvar totalmente os que por ele se chegam a Deus. A salvação não decorre da obediência do pecador, mas do sacrifício vicário do divino Fiador. Sua morte foi vicária, substitutiva. Ele não morreu para possibilitar a nossa salvação; morreu em nosso lugar, como nosso substituto, para nos salvar. A salvação não é sinergista, mas monergista, ou seja, não cooperamos com Cristo em nossa salvação. Nossa salvação foi planejada por Deus Pai, executada pelo Deus Filho e aplicada pelo Deus Espírito Santo. A salvação não é uma conquista das obras, mas uma oferta da graça. Não somos salvos por aquilo que fazemos para Deus, mas pelo que Cristo fez por nós. Ele e só ele pode salvar totalmente!

Em quinto lugar, *é demonstrado pela sua permanente intercessão* (7.25b). Jesus, como nosso Sumo Sacerdote, vive permanentemente intercedendo por nós. Sua morte vicária foi consumada na cruz, mas seu ministério sacerdotal continua no céu. Ele é o Advogado, o Justo (1Jo 2.1). Nenhuma condenação prospera contra aquele que está em Cristo, pois ele morreu, ressuscitou e está à destra de Deus, de onde intercede por nós (Rm 8.1,34,35).

Em sexto lugar, *é demonstrado pelo seu caráter inculpável* (7.26). Os sacerdotes levitas precisavam oferecer sacrifícios primeiro por si mesmos, pois eram pecadores. Mas Jesus é o sacerdote perfeito, santo, inculpável, separado dos pecadores. Ele é o sacerdote perfeito que não precisou oferecer oferta por si mesmo. Ele é a oferta perfeita e o ofertante perfeito. Nele, não havia pecado; ao contrário, ele é o Cordeiro de Deus que tira o pecado do mundo.

Em sétimo lugar, é demonstrado pela sua perfeita oferta (7.27,28). Jesus não é apenas o sacerdote perfeito, mas ofereceu o sacrifício perfeito. Ele é a própria oferta. Ele é o próprio sacrifício. Ele entregou a si mesmo, como oferta pelo nosso pecado. Sua oferta foi perfeita, completa e eficaz. Resta claro afirmar, portanto, que, sendo Jesus Cristo o nosso Sumo Sacerdote, nunca haverá um tempo em que, ao nos aproximarmos de Deus, seremos rejeitados. Consequentemente, desviar-se de Cristo é uma consumada tolice, e a apostasia, a mais incontroversa loucura.

Notas

[288] Kistemaker, Simon, *Hebreus*, p. 260.

[289] Wiersbe, Warren W., *Comentário bíblico expositivo,* vol. 6, p. 387.

[290] Hughes, Philip Edgcumbe, *A commentary on the epistle the Hebrews,* 1977, p. 247.

[291] Wiley, Orton H., *Comentário exaustivo da carta aos Hebreus*, p. 316.

[292] Brown, Raymond, *The message of Hebrews*, p. 128.

[293] Wesley, John, "Hebreus". In: *The classic bible commentary*. Grand Rapids, MI: Eerdmans, 1999, p. 1450.

[294] Wiersbe, Warren W., *Comentário bíblico expositivo,* vol. 6, p. 387.

[295] Hughes, Philip Edgcumbe, *A commentary on the epistle to the Hebrews,* 1977, p. 247.

[296] Peterson, David G., *Hebrews*, p. 1337.

[297] Stern, David H., *Comentário judaico do Novo Testamento*, p. 739.

[298] KISTEMAKER, Simon, *Hebreus*, p. 260.
[299] WIERSBE, Warren W., *Comentário bíblico expositivo,* vol. 6, p. 388.
[300] OLYOTT, Stuart, *A carta aos Hebreus*, p. 67.
[301] HUGHES, Philip Edgcumbe, *A Commentary on the epistle to the Hebrews,* 1977, p. 248.
[302] WESLEY, John, *Hebreus*, p. 1450.
[303] KISTEMAKER, Simon, *Hebreus*, p. 261.
[304] KEENER, Craig S., *Comentário histórico-cultural da Bíblia*, p. 769.
[305] WIERSBE, Warren W., *Comentário bíblico expositivo,* vol. 6, p. 388.
[306] OLYOTT, Stuart, *A carta aos Hebreus*, p. 67.
[307] PETERSON, David G., *Hebrews*, p. 1336.
[308] WILEY, Orton H., *Comentário exaustivo da carta aos Hebreus*, p. 323.
[309] WIERSBE, Warren W., *Comentário bíblico expositivo*, vol. 6, p. 389.
[310] KISTEMAKER, Simon, *Hebreus*, p. 275.
[311] FREERKSON, James, *The epistle to the Hebrews*, p. 1690.
[312] WIERSBE, Warren W., *Comentário bíblico expositivo*, vol. 6, p. 389.
[313] PETERSON, David G., *Hebrews*, p. 1337.
[314] KISTEMAKER, Simon, *Hebreus*, p. 278.
[315] Ibidem, p. 284.
[316] WIERSBE, Warren W., *Comentário bíblico expositivo*, vol. 6, p. 390.
[317] Ibidem.
[318] OLYOTT, Stuart, *A carta aos Hebreus*, p. 68.
[319] Ibidem.

Capítulo 14

O ministério superior e a nova aliança

(Hb 8.1-13)

Depois de mostrar, no capítulo anterior, que Jesus é o nosso Sumo Sacerdote, da ordem de Melquisedeque, o autor aos Hebreus afirma que o ponto principal de sua mensagem é que nós temos tal Sumo Sacerdote, superior aos profetas, aos anjos, a Moisés, a Josué, a Arão. De acordo com Raymond Brown, o presente capítulo trata da pessoa exaltada de Cristo, seu eterno ministério e sua presente obra, ou seja, quem ele é, o que ele faz e como ele serve.[320] Turnbull diz que, nos capítulos 5 a 7 de Hebreus, vemos que Cristo, como sumo sacerdote, era melhor do que Arão, em sua ordem. Em Hebreus 8.1 a 10.18, o autor prova que Cristo é melhor do que Arão em seu ministério.[321]

Destacamos a seguir alguns pontos importantes.

A superioridade de sua pessoa (8.1,2)

Quanto à superioridade de Cristo, algumas características merecem destaque.

Em primeiro lugar, *a dignidade superior de sua pessoa* (8.1). *Ora, o essencial das coisas que temos dito é que possuímos tal sumo sacerdote...* A expressão *tal sumo sacerdote* faz referência ao que o autor acabou de dizer sobre Jesus, ou seja, sua dignidade e a glória de sua pessoa. Ele é santo, inocente, imaculado, separado dos pecadores e mais sublime que os céus (7.26). Os sacerdotes da ordem levítica eram homens imperfeitos, realizando sacrifícios imperfeitos, em favor de homens imperfeitos. Mas Jesus, nosso Sumo Sacerdote, é perfeito, ofereceu um sacrifício perfeito, a fim de aperfeiçoar para sempre homens imperfeitos.

Em segundo lugar, *a dignidade superior de sua posição* (8.1). *... que se assentou à destra do trono da Majestade nos céus*. Na ordem levítica, um sacerdote não podia exercer a realeza nem o rei podia assumir o papel de sacerdote. Altar e trono estavam separados. Jesus, segundo a ordem de Melquisedeque, é tanto rei como sacerdote. Como Sacerdote, ele ofereceu a si mesmo na cruz, como o sacrifício perfeito, e, como Rei, ele foi exaltado, entronizado e está à destra da Majestade nos céus. Olyott diz que Jesus não ministra no tabernáculo ou no templo, que são sombras terrenas da realidade celeste. Ele ministra na própria realidade celestial, na habitação do próprio Deus.[322] Jesus penetrou os céus (4.14), foi feito mais alto do que os céus (7.26) e assentou-se à destra do trono da Majestade nos céus (8.1). De acordo com Wiley, o sofrimento que Jesus experimentou e as lágrimas que ele verteu quando encarnado, bem como a morte dolorosa que padeceu na cruz para a expiação do nosso pecado, tudo isso já havia terminado. Do seu trono nos céus, ele reina com autoridade para levar a efeito a salvação operada sobre a terra.[323]

Para Kistemaker, "sentar-se" era frequentemente uma característica de honra ou autoridade no mundo antigo: um rei se sentava para receber seus súditos; uma corte, para julgar; e um professor, para ensinar. O livro de Apocalipse, em particular, descreve Deus como assentado no trono (4.2,10; 5.1,7,13; 6.16; 7.10,15; 19.4; 21.5) e Jesus como compartilhando esse trono (1.4,5; 3.21; 7.15-17; 12.5). O trono de Deus e o santuário (o verdadeiro tabernáculo) colocam o Rei e o Sumo Sacerdote juntos no mesmo lugar.[324]

Em terceiro lugar, *a dignidade superior de seu ministério* (8.2). *Como ministro do santuário e do verdadeiro tabernáculo que o Senhor erigiu, não o homem.* Os sacerdotes da tribo de Levi ministravam numa tenda feita pelo homem, um tabernáculo terreno, sombra do verdadeiro tabernáculo celestial, erigido por Deus, e não pelo homem (9.24). Deus deu a Moisés uma cópia do tabernáculo verdadeiro (Êx 25.9,40; 26.30). A cópia estava na terra; mas o verdadeiro tabernáculo está no céu. O tabernáculo e o trono estão interligados. O profeta Isaías diz que viu *o Senhor assentado sobre um alto e sublime trono, e as abas de suas vestes enchiam o templo* (Is 6.1). Nenhum sacerdote jamais foi exaltado à destra de Deus nem se assentou no trono à mão direita de Deus Pai. Embora Jesus tenha consumado sua obra de redenção na cruz, continua como nosso Advogado junto ao Pai. Concordo com Kistemaker quando ele diz: "Do tabernáculo de Deus fluem bênçãos que ultrapassam quaisquer bênçãos do sistema sacrificial judaico".[325]

A superioridade de seu ministério (8.3-6)

O autor aos Hebreus continua com os contrastes entre o sacerdócio levítico e o sacerdócio de Cristo e oferece-nos algumas preciosas lições.

Em primeiro lugar, *Cristo ofereceu uma oferta melhor* (8.3). Os sucessivos sacerdotes levitas precisavam receber do povo os dons e os sacrifícios para oferecer ao Senhor. Esses dons e sacrifícios eram apenas sombra do verdadeiro sacrifício que Cristo ofereceu. Os sacerdotes ofereceram cereais e animais; Jesus ofereceu a si mesmo. Os cordeiros que eram imolados no altar simbolizavam Cristo, o Cordeiro de Deus que tira o pecado do mundo. Kistemaker tem razão ao dizer que há aqui um claro contraste entre as ofertas contínuas do sumo sacerdote em forma de "dons e sacrifícios" e a oferta única de Cristo.[326]

Em segundo lugar, *Cristo é sacerdote por uma ordem melhor* (8.4). Jesus não podia ser um sacerdote na terra, pois não procedia da tribo de Levi. Ele era da tribo de Judá. Nenhum sacerdócio procedeu dessa tribo. Logo, Jesus exerceu o seu sacerdócio por uma ordem superior, que antecedeu a tribo de Levi e que se perpetua eternamente após o fim do sacerdócio levítico. Jesus é sacerdote para sempre, segundo a ordem de Melquisedeque.

Em terceiro lugar, *Cristo é sacerdote das coisas celestiais* (8.5). Quando os sacerdotes levitas exerciam o seu ministério no tabernáculo e depois no templo, oferecendo dons e sacrifícios, tudo isso era transitório, uma sombra do que havia de vir. O tabernáculo foi erigido por Moisés com prescrições precisas dadas pelo próprio Deus. Aquele tabernáculo levantado no deserto era apenas uma cópia do real, um símbolo do verdadeiro, uma sombra do real santuário celestial, o próprio céu, a habitação de Deus. A religião do Antigo Testamento era uma figura, e não a realidade; uma ilustração, uma sombra da realidade que chegou em Cristo. Augustus Nicodemus diz que a religião do Antigo Testamento era a sombra que projetava o Messias e, porque Cristo veio, não precisamos mais da sombra. Os sacerdotes ministravam dons e ofertas, mas aquilo tudo era sombra. Era figura de realidades espirituais que iriam acontecer.[327] Nas palavras de Kistemaker, "a estrutura do tabernáculo era somente uma cópia, e os sacrifícios eram somente uma sombra".[328] Concordo, entretanto, com Donald Guthrie, quando ele diz que o propósito do escritor não é reduzir as glórias da sombra, mas ressaltar a glória de sua substância.[329]

Em quarto lugar, *Cristo é Mediador de superior aliança* (8.6). O ministério de Cristo é mais excelente que o ministério dos levitas porque está baseado numa aliança superior e também fundamentado em promessas superiores. A aliança é superior porque a velha aliança prescrevia o que o povo devia fazer, mas não lhe dava poder para fazer. As promessas são superiores porque na antiga aliança elas enfatizavam as bênçãos temporais e terrenas, enquanto as promessas da nova aliança enfatizam as bênçãos celestiais e eternas.

A superioridade da nova aliança (8.7-13)

Antes de expormos o texto em tela, é importante explicar o que significa um pacto ou uma aliança. Na Bíblia, a palavra grega que sempre se usa para aliança é *diatheke.* Ordinariamente, um pacto é um acordo entre duas pessoas, no qual condições são estabelecidas para ambas as partes. Se alguém rompe essas condições, o pacto é anulado. Já a palavra grega para "acordo", no seu uso normal, é *syntheke.* Esse termo é usado para aliança matrimonial e para o acordo entre dois Estados. *Syntheke* é sempre usado para um acordo em termos de igualdade. Ou seja, as partes acordadas estão no mesmo nível e podem negociar em igualdade de condições.

No sentido bíblico, porém, não é isso o que ocorre. Isso porque Deus e o homem não se encontram em igualdade de condições. O pacto é um oferecimento que procede de Deus, no qual o próprio Deus vem ao homem, oferece-lhe uma relação consigo e estabelece os termos em que a relação se efetiva. O homem não pode negociar com Deus nem pode discutir os termos da aliança. Só pode aceitar ou rechaçar essa oferta, mas de modo algum alterar seus termos.

Fato digno de nota é que o termo *diatheke* significa não propriamente um acordo, mas um testamento. As condições de um testamento não se dão por igualdade das partes, mas de uma só pessoa, o testador; a outra parte não pode alterar o que foi estabelecido pelo testador. O testamento é feito por uma só pessoa. A outra parte só pode receber, mas não estabelecer condições. Essa é a razão pela qual nossa relação com Deus se descreve como *diatheke,* como um pacto entre partes, em que só uma parte é responsável. Nossa relação com Deus nos é oferecida por pura iniciativa e graça de Deus.[330]

Deus se aproximou do povo de Israel graciosamente e lhe ofereceu uma relação única e especial consigo. Mas essa relação dependia inteiramente de uma coisa: da observância da lei. Os israelitas aceitaram essa condição em Êxodo 24.1-8. Israel, porém, não cumpriu a sua parte. O argumento do autor aos Hebreus é, portanto, que esse antigo pacto foi anulado e Jesus trouxe um novo pacto, uma nova relação com Deus.[331] Nessa mesma linha de pensamento,

Donald Guthrie escreve: "Uma aliança normalmente envolve a plena cooperação das duas partes. Se uma parte contratante falhar, a aliança torna-se nula. Foi virtualmente isto que aconteceu com a antiga aliança. Os israelitas não continuaram na aliança".[332] Em face disso, Raymond Brown acrescenta que a antiga aliança se revelou imperfeita, impotente e obsoleta.[333]

Destacamos aqui algumas importantes verdades.

Em primeiro lugar, *a antiga aliança demandava a necessidade de uma nova aliança* (8.7). A antiga aliança tinha defeitos não em si mesma. O problema não estava com Deus nem com a lei, mas com o povo (Rm 7.12-14). O povo era incapaz de obedecer às exigências da lei, por não ter a lei escrita em seu coração, e sim em tábuas de pedra.

Em segundo lugar, *a nova aliança foi prometida no bojo da antiga aliança* (8.8). A nova aliança não foi uma inovação, mas uma promessa. Não foi à revelia da antiga, mas se mostrou seu cumprimento. Não foi elaborada pelo homem, mas prescrita pelo próprio Deus. A nova aliança foi prometida em Jeremias 31.31-34.

Em terceiro lugar, *a nova aliança supre o que a antiga não pode cumprir* (8.9). Na antiga aliança, as exigências da lei não puderam ser cumpridas pelo homem. O problema não está na lei. Ela é boa, justa e espiritual, mas o homem é pecador. O povo de Israel não continuou na aliança e Deus não atentou para ele, substituindo-o por um novo povo, o novo Israel de Deus, a igreja.

Em quarto lugar, *as promessas superiores da nova aliança* (8.10,12). As promessas superiores da nova aliança são gloriosas.

Primeiro, quanto ao seu *alcance* (8.10). A casa de Israel é a igreja. O Israel de Deus é composto por judeus e gentios, ou seja, todas as pessoas em cuja mente Deus coloca suas leis e em cujo coração Deus as escreve. Kistemaker é enfático ao dizer que a era da antiga aliança, caracterizada pela exclusividade da nação de Israel, abriu caminho para uma nova era na qual todas as nações estão incluídas (Mt 28.19).[334]

Segundo, quanto à sua *universalidade* (8.11). Não há mais classe sacerdotal em distinção aos demais membros da família de Deus. Agora todos são sacerdotes. Todos conhecem a Deus. Turnbull diz que na antiga aliança o verdadeiro conhecimento de Deus era restrito a uma pequena classe privilegiada. Como exemplo, veja o que disse o fariseu hipócrita: *Mas este povo que não conhece a lei é maldito* (Jo 7.49). Essa era uma das razões pelas quais acorriam as multidões, milhares e milhares de pessoas, para ouvirem Jesus falar a respeito de Deus. Eram realmente ovelhas sem pastor. Porém, sob o novo pacto, *todos me conhecerão desde o menor até ao maior.*[335]

Terceiro, quanto à sua *oferta* (8.12). Na antiga aliança, os sacrifícios precisam ser repetidos e repetidos, mas agora, na nova aliança, um único e eficaz sacrifício foi feito e o perdão está garantido para sempre. Donald Guthrie diz que todas as garantias nesse sentido, antes da era cristã, eram baseadas na eficácia daquele sacrifício perfeito ainda a ser oferecido, do qual as ofertas levíticas eram apenas uma sombra.[336] Nessa mesma linha de pensamento, Turnbull arrazoa: Será que isso significa que os crentes sob o velho concerto não recebiam perdão de pecados? Que dizer de Moisés, Samuel e Davi? Deus não os perdoou? Certamente que o fez, mas não com base no velho concerto e seus sacrifícios. A única virtude que aqueles sacrifícios tinham em si mesmos era limpar as impurezas cerimoniais. Deus perdoava os crentes no velho concerto baseado na morte de Cristo para quem apontavam os antigos sacrifícios. Fora do novo concerto e do seu Cordeiro, não havia perdão para os crentes da velha dispensação.[337]

Finalmente, em quinto lugar, *a antiga aliança tornou-se antiquada, envelhecida e desapareceu* (8.13). A palavra grega para *nova*, aqui, não é *neós*, um novo de edição, mas *kainós*, um novo qualitativo. O autor aos Hebreus usa duas palavras para descrever o antigo pacto: *antiquado* e *envelhecido*. A palavra grega *pepalaioken*, traduzida por *antiquado*, está no presente perfeito, o que sugere que a primeira aliança já se tornara obsoleta, e o resultado disso ainda está evidente no presente.[338] A palavra grega *geraskon*, traduzida por *envelhecido*, traz o sentido não apenas de envelhecido, mas também de decadente. Já a palavra grega *afanismos*, traduzida por *prestes a desaparecer*, é usada em referência a arrasar uma cidade, abolir inteiramente uma lei. Dessa maneira, o pacto que Jesus introduz é novo qualitativamente e anula o antigo, eliminando-o de todo.[339]

Concluímos com a síntese apresentada por Raymond Brown, que destaca cinco características da nova aliança anunciada pelo profeta Jeremias.

Primeiro, ela é *conciliatória*. A casa de Israel e a casa de Judá não erguerão mais muros de separação, mas serão uma só casa.

Segundo, ela é *interior*. O antigo pacto era externo. As leis foram gravadas em tábuas de pedra, mas a nova aliança é gravada na mente e no coração.

Terceiro, ela é *universal*. A antiga aliança estava circunscrita ao povo de Israel, mas a nova aliança estende seu alcance a todos os povos.

Quarto, ela é *generosa*. Deus se apresenta como aquele que tem misericórdia de nossas iniquidades, pronto a perdoar nossos pecados e deles não mais se lembrar.

Quinto, ela é *segura*. O antigo pacto era naturalmente limitado, temporário e parcial, mas o novo pacto é irrestrito em seu poder, eterno em sua duração e completo em seus efeitos.[340]

NOTAS

[320] BROWN, Raymond, *The message of Hebrews*, p. 142-146.
[321] TURNBULL, M. Ryerson, *Levítico e Hebreus*, p. 136.
[322] OLYOTT, Stuart, *A carta aos Hebreus*, p. 70.
[323] WILEY, Orton H., *Comentário exaustivo da carta aos Hebreus*, p. 354.
[324] KISTEMAKER, Simon, *Hebreus*, p. 304.
[325] Ibidem, p. 306.
[326] Ibidem, p. 307.
[327] LOPES, Augustus Nicodemus, *Hebreus*, p. 160.
[328] KISTEMAKER, Simon, *Hebreus*, p. 308.
[329] GUTHRIE, Donald, *Hebreus: introdução e comentário*, p. 163.
[330] BARCLAY, William, *Hebreos*. 1973, p. 96-97.
[331] Ibidem, p. 97-98.
[332] GUTHRIE, Donald, *Hebreus: introdução e comentário*, p. 166.
[333] BROWN, Raymond, *The message of Hebrews*, p. 149.
[334] KISTEMAKER, Simon, *Hebreus*, p. 319.
[335] TURNBULL, M. Ryerson, *Levítico e Hebreus*, p. 138-139.
[336] GUTHRIE, Donald, *Hebreus: introdução e comentário*, p. 167.
[337] TURNBULL, M. Ryerson, *Levítico e Hebreus*, p. 139.
[338] GUTHRIE, Donald, *Hebreus: introdução e comentário*, p. 168.
[339] BARCLAY, William, *Hebreos*. 1973, p. 98.
[340] BROWN, Raymond, *The message of Hebrews*, p. 149-150.

Capítulo 15

A necessidade e os efeitos da nova aliança

(Hb 9.1-14)

O TEXTO QUE VAMOS AGORA considerar, o capítulo 9 de Hebreus, é o mais solene da epístola, o grande capítulo neotestamentário da expiação.[341] Aqui Cristo se oferece como um sacrifício único.[342] Nos versículos 1 a 10, o autor fala sobre o tabernáculo terrestre: seus utensílios e o serviço ali prestado. Já nos versículos 11 a 14, ele trata do santuário celeste, onde destaca um lugar superior, um sacerdote superior e um sacrifício superior.

O tabernáculo terrestre, a necessidade da nova aliança (9.1-10)

O santuário da antiga aliança era um santuário inferior. Inferior porque era um santuário terrestre (9.1); inferior porque era um tipo de alguma coisa maior (9.2-5); inferior porque era inacessível ao povo (9.6,7); inferior porque era temporário (9.8); inferior porque era externo, e não interno (9.9,10).[343]

Deus tomou a decisão de mandar Moisés construir um tabernáculo, a fim de vir habitar com o seu povo (Êx 25.8). Todos os detalhes desse tabernáculo foram dados por Deus a Moisés, que cumpriu rigorosa e meticulosamente toda a prescrição divina para a construção. Concordo com Wiley quando ele diz que o escritor aos Hebreus se refere apenas ao tabernáculo original, cujo modelo foi revelado a Moisés no monte e no qual foram baseados os templos construídos depois. De modo algum, o autor procura diminuir-lhe a glória; ao contrário, admite-lhe a grandeza, a fim de, com maior destaque, apresentar a grandeza suprema do santuário celestial no qual Jesus entrou para comparecer diante de Deus por nós.[344]

O tabernáculo tinha três partes distintas: o pátio exterior, o Lugar Santo e o Santo dos Santos. O autor aos Hebreus menciona apenas duas partes, por não ser o seu propósito fazer uma descrição exaustiva do tabernáculo, mas apenas trazer à baila o contraste entre o primeiro e o segundo tabernáculos, realçando a nova aliança.

Na primeira parte do tabernáculo, ficava o pátio exterior. Nesse pátio, estavam o altar de bronze e a pia de bronze. Tudo ali era de bronze, pois bronze fala do juízo de Deus sobre o pecado. No altar de bronze, eram feitos os sacrifícios. Ali o juízo de Deus era manifestado. Esse altar de bronze aponta para a cruz, onde o juízo de Deus foi exercido, a justiça foi satisfeita e a lei foi cumprida. A pia de bronze representava a necessidade de constante purificação para todo aquele que entrava para adorar e prestar culto a Deus.

A segunda área do tabernáculo era o Lugar Santo. Ali ficavam a mesa dos pães da proposição, o candelabro e o altar de incenso. Ali tudo era de ouro, pois remetia à comunhão com Deus. A mesa com os pães da proposição aponta para Jesus, o pão da vida. O candelabro, com suas lâmpadas sempre acesas, aponta para Jesus, a luz no mundo. Defronte da cortina que separava o Lugar Santo do Santo dos Santos, ficava o altar de incenso, que representava as orações que sobem aos céus, à presença do próprio Deus. Assim, em Cristo, o altar se conecta com o trono.

O autor aos Hebreus coloca o altar de incenso no Santo dos Santos (9.3,4), mas não era assim a disposição dos utensílios no tabernáculo (Êx 30.6; 40.26). Muitas são as tentativas para explicar esse fato. Alguns acreditam que o autor aos Hebreus foi influenciado pela descrição do templo de Salomão, onde o altar pertencia ao santuário interior (1Rs 6.22). No templo pós-exílico, o altar ficava no Lugar Santo, pois Zacarias entrou no templo para queimar incenso, e ele não era sumo sacerdote (Lc 1.9-11). Outros pensam que a tradução *altar de incenso* deveria ser *incensário* (2Cr 26.19; Ez 18.11). Embora o pleno esclarecimento desse fato, para alguns estudiosos, ainda esteja inconcluso, é importante destacar que, no Dia da Expiação, o sumo sacerdote precisava tomar o incensário cheio de brasas de fogo, diante do Senhor, e dois punhados de incenso aromático bem moído e levá-los para dentro do véu (Lv 16.12). Nesse dia, uma vez por ano, o incensário se tornava a extensão do Lugar Santíssimo (Lv 16.13).

A terceira área do tabernáculo era o Santo dos Santos, onde ficava a arca da aliança. Nessa arca, havia três objetos: as tábuas da lei, representando Cristo como a palavra viva do Deus vivo; depois, o vaso com o maná, demonstrando

Jesus como o verdadeiro pão que desceu do céu; e, finalmente, a vara seca de Arão que floresceu, apontando a vitória de Cristo sobre a morte. A tampa da arca, o propiciatório, tinha dois querubins da glória. Ali o sangue era derramado para a expiação dos pecados do sacerdote e do povo, uma vez por ano. Ali a glória de Deus era manifestada. Tudo no tabernáculo apontava para Cristo e era uma sombra dele.

No átrio exterior, acontecia a aproximação de Deus. O altar de bronze (Êx 27.1-8) indicava o primeiro passo para o pecador aproximar-se de Deus. Esse era o altar do holocausto. Sua mensagem era: sem derramamento de sangue, não há remissão de pecados. Ninguém pode aproximar-se de Deus sem passar pela cruz. A cruz de Cristo é a porta de entrada para a presença de Deus. A justiça de Deus precisa ser satisfeita. O juízo de Deus sobre o pecado precisa ser aplicado. A bacia de bronze (Êx 30.17-21) ficava entre o altar de bronze e o Lugar Santo (Êx 40.30). Ensinava ao adorador que, para permanecer perto de Deus, para entrar em sua presença, é preciso estar lavado e purificado. Não se trata agora de expiação, mas de purificação. Sem santificação, ninguém verá o Senhor. Na bacia de bronze, os sacerdotes se lavavam antes de oficiar as coisas sagradas.

No Lugar Santo acontece o culto aceitável ao Senhor. O altar de incenso (Êx 30.1-7; 27.25-28) refere-se a Jesus como intercessor e nos ensina que uma vida de oração é imprescindível para agradar a Deus (Ap 5.8; 8.3). Duas vezes por dia, acendia-se sobre o altar o incenso, que ardia o dia todo. A oração precisa ser constante. A mesa dos pães da proposição (Êx 25.23-30; 17.10-16) aponta para Jesus, o pão da vida. Já o candelabro de ouro (Êx 27.20; 25.31-40; 37.17-24) mostra Jesus como luz do mundo e ainda indica que a igreja deve brilhar como luzeiro no mundo (Fp 2.15).

No Lugar Santíssimo ou Santo dos Santos, contemplamos a presença e a glória de Deus. Aqui era onde a glória de Deus se manifestava. Daqui Deus falava. Aqui estava o objeto mais sagrado do tabernáculo, a arca da aliança, símbolo de Jesus. Tudo na arca, desde sua tampa, o propiciatório, até todo o seu conteúdo, apontava para Jesus: a urna com o maná, a vara de Arão que floresceu e as tábuas da lei. Jesus foi o tabernáculo, o sacerdote, o altar, o candelabro, a arca, o propiciatório, o sacrifício. Com sua morte, ele rasgou o véu. Agora todos temos livre acesso ao trono de Deus. Todos nós podemos ver a glória de Deus.

O autor aos Hebreus diz que os sacerdotes entravam continuamente no Lugar Santo para realizar serviços sagrados (9.6), mas o sumo sacerdote entrava uma vez por ano no Santo dos Santos para derramar o sangue da expiação pelos seus pecados e pelos pecados de ignorância do povo (9.7). O Espírito Santo, o inspirador das Escrituras, deixa claro que esse ritual era preparatório (9.8), uma espécie de parábola da época presente (9.9), o que não passava de ordenanças da carne (9.10).

Augustus Nicodemus diz que o Espírito Santo queria dar a entender quatro coisas: 1) o caminho do santo lugar não havia ainda se manifestado (9.8); 2) aqueles sacrifícios eram incompletos (9.9); 3) aquelas ordenanças eram apenas externas (9.10); 4) aquelas coisas eram provisórias (9.10b).[345]

Raymond Brown corretamente sintetiza esses dez primeiros versículos, afirmando que os rituais do tabernáculo terrestre ofereciam um acesso limitado, uma purificação parcial e um perdão limitado.[346] Vejamos esses três pontos a seguir.

Em primeiro lugar, *um acesso limitado* (9.6,7). Naquele tempo, o caminho para o santuário não estava aberto a todo o povo. Somente os sacerdotes podiam entrar no

Lugar Santo, e somente o sumo sacerdote podia entrar uma vez por ano no Santo dos Santos. Uma grossa cortina separava o Lugar Santo do Santo dos Santos. O caminho que levava à presença de Deus ainda não estava aberto durante a época da antiga aliança (9.8). Em Cristo, porém, o caminho foi aberto a todos (10.19,20). Quando Jesus morreu na cruz do Calvário, *a cortina do templo se rasgou de cima a baixo* (Mt 27.51; Mc 15.38). O fato de a cortina ter sido rasgada significa que a separação entre Deus e o homem havia terminado.[347] O tempo do acesso limitado acabou para sempre. Donald Guthrie explica essa realidade da seguinte maneira:

> A despeito de todo o esplendor dos móveis do tabernáculo, a adoração segundo a ordem levítica era severamente limitada. Os israelitas não podiam aproximar-se diretamente; deviam vir através de seus representantes, os sacerdotes. Mesmo assim, somente um deles podia entrar anualmente no santo dos santos. A via de acesso certamente não estava aberta, conforme mais tarde veio a estar através de Cristo (10.19,20).[348]

Em segundo lugar, *uma purificação parcial* (9.8,9). Os rituais do tabernáculo não podiam lidar de forma plena com o pecado nem trazer plena purificação ao pecador. O sumo sacerdote uma vez por ano entrava no Santo dos Santos, com sangue, para oferecer sacrifícios por si e pelos pecados de ignorância do povo. Mas não havia sacrifício para os pecados deliberados nem purificação para a consciência. Tudo o que a velha aliança podia fazer, isso não trazia ajuda para o homem no ponto em que ele mais desesperadamente precisava de ajuda, ou seja, em sua consciência. A nova aliança, entretanto, trouxe purificação para a consciência (9.14).

Em terceiro lugar, *um perdão limitado* (9.6,7,10). Sob a velha aliança, a consciência do homem estava perturbada por causa dos muitos pecados que não podiam ser perdoados pelo sistema sacrificial. A provisão era apenas para os pecados de ignorância (9.7). Não havia expiação para os pecados deliberados. Os homens pecam não apenas inconsciente e involuntariamente, mas, também e sobretudo, voluntária e deliberadamente. O homem peca como um ato de rebeldia contra Deus. Na velha aliança, não havia provisão para esses pecados. Na nova aliança, porém, Deus promete perdão pleno para todos os pecados (8.8-12). Deus promete ser misericordioso, não se lembrar mais dos pecados do seu povo e ainda arrolar seus nomes no céu (8.12; 12.23).

Wiley tem razão ao dizer que essas ofertas e esses sacrifícios ineficazes da dispensação levítica foram impostos ao povo até o tempo oportuno da reforma (9.10). O vocábulo grego *diorthoseos* significa "reconstrução" e, provavelmente, refere-se à nova *diatheke* ou aliança que Cristo administraria por intermédio do Espírito Santo, levando à perfeição aqueles que são santificados. A parábola do cerimonial levítico, então, acha cumprimento e anulação em Cristo, que administra a graça desde o santuário celestial.[349]

Em face da consumação da velha aliança na nova aliança, Augustus Nicodemus adverte sobre o perigo de a igreja contemporânea voltar-se para as práticas judaicas. Muitos crentes, equivocadamente, veem o pastor como um sacerdote, uma espécie de mediador entre Deus e os homens; consideram o púlpito como um altar e a oferta como um sacrifício. Há igrejas que introduzem os utensílios do tabernáculo no templo, como o candelabro, o *shofar* e a arca da aliança. Isso é trazer de volta aquilo que era apenas uma parábola, aquilo que já se cumpriu.[350]

O tabernáculo celeste, os efeitos da nova aliança (9.11-14)

Nessa parte central da carta, sua mensagem é exposta através de vários contrastes. A velha aliança é colocada lado a lado com a nova aliança, mostrando a caducidade da velha aliança e a superioridade da nova. A beleza e a dignidade do santuário terrestre são contrastadas com a glória e a majestade do santuário celestial (9.1-5; 9.24). A antiga aliança é meramente externa, enquanto a nova aliança é interna (9.10,13; 9.14). A velha aliança é somente temporária, operando apenas até o tempo da reforma de todas as coisas, em contraste com a nova aliança, que é eterna (9.9,10; 9.12). Na velha aliança, o sangue de involuntários animais é contrastado com o voluntário sacrifício do Filho de Deus (9.12-14). Os repetitivos sacrifícios são contrastados com a morte única e eficaz de Cristo (9.25,26). A promessa é contrastada com o cumprimento, e a expiação anual é contrastada com a expiação definitiva e o pleno perdão de Deus (10.3,17). Os sacerdotes que se apresentaram na presença de Deus no Lugar Santo e o sumo sacerdote no Lugar Santíssimo são contrastados com o eterno Sumo Sacerdote que está assentado à destra de Deus, depois de ter feito a purificação dos nossos pecados (1.3; 9.24,28).[351]

Vemos no texto em apreço três verdades importantes.

Em primeiro lugar, *um tabernáculo superior* (9.11). Os sacerdotes da ordem de Levi entravam no tabernáculo feito por Moisés, obra das mãos de homens, mas Cristo, o Sumo Sacerdote da ordem de Melquisedeque, entrou no santuário celestial não feito por mãos nem desta criação, ou seja, o próprio céu. O santuário terrestre era apenas uma cópia do santuário celeste. Concordo com Stuart Olyott quando ele escreve: "Cristo ministra na realidade espiritual da qual o tabernáculo antigo era apenas figura".[352]

Em segundo lugar, *um sacerdote superior* (9.11). Cristo é sacerdote de ordem superior, sacerdote dos bens já realizados, enquanto os sacerdotes da velha aliança eram apenas um tipo do sacerdócio de Cristo. Mais uma vez, Olyott tem razão quando diz que a velha dispensação falava sobre purificação, e não porque a concedia, mas porque as suas cerimônias deveriam preparar a mente para a purificação dada por Cristo. Ela manteve viva a fé durante os anos em que as pessoas aguardavam o Cristo (Rm 3.25,26). Jesus trouxe o que o Antigo Testamento prometera. Por isso é um melhor sacerdote.[353] Ele é capaz de levar o homem a Deus.

Em terceiro lugar, *um sacrifício superior* (9.12-14). Cristo ofereceu, uma vez por todas, o sacrifício de si mesmo, para satisfazer a justiça divina e nos reconciliar com Deus. Nossa culpa foi transferida e imputada a ele, que sofreu a penalidade que nós deveríamos sofrer. Ele eliminou o pecado pelo sacrifício de si mesmo. O sacrifício de Jesus difere dos sacrifícios de animais em quatro pontos: 1) O sacrifício de Jesus foi voluntário; 2) o sacrifício de Jesus foi espontâneo; 3) o sacrifício de Jesus foi racional; 4) o sacrifício de Jesus foi moral.[354] Nessa mesma linha de pensamento, Wiley diz que as contraposições podem ser assim sintetizadas: 1) Os sacerdotes da ordem de Arão serviam em um tabernáculo terreno, que era apenas imagem do verdadeiro; Cristo serviu no maior e mais perfeito tabernáculo, isto é, no próprio céu. 2) Os sacerdotes terrenos ministravam apenas as sombras ou imagens das coisas celestiais; Cristo ministrou a própria substância que lançava aquelas sombras – a vida e a luz eterna. 3) Os sacerdotes do tabernáculo terreno ofereciam o sangue de animais; Cristo ofereceu o próprio sangue. 4) Os sacerdotes terrenos entravam no santuário muitas vezes porque ofereciam o sangue de animais pelos pecados do povo; Cristo entrou de uma vez por todas porque ofereceu o seu próprio sangue. 5) O ministério dos sacerdotes terrenos era contínuo e insuficiente; o de Cristo foi único e obteve redenção eterna para nós. 6) Os sacrifícios terrenos eram isentos de mácula apenas física; Cristo entregou-se a si mesmo sem mancha a Deus, isento de toda mácula moral e espiritual. Ele não conheceu pecado. 7) As bênçãos advindas por meio do tabernáculo terrestre eram temporais; as que Cristo oferece são espirituais e eternas.[355]

O sacrifício de Cristo enseja-nos três gloriosas bênçãos.

Eterna redenção (9.12). O sangue de bodes e bezerros não podia purificar o povo de seus pecados, mas apenas lhes oferecer purificação cerimonial. Por isso, esses sacrifícios precisavam ser repetidos constantemente. Cristo, porém, ofereceu seu próprio sangue como sacrifício eficaz, para adquirir para seu povo eterna redenção. Olyott capta o sentido dessa expressão quando diz: "Fomos trazidos de volta a Deus de maneira eficaz e verdadeira – para sempre!"[356] E, de acordo com William Barclay, "a eterna redenção" pressupõe que o homem estava sob o domínio do pecado e debaixo de escravidão. Da mesma forma que deve pagar-se um preço para libertar um homem da escravidão, assim também Cristo pagou alto preço para libertar-nos da tirania do pecado. O homem não podia libertar a si mesmo, mas Cristo, com seu sacrifício, obteve para ele eterna redenção.[357]

Cristo foi moído na prensa de uvas da ira do Pai. Ele sofreu um eclipse duplo na cruz, um eclipse solar e um eclipse da luz da face de Deus. Ele sentiu as dores do inferno em sua alma. Ele sofreu em nosso lugar para cumprir as predições das Escrituras (Lc 24.46). Ele ofereceu seu sangue para conduzir-nos favoravelmente a Deus. Thomas

Watson diz que o sangue de Jesus não é chamado somente de sacrifício, pelo qual Deus é apaziguado, mas também de propiciação, pela qual Deus se torna gracioso e amigável com o homem.[358] Cristo morreu para selar o testamento com seu sangue e comprar para nós mansões gloriosas. Ele foi pendurado na cruz para que pudéssemos nos assentar no trono. Sua crucificação é nossa coroação.[359]

Purificação da consciência (9.13,14). O sangue de bodes e touros e a cinza de uma novilha, aspergidos sobre os contaminados, podiam santificar o povo apenas cerimonialmente, quanto à purificação da carne, mas o sangue de Cristo, que, pelo Espírito eterno, a si mesmo se ofereceu sem mácula a Deus, purifica a nossa consciência de obras mortas, para servirmos ao Deus vivo. Os sacrifícios da velha aliança não podiam tratar da purificação da consciência. Não podiam oferecer pleno perdão nem eterna redenção, mas o sacrifício único, irrepetível e eficaz realizado por Cristo oferece purificação interior e consciência inculpável.

Augustus Nicodemus diz que a religião no mundo todo é a tentativa do homem de resolver esse problema da consciência. A culpa é universal. O homem tenta de tudo para aplacar sua consciência carregada de culpa. Desde os homens mais civilizados até os homens mais embrutecidos, todos lidam com o drama de uma consciência atormentada pela culpa. Há apenas uma coisa capaz de purificar a consciência humana: o sangue de Cristo derramado em nosso favor, como um pagamento completo, perfeito e absoluto. Essa é a resposta do cristianismo ao problema da consciência culpada.[360]

Serviço santificado (9.14). Somente aqueles cuja consciência foi purificada das obras mortas pelo sangue de Cristo podem servir ao Deus vivo. O sangue de Cristo nos purifica diante de Deus e purifica também nosso serviço para Deus. Nas palavras de Guthrie, "ninguém pode divorciar sua posição religiosa do seu serviço religioso".[361] Concordo com Wiley quando ele diz que a purificação da consciência não é só necessária para a comunhão com Deus, mas também para o serviço prestado a Deus. A consciência marcada pela culpa do pecado impede o acesso a Deus e, portanto, o serviço aceitável a ele. A pregação sem unção, as orações sem fervor, o cântico sem entusiasmo e os testemunhos vazios ou outros serviços meramente formais, nada disso é aceitável a Deus.[362] William Barclay diz corretamente que o sacrifício de Jesus não contempla apenas o passado, mas também o futuro. Não faz apenas que o homem seja perdoado, mas também que seja instrumentalizado para fazer a obra de Deus. Não apenas paga sua dívida, mas também lhe concede vitória.[363]

Notas

[341] Wiley, Orton H., *Comentário exaustivo da carta aos Hebreus*, p. 373.
[342] Kistemaker, Simon, *Hebreus*, p. 330.
[343] Wiersbe, Warren W., *The bible exposition commentary*, vol. 2. Colorado Springs, CO: Chariot Victor Publishing, 1989, p. 309-310.
[344] Wiley, Orton H., *Comentário exaustivo da carta aos Hebreus*, p. 374.
[345] Lopes, Augustus Nicodemus, *Hebreus*, p. 181-183.
[346] Brown, Raymond, *The message of Hebrews*, p. 153-154.
[347] Kistemaker, Simon, *Hebreus*, p. 341.
[348] Guthrie, Donald, *Hebreus: introdução e comentário*, p. 171.
[349] Wiley, Orton H., *Comentário exaustivo da carta aos Hebreus*, p. 386,387.
[350] Lopes, Augustus Nicodemus, *Hebreus*, p. 184.

[351] Brown, Raymond, *The message of Hebrews*, p. 155-156.
[352] Olyott, Stuart, *A carta aos Hebreus*, p. 79.
[353] Ibidem.
[354] Barclay, William, *Hebreos,* 1973, p. 111-112.
[355] Wiley, Orton H., *Comentário exaustivo da carta aos Hebreus*, p. 393.
[356] Olyott, Stuart, *A carta aos Hebreus*, p. 79.
[357] Barclay, William, *Hebreos,* 1973, p. 110-111.
[358] Watson, Thomas, *A fé cristã*, p. 208.
[359] Ibidem, p. 209.
[360] Lopes, Augustus Nicodemus, *Hebreus*, p. 191.
[361] Guthrie, Donald, *Hebreus: introdução e comentário*, p. 178.
[362] Wiley, Orton H., *Comentário exaustivo da carta aos Hebreus*, p. 398-399.
[363] Barclay, William, *Hebreos,* 1973, p. 111.

Capítulo 16

O mediador da nova aliança e seu sacrifício perfeito

(Hb 9.15-28)

O texto que agora vamos considerar é uma das passagens mais difíceis de toda a carta aos Hebreus.[364] Nos sete primeiros capítulos de Hebreus, a ênfase recai sobre quem é o Senhor Jesus Cristo. A partir do capítulo 8, a ênfase passa de sua pessoa para sua obra, ou seja, de quem é Jesus para o que ele fez.[365]

Quando o autor escreve *Por isso mesmo* (9.15), remete-nos aos versículos 13 e 14, em que se faz um contraste entre os sacrifícios da primeira aliança e o sacrifício de Cristo. Ambas as alianças foram ratificadas com sangue. A primeira aliança, firmada no Sinai, foi selada com o sangue de animais (Êx 24.1-8), e a nova aliança foi firmada com o sangue de Cristo (Mt 26.28; Mc 14.24; Lc 22.20; 1Co 11.25). A nova aliança nos proporciona uma nova posição perante Deus e um novo coração.

Stuart Olyott, examinando a passagem em tela, diz que podemos encontrar aqui três gloriosas verdades: o que Cristo fez no passado (9.15-23), o que Cristo está fazendo no presente (9.24-28a) e o que Cristo fará no futuro (9.28b).[366]

Vamos examinar com mais exatidão esses três pontos.

Olhando para o passado para contemplar o que Cristo fez por nós (9.15-23)

Há quatro verdades solenes que destacamos no texto em tela.

Em primeiro lugar, *Cristo é o Mediador da nova aliança* (9.15). Assim como Moisés foi o mediador da antiga aliança, Cristo, o profeta semelhante a Moisés, é o Mediador da nova aliança. A palavra grega *mesites, mediador*, revela o grande abismo que o pecado gerou entre Deus e o homem, e como o próprio Deus tomou a iniciativa de reconciliar-nos consigo mesmo por meio de Cristo (2Co 5.18-21). Nós, que estávamos longe, fomos aproximados. Nós, que estávamos perdidos, fomos achados. Nós, que estávamos mortos, recebemos vida. Em Cristo recebemos perdão, aceitação e vida eterna.

Vemos nesse versículo em apreço três verdades benditas.

Uma solene declaração (9.15). *Por isso mesmo, ele é o Mediador da nova aliança...* A antiga aliança falava sobre vida eterna, perdão e purificação, mas jamais podia conceder tais coisas, porque o sangue de animais é simplesmente incapaz de prover verdadeira expiação pelo pecado. Warren Wiersbe diz que não havia final e completa redenção na antiga aliança. Aquelas transgressões eram cobertas pelo sangue de muitos sacrifícios, mas não foram purificadas até o sacrifício de Cristo na cruz (Rm 3.24-26).[367] Cristo, então, tornou-se o Mediador de uma nova aliança, oferecendo o que a antiga aliança não podia nos dar. Vale a pena destacar que a palavra *nova*, usada aqui, não é *neós,* que significa novo quanto ao tempo, mas *kainós,* que significa novo em qualidade ou caráter. A aliança é nova por causa da novidade e eficácia que Cristo lhe conferiu.[368]

Um solene propósito (9.15b). ... *a fim de que, intervindo a morte para remissão das transgressões que havia sob a primeira aliança...* Na antiga aliança, o sangue de animais apenas purificava o povo cerimonialmente, mas não podia remover o pecado. Tratava apenas da purificação externa, mas não oferecia nenhum perdão definitivo. Aqueles sacrifícios apontavam para o sacrifício perfeito de Cristo (Rm 3.25,26). Era para ele, o Cordeiro que tira o pecado do mundo (Jo 1.29), que os adoradores olhavam quando sacrificavam os animais. O sacrifício de Cristo, portanto, foi eficaz para aqueles que viveram antes dele e também para nós, que vivemos depois dele. Os que viveram na velha aliança foram perdoados olhando para a frente, para o Cristo da profecia; nós somos salvos olhando para o passado, para o Cristo da história. Olyott explica essa verdade da seguinte forma:

> Foi porque Cristo ofereceu um sacrifício tão superior que ele pode conduzir pessoas aos benefícios da Nova Aliança, tanto retrospectivamente quanto a partir do Calvário. Sim, havia gente salva nos tempos do Antigo Testamento, cada um deles, salvo por nosso Senhor Jesus Cristo, por sua obra realizada na cruz.[369]

Uma solene oferta (9.15c). ... *recebam a promessa da eterna herança aqueles que têm sido chamados.* O Cristo oferece terna herança não para todos sem exceção, mas para todos sem acepção, ou seja, para todos os que são chamados. Guthrie tem razão em dizer que essa herança é restringida não a determinada nação, mas a certa classe definida, ou seja, *aqueles que têm sido chamados.*[370]

Em segundo lugar, *Cristo é o Testador que tem preciosas riquezas para o seu povo* (9.16). Um testador é aquele que escreve um documento voluntário, como expressão de vontade última, com validade legal, no qual distribui suas riquezas para os contemplados em seu testamento. Vejamos três aspectos desse testamento.

O conteúdo do testamento (9.16). A palavra grega *diatheke* usada no versículo 15 para *aliança* é a mesma palavra usada aqui para "testamento". É o contexto que define o seu uso correto. Um testamento é feito unilateralmente. O testador indica as pessoas contempladas e estabelece as condições do testamento. Enquanto vive o testador, ele pode modificar tanto o nome das pessoas como alterar as cláusulas. Ele é soberano para fazer essas alterações.

A pessoa do Testador (9.16). Cristo é o Testador e ao mesmo tempo o executor do testamento, pois ele morreu e ressuscitou. Ele mesmo distribui as riquezas destinadas a seu povo em seu testamento. Ele é Fiador e Mediador da nova aliança. Wiley pergunta: "Que maior segurança poderia ser concedida aos herdeiros da promessa do que o próprio Testador levantar-se dentre os mortos para fazer cumprir o seu próprio Testamento?"[371]

A morte do Testador (9.16,17). A morte do Testador é absolutamente necessária para que as bênçãos prometidas no testamento sejam auferidas pelas pessoas nele incluídas. Olyott diz que essa é uma ilustração muito boa, porque a nova aliança não é tanto um contrato entre duas partes quanto uma doação. Jesus Cristo, cabeça de nossa aliança, fez com Deus Pai um pacto desde a eternidade de que nos salvaria mediante sua morte em nosso lugar. Tudo o que ele nos prometeu tornou-se nosso com a sua morte. Foi pela sua morte que os crentes receberam o perdão.[372] Cristo inaugurou a nova aliança em seu sangue (Mt 26.28; Mc 14.24; Lc 22.20; 1Co 11.25). Raymond Brown diz que, em Cristo, temos um perdão que cobre o passado (9.22), um Mediador no presente e uma herança no futuro que ninguém pode tirar de nós.[373]

Em terceiro lugar, *a primeira aliança foi sancionada com sangue* (9.18-21). A nova aliança não poderia acontecer sem que o sangue de Cristo fosse derramado. Mas a antiga aliança também foi sancionada com sangue, o sangue de animais: Moisés aspergiu com sangue o livro da lei, o povo da aliança, o tabernáculo e todos os utensílios do serviço sagrado (Êx 24.1-8). Wiley diz que a primeira aliança não foi apenas inaugurada com sangue, mas, do início ao término, os cerimoniais se baseavam no sangue sacrificial.[374]

Quase todas as coisas, segundo a lei, se purificam com sangue, uma vez que há algumas coisas que são purificadas com água e com fogo. Porém, na antiga aliança, estava meridianamente claro que *sem derramamento de sangue, não há remissão* (9.22). Esta declaração está baseada em Levítico 17.11. Concordo com Guthrie quando ele diz que, dessa maneira, o escritor está edificando uma explicação acerca da necessidade da morte de Cristo.[375] Há, portanto, uma estreita conexão entre a velha e a nova alianças. Ambas são ratificadas com sangue: a primeira com o sangue de animais, e a segunda com o sangue de Cristo. A primeira era um emblema da segunda; a segunda, o cumprimento da primeira. A primeira apontava para a segunda; a segunda consumava a primeira.

Em quarto lugar, *a purificação na primeira aliança era feita com sangue* (9.22,23). Algumas coisas eram purificadas com água e fogo, mas o santuário e todos os seus utensílios precisavam ser purificados com sangue. Ninguém podia comparecer perante Deus para cultuá-lo sem estar debaixo do sangue. Nenhum mérito pessoal ou posição eclesiástica dava ao homem direito de comparecer perante Deus. Esse caminho era possível apenas por intermédio do sangue. Se as coisas do tabernáculo terreno precisavam ser purificadas com sangue de animais, o santuário celeste, superior ao terreno, precisava ser purificado com um sacrifício superior, o sacrifício de Cristo (9.23). O apóstolo escreve sobre os efeitos do sacrifício de Cristo: *E que, havendo feito a paz pelo sangue da sua cruz, por meio dele, reconciliasse consigo mesmo todas as coisas, quer sobre a terra, quer nos céus* (Cl 1.20).

Olhando para o presente a fim de contemplar o que Cristo está fazendo por nós (9.24-28a)

Donald Guthrie diz corretamente que a seção anterior (9.15-22) tinha a natureza de um parêntese, e aqui a sequência do pensamento retoma o tema anterior.[376] Matthew Henry elenca quatro razões pelas quais o sacrifício de Cristo é infinitamente superior aos sacrifícios da lei: 1) por causa do lugar (9.24); 2) por causa dos próprios sacrifícios da lei que eram imperfeitos (9.25); 3) por causa da necessidade de repetição desses sacrifícios (9.25,26); 4) por causa da ineficácia daqueles sacrifícios e da eficácia do sacrifício de Cristo (9.28).[377]

Algumas verdades solenes são destacadas no texto em tela.

Em primeiro lugar, *Cristo compareceu por nós em um santuário superior* (9.24). Cristo nunca entrou no santuário feito por mãos. Ele não era da tribo de Levi, mas da tribo de Judá.

Mas ele entrou no santuário celeste, o santuário superior, do qual o santuário terrestre é apenas uma sombra. Kistemaker diz que sacrifícios de animais foram medidas temporárias; os sumos sacerdotes, mortais; e o santuário, uma cópia feita pelo homem. Em contraste, o sacrifício único e para sempre de Cristo é permanente; nosso sumo sacerdote, eterno; e o santuário celestial, o verdadeiro santuário.[378]

O sacrifício de Cristo teve um efeito cósmico: alcançou a terra e o céu (Cl 1.20). O verbo grego *eiselthen,* traduzido por *entrou*, está no tempo aoristo, indicando um fato decisivo. Jesus ministra no próprio céu, onde se apresenta perante a face de Deus. E faz isso em nosso favor.[379] Concordo com Guthrie quando ele diz que essa é a obra intercessora de Cristo.[380]

Em segundo lugar, *Cristo compareceu com uma oferta voluntária* (9.25a). Na antiga aliança, os animais iam para o altar a fim de serem imolados involuntariamente, mas Cristo ofereceu a si mesmo voluntariamente. O Pai o entregou por amor (Rm 5.8; 8.32), e ele voluntariamente se entregou por amor a nós (Gl 2.20).

Em terceiro lugar, *Cristo compareceu com uma oferta definitiva* (9.25b,26a). Os sacerdotes precisavam fazer muitos e repetidos sacrifícios, mas Cristo se ofereceu uma única vez e fez um único sacrifício. Seu sacrifício foi perfeito, completo e definitivo. Não precisa ser repetido. É absolutamente eficaz.

Olyott tem razão ao dizer que o sacrifício de Cristo é oferta suficiente pelos pecadores. É a expiação perfeita por seus pecados. Isso diz respeito até mesmo aos pecados dos crentes que viveram antes que o sacrifício ocorresse. É um sacrifício que não necessita de nenhum acréscimo, porque em nada é deficiente. Também não necessita de repetição.[381]

Nessa mesma linha de pensamento, Kistemaker diz que o sacrifício de Cristo na cruz é tão eficaz que remove os pecados de todos os crentes do Antigo Testamento. Seu sacrifício é retroativo e vai até a criação do mundo, isto é, ao tempo em que Adão caiu em pecado. Assim, o sacrifício de Cristo é válido para todos os crentes, tenham vivido antes da vinda de Cristo ou depois. O seu sacrifício é para todos os tempos.[382] Guthrie diz que a eficácia daquela oferta sempre está diante dos olhos do Pai.[383]

Em quarto lugar, *Cristo compareceu com um propósito superior* (9.26b). Cristo se manifestou uma vez por todas, para aniquilar, pelo sacrifício de si mesmo, o pecado. Os sacrifícios de animais não podiam remover pecados, mas o sangue de Cristo nos purifica de todo pecado. A penalidade do pecado foi quitada de forma completa e real. Nossa dívida foi paga. Nosso débito foi cancelado. Isso revela a completa suficiência do sacrifício de Cristo. A palavra grega *athetesis,* "aniquilar", envolve a anulação do pecado, ou seja, tratá-lo como se já não mais existisse.[384] O apóstolo João diz que Cristo se manifestou para tirar os pecados (1Jo 3.5).

Em quinto lugar, *Cristo realizou um sacrifício único, definitivo e eficaz* (9.28a). Cristo, diferentemente dos sacerdotes levitas, não precisou se apresentar várias vezes para sacrificar. Fez isso uma única vez. Seu sacrifício foi completo, definitivo e cabal.

Em sexto lugar, *Deus ordenou duas coisas ao homem* (9.27). Do mesmo modo que é certo que o homem morra uma só vez, e depois disso vem o juízo, é certo que Cristo morreu uma única vez como oferta pelo pecado. A diferença entre a morte de Cristo e as demais é que a dele foi voluntária, ao passo que para os demais a morte é ordenada.[385]

Há duas ordenanças divinas em relação ao homem, como podemos constatar a seguir.

A morte. David Stern diz que Deus organizou o Universo de tal maneira que os seres humanos devem morrer uma vez, e não muitas vezes (9.27). Essa é a refutação bíblica para o conceito da reencarnação encontrado na maioria das religiões orientais.[386] A morte passa por todos os homens, porque todos pecaram. Morre o pobre e o rico, o doutor e o analfabeto, o rei e o vassalo, o velho e o jovem, o religioso e o ateu. Nenhum poder econômico ou político pode livrar o homem da morte. Ela é o sinal de igualdade na equação da vida.

O juízo. Todos os homens, sem exceção e sem acepção, terão de comparecer perante o tribunal de Deus no dia do juízo (5.27-29; 10.25b-29; At 17.31; Rm 2.5-16; 1Co 3.8-15; 4.5; 2Co 5.10; Ap 20.11-15). Ninguém escapará desse dia. Todos terão de prestar contas a Deus. Concordo com as palavras de David Stern, segundo o qual "a vida humana não se repete, as ações de alguém nesta vida são julgadas após a morte, e não existe oportunidade para reparações mais tarde".[387] Esse dia será de alegria para os salvos e de tormento para os ímpios. Será dia de luz para uns e dia de trevas para outros.

Olhando para o futuro a fim de contemplar o que Cristo fará por nós (9.28b)

Cristo não apenas veio até nós, morreu por nós, ressuscitou dentre os mortos e subiu ao céu para ser nosso Rei e Sacerdote, mas voltará para nós, a fim de nos trazer em suas asas a plenitude da salvação. Nós já fomos salvos da condenação do pecado na justificação. Estamos sendo salvos do poder do pecado na santificação, mas só na glorificação é que seremos salvos da presença do pecado. Cristo voltará para oferecer sua herança gloriosa aos que aguardam sua salvação. Mas ele virá também para exercer juízo sobre aqueles que negligenciaram sua tão grande salvação.

David Peterson tem razão ao dizer que há uma terrível expectação de juízo para aqueles que escarneceram do Filho de Deus e de seu sacrifício (10.26-31). Mas, para todos aqueles que confiaram nele e desejaram ardentemente sua vinda, há uma expectativa de salvação – livramento do juízo e alegria na promessa da herança eterna.[388]

Olyott diz acertadamente que o dia da volta de Cristo será a exibição final da superioridade da nova aliança sobre a antiga. A nova aliança não somente nos dá acesso agora a Deus, como também nos proverá um lar eterno em sua glória celeste. Aquele glorioso dia será o clímax e a consumação da salvação de Deus.[389]

Encerro com as palavras de Warren Wiersbe:

> O santuário do crente está no céu. Seu Pai está no céu e seu Salvador está no céu e virá do céu. Sua pátria está no céu e seus tesouros estão no céu. Sua esperança está no céu. O verdadeiro crente anda pela fé, e não pelo que vê. Não importa o que acontece na terra, o crente pode ter confiança porque ele caminha para o céu.[390]

NOTAS

[364] BARCLAY, William, *Hebreos*, 1973, p. 112.
[365] OLYOTT, Stuart, *A carta aos Hebreus*, p. 82.
[366] Ibidem.
[367] WIERSBE, Warren W., *The bible exposition commentary*, vol. 2, p. 311.
[368] WILEY, Orton H., *Comentário exaustivo da carta aos Hebreus*, p. 402.

[369] Olyott, Stuart, *A carta aos Hebreus*, p. 83.
[370] Guthrie, Donald, *Hebreus: introdução e comentário*, p. 180.
[371] Wiley, Orton H., *Comentário exaustivo da carta aos Hebreus*, p. 402.
[372] Olyott, Stuart, *A carta aos Hebreus*, p. 83-84.
[373] Brown, Raymond, *The message of Hebrews*, p. 167.
[374] Wiley, Orton H., *Comentário exaustivo da carta aos Hebreus*, p. 406.
[375] Guthrie, Donald, *Hebreus: introdução e comentário*, p. 183.
[376] Ibidem, p. 184.
[377] Henry, Matthew, *Matthew Henry's commentary*, p. 1920.
[378] Kistemaker, Simon, *Hebreus*, p. 369.
[379] Olyott, Stuart, *A carta aos Hebreus*, p. 85.
[380] Guthrie, Donald, *Hebreus: introdução e comentário*, p. 185.
[381] Olyott, Stuart, *A carta aos Hebreus*, p. 86.
[382] Kistemaker, Simon, *Hebreus*, p. 370.
[383] Guthrie, Donald, *Hebreus: introdução e comentário*, p. 186.
[384] Ibidem, p. 187.
[385] Ibidem, p. 188.
[386] Stern, David H., *Comentário judaico do Novo Testamento*, p. 761.
[387] Ibidem, p. 762.
[388] Peterson, David G., *Hebrews*, p. 1342.
[389] Olyott, Stuart, *A carta aos Hebreus*, p. 88.
[390] Wiersbe, Warren W., *The bible exposition commentary*, vol. 2, p. 312.

Capítulo 17

A incomparável superioridade de Cristo

(Hb 10.1-18)

O AUTOR AOS HEBREUS não apresenta conteúdo novo nesse capítulo, mas aprofunda e alarga o que já tratou nos capítulos anteriores. Destaca ainda com mais eloquência a incomparável superioridade de Cristo. Olyott diz, com razão, que o que Cristo fez é infinitamente superior à aliança, ao sacerdócio e aos sacrifícios aos quais os leitores originais pensavam em retornar.[391]

Na passagem em apreço, o autor fecha o assunto sobre a ordem levítica ao destacar a completa ineficácia dos antigos sacrifícios, a completa eficácia do sacrifício de Cristo e um contraste entre os antigos sacrifícios e o sacrifício de Cristo. Concordo com Wiley quando ele diz que o capítulo 10 de Hebreus é o epílogo de um momentoso e ponderado discurso.[392] Vejamos mais a respeito nas seções a seguir.

A completa ineficácia dos antigos sacrifícios (10.1-4)

O sistema da lei era provisório. Tinha prazo de validade. Estava destinado a acabar. Três pontos são destacados aqui.

Em primeiro lugar, *os antigos sacrifícios eram apenas sombras* (10.1). O escritor aos Hebreus diz que a lei tem sombra dos bens vindouros, e não a imagem real das coisas. Os sacrifícios oferecidos pelos sacerdotes apontavam para o sacrifício de Cristo. Eram sombras, representações e figuras terrenas, mas não a própria realidade. Prepararam o seu caminho, mas não eram sua consumação.

Wiley comenta que, como a sombra tem certo valor por indicar a existência da substância ou forma real, assim o judaísmo teve o seu valor como sombra daquilo que se tornou realidade em Cristo.[393] A palavra grega *skia,* traduzida por "sombra", significa um reflexo pálido e nebuloso, um mero contorno ou silhueta, uma forma sem realidade nem substância.[394] Por isso, Guthrie argumenta corretamente que, uma vez que a forma verdadeira tenha sido vista, a sombra se torna irrelevante.[395] De acordo com Augustus Nicodemus, Hebreus mostra que o cristianismo é o desenvolvimento e a consumação do judaísmo do Antigo Testamento. A lei anunciava uma realidade futura. Tinha um papel didático, simbólico, para que os israelitas confiassem no Salvador que haveria de vir.[396]

Em segundo lugar, *os antigos sacrifícios precisavam ser repetidos* (10.1b,2). Se os sacrifícios no sistema da lei fossem eficazes, não precisariam ser repetidos dia após dia, ano após ano. Esses sacrifícios não podiam purificar pecados.

Não traziam alívio para a consciência nem pleno perdão para os pecadores. Tinham a finalidade de apontar para o perfeito sacrifício que Cristo realizaria na cruz.

Em terceiro lugar, *os antigos sacrifícios eram completamente ineficientes* (10.2b-4). O que os sacrifícios do sistema da lei podiam fazer era apenas recordar o pecado e mostrar a necessidade de purificação, mas eles não tinham o poder de purificá-lo. Não havia remissão. Não havia perdão. Não havia paz para a consciência atormentada do homem. A conclusão óbvia é que era impossível que o sangue de touros pudesse remover pecados.

Guthrie tem razão ao dizer que o sistema sacrificial do Antigo Testamento tinha validez somente porque prenunciava o sacrifício supremo e definitivo de Cristo.[397] Kistemaker é enfático ao afirmar que o sacrifício de Cristo põe fim aos sacrifícios estipulados pela lei do Antigo Testamento, uma vez que ele é o fim da lei (Rm 10.4). Cristo é o fim dos sacrifícios da velha aliança. Ao oferecer-se como sacrifício, Cristo marcou o fim do sacerdócio levítico com seus sacrifícios e ofertas, e pôs fim à validade da primeira aliança.[398]

Warren Wiersbe acrescenta que os sacrifícios sob a antiga aliança traziam lembrança do pecado, mas não remissão do pecado. O sangue de Cristo, porém, tratou definitivamente com o problema do pecado. Consequentemente, se não existe mais necessidade de oferta pelo pecado, então não existe mais lembrança do pecado (10.17).[399]

A completa eficácia do sacrifício de Cristo (10.5-10)

A ineficácia dos sacrifícios da antiga aliança exigia, necessariamente, a chegada de uma nova aliança, com o sacerdote perfeito, oferecendo o sacrifício perfeito, para a completa remoção do pecado. É disso que o autor começa a tratar na passagem em tela. Quatro pontos devem ser aqui destacados.

Em primeiro lugar, *a promessa da vinda de Cristo para expiar os pecados* (10.5-7). O autor afirma que Deus não tem prazer nos sacrifícios da antiga aliança. Concordo, entretanto, com Warren Wiersbe quando ele diz que isso não significa que aqueles sacrifícios estavam errados ou que sinceros adoradores não obtiveram benefícios por obedecerem à lei de Deus. Mas isso significa que Deus não se deleitava nos sacrifícios oferecidos à parte da obediência dos adoradores. Sacrifícios não podiam substituir obediência (1Sm 15.22; Sl 51.16,17; Is 1.11,19; Jr 6.19,20; Os 6.6; Am 5.20,21).[400]

O autor sustenta que, na própria lei do Antigo Testamento, já fora profetizado que um dia aqueles sacrifícios e ofertas seriam substituídos por alguém que viria fazer a vontade de Deus e se entregar de uma vez por todas pelo pecado, encerrando definitivamente o primeiro sistema.[401] O autor cita ainda a profecia messiânica de Salmo 40.6-8, segundo a qual Cristo viria para fazer a vontade do Pai, oferecendo seu próprio corpo como sacrifício perfeito para remover de vez o pecado. Duas naturezas, a divina e a humana, foram unidas para sempre em sua pessoa, o Deus-homem. Esse corpo preparado, que representa toda a humanidade, tornou possível o seu sacrifício expiatório exigido pela santidade de Deus.[402] Wiley explica esse ponto da seguinte maneira:

> Podemos dizer, então, que a vontade do Senhor expressa em Hebreus 10.8,9 era que fosse preparado para o *Logos* eterno um corpo, e neste ele voluntariamente deveria assumir tudo o que era exigido para a

> expiação dos pecados do homem. Para o autor de Hebreus, fazer a vontade do Altíssimo é um ato sacrificial que envolve Jesus em morte expiatória e vicária, livrando o homem de toda condenação.[403]

Em segundo lugar, *Cristo, ao vir ao mundo, declarou que Deus não se agrada de sacrifícios* (10.8). Todos aqueles sacrifícios da antiga aliança não eram um fim em si mesmos; eram apenas sombra, apenas um sinal. Apontavam para o sacrifício perfeito, completo e definitivo. É desse sacrifício perfeito que Deus se agrada. Mais uma vez, Wiley é oportuno quando escreve:

> Se Deus não queria nem se agradava dos antigos sacrifícios levíticos, indicando que desejava outra coisa, isto é, que o corpo de seu Filho seria o sacrifício perfeito e completo e anularia todos os sacrifícios anteriores, então é evidente que remove o primeiro sistema de sacrifícios para estabelecer o segundo. O primeiro se refere a todas as ofertas judaicas de sangue e de manjares; o segundo, ao estabelecimento da vontade de Deus mediante aquela obediência que conduziu Jesus à crucificação, sacrifício em que ele provou a morte no lugar do pecador.[404]

Em terceiro lugar, *Cristo veio para fazer a vontade de Deus e remover os antigos sacrifícios* (10.9). Cristo veio para cumprir a lei, encerrar o antigo sistema sacrificial e inaugurar a nova aliança, oferecendo a si mesmo para fazer a vontade do Pai, expiar o pecado e remover para sempre os antigos sacrifícios. O Calvário baniu os animais do altar do sacrifício. Cristo fez a vontade do Pai e realizou o sacrifício perfeito, completo e cabal. Turnbull tem razão ao dizer que não foi Judas, nem os soldados, nem mesmo Pilatos, que levaram Jesus à morte; foi ele próprio que se entregou voluntariamente.[405]

Em quarto lugar, *Cristo entregou seu corpo como sacrifício aceitável a Deus* (10.10). Se o sacrifício de animais não podia agradar a Deus nem remover pecados, o sacrifício de Cristo, o Cordeiro de Deus que tira o pecado do mundo, foi uma oferta perfeita, pelo sacerdote perfeito, que agradou a Deus perfeitamente e removeu o pecado de uma vez por todas. Olyott é oportuno ao dizer que a vontade de Deus para o Messias era que ele fizesse plena expiação pelo pecado. Isso requeria um sacrifício com derramamento de sangue, e assim lhe foi preparado um corpo no qual pudesse sofrer. Em seu sofrimento e morte, foi plenamente cumprida a vontade de Deus. Foi assim que a segunda e melhor aliança passou a operar.[406]

O contraste entre os antigos sacrifícios e o sacrifício de Cristo (10.11-18)

Depois de pontuar a ineficácia dos sacrifícios da antiga aliança e mostrar a eficácia do sacrifício de Cristo, o autor aos Hebreus contrasta um com o outro. Na passagem em apreço, seis fatos devem ser destacados.

Em primeiro lugar, *os antigos sacrifícios não serviam para tirar o pecado* (10.11). Os sacerdotes ofereciam os sacrifícios dia após dia e jamais podiam parar de oferecê-los. E por quê? Porque esses sacrifícios eram absolutamente impotentes para remover pecados. Eles traziam apenas purificação cerimonial, mas não o perdão verdadeiro. Kistemaker diz que, literalmente, rios de sangue de animais fluíam porque os sacrifícios eram contínuos; e a sucessão de sacerdotes, que serviam em turnos e eram escolhidos por sorte (Lc 1.8,9), parecia ser interminável.[407]

Em segundo lugar, *Cristo ofereceu um único sacrifício para tirar o pecado* (10.12a). Cristo ofereceu a si mesmo, o seu próprio corpo, como único, perfeito e irrepetível sacrifício. Seu sacrifício foi o cumprimento de todos os sacrifícios da antiga aliança. Agora, todo o sistema judaico de sacrifícios deve cessar. Não existem mais sacerdotes. Não existe mais altar. Não existem mais sacrifícios pelo pecado. Cristo ofereceu o último, o único e o cabal sacrifício para tirar o pecado.

Em terceiro lugar, *Cristo terminou seu trabalho e está entronizado* (10.12b,13). No santuário, a mobília incluía a mesa, a lâmpada, o altar do incenso, a arca, mas nenhuma cadeira; Cristo, porém, tendo concluído sua obra expiatória, assentou-se à direita da Majestade. Nenhum sacerdote podia assentar-se à destra de Deus. Mas Cristo, sendo Filho e tendo concluído sua obra sacrificial, foi entronizado, exaltado sobremaneira, acima de todo nome, reina soberano e aguarda até que seus inimigos sejam colocados debaixo de seus pés (1Co 15.23-25).

De acordo com Olyott, Cristo está assentado no lugar de maior autoridade. Ele não tem mais batalhas a travar, não tem mais tentações a suportar, nenhum Getsêmani a mais para sofrer, nem nova cruz onde ser pregado, nem outro túmulo para ser deixado. Terminaram todos os seus conflitos. Ele está assentado em triunfo, aguardando o dia quando todos os seus inimigos serão postos debaixo dos seus pés (Sl 110.1; Fp 2.9-11).[408]

Wiley diz que o propósito do escritor de Hebreus aqui é salientar a exaltação de Jesus como Rei. Por sua única oferta sacrificial, Jesus elevou nossa humanidade de sua condição perdida e pecaminosa até o trono de Deus. O Cristo é Rei e Sumo Sacerdote. Como Sumo Sacerdote, encontra-se à destra de Deus intercedendo por nós; como Rei, estabeleceu o seu reinado inicial no coração dos homens que lhe pertencem (Rm 14.17).[409]

Em quarto lugar, *Cristo aperfeiçoou para sempre aqueles que foram separados para Deus* (10.14). Se os sacrifícios da antiga aliança não podiam aperfeiçoar, Cristo, com um único sacrifício, aperfeiçoou para sempre quantos estão sendo santificados. Não existe mais necessidade de novos sacrifícios. Ele varreu do altar todos os animais mortos. Toda a nossa salvação foi consumada no Calvário e não há mais nada que possa ser acrescentado ao que ali foi cabalmente realizado.

Em quinto lugar, *o Espírito Santo testifica as bênçãos da nova aliança* (10.15-17). O Espírito Santo, o autor último das Escrituras, mostra que, em virtude do sacrifício de Cristo, uma nova aliança foi firmada em seu sangue, trazendo para o seu povo uma mudança interior e o perdão pleno de seus pecados (Jr 31.33,34). Raymond Brown diz que o coração desse novo relacionamento é focado sobre o que nós escolhemos relembrar (10.15,16) e o que Deus escolher esquecer (10.17).[410]

Kistemaker tem razão ao dizer que os crentes do Antigo Testamento experimentaram a graça perdoadora de Deus, pois Davi escreve: *Confessei-te o meu pecado* [...] *e tu perdoaste a iniquidade do meu pecado* (Sl 32.5). E ele menciona em outro lugar: *Quanto dista o Oriente do Ocidente, assim afasta de nós as nossas transgressões* (Sl 103.12). O que é novo na profecia de Jeremias, citado em Hebreus, é que Deus não se lembra mais dos pecados na era da nova aliança. Deus perdoou os pecados dos crentes pecadores mediante o único sacrifício de Cristo e, portanto, nunca mais se lembrará deles. Os pecados são perdoados e esquecidos.[411]

Em sexto lugar, *o sacrifício de Cristo é completo e não é necessária nenhuma outra oferta pelo pecado* (10.18). O pecado é um débito que requer perdão, uma escravidão que requer redenção e uma alienação que requer reconciliação. Porém, o sacrifício de Cristo pôs fim a todos os sacrifícios pelo pecado.[412] O sacrifício de Cristo pôs um ponto final em todo o sistema de sacrifícios da antiga aliança. Acabou o sistema sacerdotal. Acabou a matança de animais e o derramamento de sangue. Tudo isso era apenas sombra. A realidade chegou, e as sombras foram dissipadas. Estou de pleno acordo com Olyott quando ele diz que o Calvário acaba com todos os sacrifícios instituídos no Antigo Testamento, tornando-os desnecessários. Eles serviram bem como sombras, apontando adiante e mostrando de modo ofuscado aquilo que viria no futuro. Mas não tinham outro valor além desse, porque não podiam apagar nem um pecado sequer. Seu tempo terminou.[413]

NOTAS

[391] OLYOTT, Stuart, *A carta aos Hebreus*, p. 89.
[392] WILEY, Orton H., *Comentário exaustivo da carta aos Hebreus*, p. 418.
[393] Ibidem, p. 419.
[394] BARCLAY, William, *Hebreos,* 1973, p. 120.
[395] GUTHRIE, Donald, *Hebreus: introdução e comentário*, p. 189.
[396] LOPES, Augustus Nicodemus, *Hebreus*, p. 208-209.
[397] GUTHRIE, Donald, *Hebreus: introdução e comentário*, p. 191.
[398] KISTEMAKER, Simon, *Hebreus*, p. 383.
[399] WIERSBE, Warren W., *With the word.* Nashville, TN: Thomas Nelson, 1991, p. 819.
[400] WIERSBE, Warren W., *The bible exposition commentary*, vol. 2, p. 314.
[401] LOPES, Augustus Nicodemus, *Hebreus*, p. 209.
[402] WILEY, Orton H. *Comentário exaustivo da carta aos Hebreus*, p. 425.
[403] Ibidem, p. 422.
[404] Ibidem, p. 423.

[405] Turnbull, M. Ryerson, *Levítico e Hebreus*, p. 148.
[406] Olyott, Stuart, *A carta aos Hebreus*, p. 91.
[407] Kistemaker, Simon, *Hebreus*, p. 392.
[408] Olyott, Stuart, *A carta aos Hebreus*, p. 91-92.
[409] Wiley, Orton H., *Comentário exaustivo da carta aos Hebreus*, p. 428.
[410] Brown, Raymond, *The message of Hebrews*, p. 180.
[411] Kistemaker, Simon, *Hebreus*, p. 396-397.
[412] Ibidem, p. 397.
[413] Olyott, Stuart, *A carta aos Hebreus*, p. 92.

Capítulo 18

Um solene apelo ao povo de Deus

(Hb 10.19-39)

A CARTA AOS HEBREUS pode ser dividida em duas grandes partes: uma dogmática (1.1–10.18) e outra prática (10.19–13.25). Depois de apresentar a superioridade de Cristo sobre os profetas, os anjos, Moisés, Josué e Arão; e, depois de mostrar que Cristo é o sacerdote melhor, que ofereceu um sacrifício melhor, no santuário melhor, o escritor aos Hebreus passa a fazer importantes aplicações, numa espécie de solene apelo ao povo de Deus. Num tom pastoral, o autor faz uma solene exortação (10.19-25), uma solene advertência (10.26-31) e um solene encorajamento (10.32-39). Vamos considerar esses três pontos.

Uma solene exortação (10.19-25)

Em virtude do perfeito, completo, cabal e final sacrifício realizado por Cristo, temos alguns privilégios que precisam ser plenamente usufruídos. O autor exorta os crentes a desfrutarem de sete privilégios.

Em primeiro lugar, *temos acesso irrestrito à presença de Deus* (10.19). Somente o sumo sacerdote podia entrar uma vez por ano no Santo dos Santos, mas nós, por causa do sangue de Cristo, podemos ter intrepidez para entrar livremente no Santo dos Santos, ou seja, na presença de Deus. A santidade de Deus não nos mantém do lado de fora. Podemos entrar porque a penalidade que merecíamos foi carregada por Cristo na cruz quando ele padeceu e morreu por nós. Existe acesso irrestrito a todo aquele que foi lavado no sangue de Cristo. Augustus Nicodemus é oportuno quando escreve:

> É isso que todas as religiões do mundo desejam. Chegar a Deus. E elas inventaram toda sorte de método e de artifícios, sacrifícios humanos, práticas de boas obras, seguir determinados rituais. Tantas religiões há no mundo quanto há métodos de sistemas diferentes, para tentar se chegar a Deus. O cristianismo é a única religião em que Deus vem ao mundo em seu Filho para morrer e levar o seu povo ao seu encontro. É nisso que cremos. Quando dizemos que somos cristãos, estamos afirmando que cremos que o acesso a Deus está aberto, mediante Jesus, para todo aquele que crê.[414]

Turnbull corrobora esse pensamento destacando que a velha dispensação com seu culto levítico dizia: "Afastai-vos, afastai-vos, para que não morrais". A dispensação cristã diz: "Cheguemo-nos, portanto, com confiança ao trono da graça". Que superioridade gloriosa! Cristo restaura o homem à comunhão com Deus, comunhão plena, livre e íntima.[415]

Em segundo lugar, *temos um novo e vivo caminho para Deus* (10.20). O caminho para a presença de Deus estava cercado por uma grossa cortina, por um espesso véu. Mas, com a morte de Cristo, o véu foi rasgado de alto a baixo, e o caminho para Deus foi aberto. Esse caminho é um novo e vivo caminho. Esse caminho não é um ritual, uma cerimônia ou uma liturgia, mas uma pessoa. O caminho é Jesus. Wiley apresenta esse assunto da seguinte forma:

> O rompimento do véu da carne de Cristo é uma alusão à morte física que ele sofreu na cruz, significando, por um lado, o derramamento do seu sangue como expiação vicária pelo pecado e, por outro, a inauguração de um novo e vivo caminho para o santo dos santos. Isto foi simbolizado, no tempo da crucificação, pelo rompimento do véu do templo de cima a baixo, marcando o término da dispensação da lei e a inauguração de uma nova ordem espiritual.[416]

Kistemaker, nessa mesma linha de pensamento, acrescenta que o adjetivo *vivo* significa que o caminho que Cristo abriu para nós não é uma rua sem saída, mas uma rodovia que nos conduz à salvação, à própria presença de Deus. Pelo seu sacrifício na cruz, Cristo removeu o véu entre Deus e o seu povo.[417]

Em terceiro lugar, *temos Cristo como nosso grande sumo sacerdote diante de Deus* (10.21). Os sumos sacerdotes do sistema judaico eram homens falhos e faziam sacrifícios imperfeitos, que não podiam remover pecados, mas Cristo, sendo o sacerdote perfeito, ofereceu o sacrifício perfeito para remover para sempre nossos pecados. Ele é o nosso grande sacerdote na casa de Deus. Guthrie diz que *casa de Deus* aqui significa tanto a igreja na terra quanto a igreja no céu.[418] Na antiga aliança, o sumo sacerdote entrava no

Santo dos Santos apenas uma vez por ano e precisava logo sair, mas agora, na nova aliança, o acesso é aberto a todo crente, em todo tempo, em todo lugar.

Em quarto lugar, *temos ousadia para entrar na presença de Deus* (10.22). Esta exortação é semelhante à que se encontra em Hebreus 4.16. Não precisamos ter medo, mas plena certeza de fé, para entrar na presença de Deus. Não pesa mais sobre nós a culpa. Nossa consciência foi purificada, nosso corpo foi lavado, nossos pecados foram perdoados; estamos quites com a lei de Deus e com a justiça divina. A entrada à presença do Deus santo nos foi plenamente franqueada. Não há nada que nos exclua. Nossa consciência foi purificada. Nossos pecados foram perdoados. Nele fomos santificados.

Em quinto lugar, *temos de permanecer firmes na nova aliança* (10.23). Depois do que Cristo fez por nós, não podemos mais vacilar nem retroceder. Ao contrário, devemos ficar firmes na confissão da esperança, pois as promessas de Deus de pleno perdão dos pecados e de plena comunhão com ele são confiáveis, pois quem prometeu é fiel. Augustus Nicodemus tem razão ao dizer que quem fez a promessa não foi um homem igual a nós. O homem se arrepende, volta atrás, geralmente quebra a palavra e não cumpre a promessa. Todos nós estamos acostumados a ser decepcionados e frustrados desse modo. Com Deus, porém, não é assim. Ele não é homem para que minta (Nm 23.19).[419] Por causa dessa inabalável realidade, Olyott registra: "Não é hora de afrouxar o pulso, vacilar na fé ou ceder à tentação de voltar atrás para as sombras do Antigo Testamento".[420]

Em sexto lugar, *temos de encorajar uns aos outros* (10.24). Nas provas da vida cristã, longe de ficarmos desanimados, precisamos considerar e estimular uns aos outros ao amor e à prática das boas obras. Kistemaker tem razão ao dizer que o amor é comunal. Para o homem, o amor se estende a Deus e aos vizinhos.[421] O apóstolo Paulo chama o mandamento de amar uns aos outros de *débito contínuo* (Rm 13.8). John Wesley geralmente relembrava aos primeiros metodistas as palavras de um amigo: "A Bíblia nada conhece acerca de uma religião solitária".[422]

Em sétimo lugar, *temos de buscar a comunhão uns com os outros* (10.25). A igreja é um corpo, um rebanho, uma família. Não podemos viver isolados. Não podemos ficar "desigrejados". Pertencemos uns aos outros e devemos congregar-nos para servir uns aos outros, exortar uns aos outros e ser bênção uns para os outros. Concordo com Wiley quando ele diz que o culto público é uma necessidade da vida cristã, e a comunhão entre os irmãos sempre foi considerada um dos principais meios pelos quais se manifesta a graça.[423] Nessa mesma linha de pensamento, Guthrie diz que o Novo Testamento não oferece apoio algum à ideia de cristãos isolados. A comunhão estreita e regular não é apenas uma ideia agradável, mas também uma absoluta necessidade para o encorajamento dos valores cristãos.[424]

Uma solene advertência (10.26-31)

Depois de exortar os crentes a considerarem o que eles têm em Cristo e o que precisavam fazer uns pelos outros, o autor passa a alertar os crentes para o terrível perigo da apostasia, o perigo de virar as costas para Cristo e voltar para o judaísmo. Quatro advertências são feitas.

Em primeiro lugar, *o perigo da apostasia* (10.26). O autor não está falando sobre os pecados de fraquezas que os crentes cometem, pois ele já nos ensinou que, nesses casos, temos de recorrer a Cristo como nosso amoroso Sumo Sacerdote (4.14-16). O autor está alertando para o abandono da fé, o abandono do cristianismo, para voltar para o judaísmo. Está alertando para o perigo de virar as costas para Cristo e negar aquilo que um dia professamos.

Nessa mesma linha de pensamento, Augustus Nicodemus diz que esse texto não se refere aos pecados que as pessoas cometem depois que se tornam crentes, porque, mesmo depois de professarmos a fé em Jesus, ainda tropeçamos em muitas coisas (Tg 3.2). O autor, porém, se refere ao pecado voluntário, deliberado, proposital de alguém que, depois de ter conhecido a verdade, abandona essa verdade. Não é o caso dos crentes que caem em pecado, se entristecem, se arrependem, se sentem mal, pedem perdão a Deus, se levantam e continuam.[425] O pecado da apostasia é muito pior. É o abandono deliberado e definitivo da verdade. Para esse tipo de pecado, não existe esperança de perdão.

Stuart Olyott capta o verdadeiro sentido dessa advertência quando escreve: "Se rejeitarem deliberadamente a cruz, não pensem que encontrarão expiação para seus pecados em algum outro lugar".[426] Wiley é ainda mais enfático: "Rejeitar aquele que é o único remédio para o pecado, oferecido pelo amor de Deus mediante o sangue derramado de Cristo, é excluir-se para sempre de toda esperança de salvação, nesta vida ou na eternidade".[427]

Em segundo lugar, *a penalidade da apostasia* (10.27). Aqueles que abandonam a Cristo por medo de perseguição ou mesmo porque rejeitam a sua pessoa e a sua obra, ou porque querem permanecer em seus pecados, lavram sobre si mesmos uma sentença de juízo condenatório. O que resta a essas pessoas é uma expectação horrível de juízo e fogo vingador. Tornar-se inimigo de Cristo é entrar por um caminho de condenação irremediável e inexorável. Guthrie diz que, sem um sacrifício expiador no qual se possa confiar, tudo quanto permanece é juízo e fogo vingador.[428]

Em terceiro lugar, *a maior gravidade da apostasia* (10.28,29). Se na lei de Moisés havia penalidade severa para os transgressores, quanto mais severo será o castigo para aqueles que deliberadamente rejeitam a graça de Deus e escarnecem do sacrifício do Filho de Deus. O pecador que se rebela contra Deus na época da nova aliança rejeita a pessoa de Cristo, a obra de Cristo e a pessoa do Espírito Santo. E assim ele comete um pecado imperdoável.[429]

O autor aos Hebreus menciona três afrontas cometidas pelo apóstata: calcar aos pés o Filho de Deus, profanar o sangue da aliança e ultrajar o Espírito da graça. Portanto, a apostasia é um pecado contra o Deus triúno. O apóstata peca contra o Pai porque pisa no Filho de Deus, peca contra o Filho porque profana o sangue da aliança e peca contra o Espírito porque ultraja o Espírito da graça.

Guthrie diz que esses três aspectos da apostasia não somente colocam o homem numa posição de condenação, como também o deixam numa posição especificamente anticristã.[430] Wiley argumenta que o apóstata não apenas se desvia de Deus, mas também manifesta sua hostilidade de três maneiras: 1) Por um ato: "calcou aos pés"; 2) por um pensamento: "profanou"; 3) por uma investida direta: "ultrajou".[431] William Barclay corrobora a ideia alegando que o pecado não é a desobediência a uma lei impessoal, mas o naufrágio de uma relação pessoal. Pecar não é simplesmente ir contra uma lei, mas desafiar, ferir e violar o coração de Deus cujo nome é Pai.[432]

Em quarto lugar, *o juízo inevitável provocado pela apostasia* (10.30,31). Há muitos pregadores hoje que só falam do amor de Deus e nada mencionam sobre sua ira e seu juízo.

O autor aos Hebreus não amenizou a mensagem para tornar-se politicamente correto. Aqueles que se mantêm rebeldes contra o Filho de Deus enfrentarão a ira do Cordeiro de Deus e o juízo divino. Virar as costas para Cristo e apostatar é enfrentar a vingança do próprio Deus. É cair nas mãos do Deus vivo, o reto e justo Juiz. O autor aos Hebreus é peremptório e dramático ao afirmar: *Horrível coisa é cair nas mãos do Deus vivo* (10.31). Olyott tem razão ao dizer que não existe cura para a condição de apostasia nem escape para seu castigo. Tudo o que aguarda tais pessoas é a santa vingança de Deus – a terrível expectativa de cair nas mãos do Deus vivo como um pecador não perdoado que deliberadamente o desprezou.[433]

Um solene encorajamento (10.32-39)

Depois de tocar a trombeta e fazer uma solene advertência acerca do perigo da apostasia, o autor agora traz um solene encorajamento ao povo de Deus, mostrando que, enquanto caminhamos neste mundo, temos provas, mas devemos manter os olhos fitos em Cristo, porque nossa recompensa é certa e segura. Sete pontos devem ser aqui destacados.

Em primeiro lugar, *lembrem-se de que o evangelho traz luz, mas também provas* (10.32). Para enfrentar os problemas que se interpõem em nosso caminho, precisamos muitas vezes olhar para trás. Precisamos puxar o fio da memória. Precisamos recordar quem éramos antes de Cristo e quem somos agora em Cristo. O evangelho nos trouxe luz, a luz da salvação, mas com ele também vieram as provas, grandes lutas e não pouco sofrimento. Não devemos estranhar as provas; devemos nos regozijar na luz.

O livro de Atos elenca várias perseguições sobre os cristãos: a perseguição que se seguiu ao martírio de Estêvão (At

8.1); a perseguição por ocasião da morte de Tiago e da prisão de Pedro (At 12.1-3); a expulsão dos judeus de Roma (At 18.2); e mais tarde, por volta do ano 64 d.C., as terríveis perseguições do imperador Nero. Os cristãos foram oprimidos, crucificados, queimados vivos e lançados às feras.

Antes de um indivíduo ser convertido a Cristo, ele está mergulhado nas trevas, prisioneiro no império das trevas. O diabo o mantém em sua potestade. Mas, no momento em que ele recebe a luz do evangelho, o diabo reúne toda a sua corja para persegui-lo. Aí o mundo o odeia e o hostiliza.

Em segundo lugar, *lembrem-se de quantas perseguições devemos sofrer por causa de Cristo* (10.33). O autor aos Hebreus relembra àqueles irmãos como eles foram expostos em espetáculo, tanto de opróbrio como de tribulações. A palavra grega *theatrizomai,* traduzida por *espetáculo*, ocorre somente aqui no Novo Testamento, mas Paulo usa o substantivo cognato em 1Coríntios 4.9. Tanto o verbo quanto o substantivo derivam sua força da expressão de um espetáculo no teatro, e a ideia é que os cristãos foram usados como um alvo público para maus-tratos.[434] O autor ainda os faz lembrar de que, apesar dessas duras circunstâncias, eles ainda dedicaram atenção e cuidado a outros irmãos que estavam passando pelas mesmas provas.

A vida cristã não é indolor. Aqueles que quiserem viver piedosamente em Cristo serão perseguidos (2Tm 3.12). É na bigorna da aflição, porém, que os crentes são forjados à imagem de Cristo. A amizade do mundo é pior que a espada do mundo. A abundância afasta mais as pessoas de Deus que a escassez. Mais pessoas se acomodam na prosperidade que na adversidade. Concordo com William Barclay quando ele diz que, em certo sentido, é mais fácil resistir na adversidade que na prosperidade.[435]

Em terceiro lugar, *lembrem-se de que aquilo que temos é maior que aquilo que podemos perder por causa das perseguições* (10.34). Mesmo sofrendo tribulações, os crentes hebreus ainda se compadeceram dos outros crentes que foram presos por sua fé. Mesmo tendo seus bens e propriedades confiscados nessa saga de perseguição, eles não perderam a alegria da salvação. Esses crentes sabiam que possuíam um patrimônio superior e mais durável que aqueles bens que estavam sendo espoliados. O texto em tela revela que, muitas vezes, a fé cristã, longe de nos levar à prosperidade material, pode nos levar à perda dos bens, do emprego, do lucro. Nosso verdadeiro tesouro não está aqui. Nossa pátria não está aqui. Mesmo quando somos espoliados na terra, temos uma herança imarcescível no céu.

Em quarto lugar, *não abandonem a fé por causa das provas* (10.35). O sofrimento pode levar alguns a abandonar a confiança em Deus. Por isso, o autor exorta os crentes a permanecerem firmes na fé, apesar das provações. O autor aos Hebreus chega a dizer: *De fato, sem fé é impossível agradar a Deus* (11.6). Os crentes hebreus enfrentaram diversas provas. Eles passaram por um período de sofrimento quando receberam a luz do evangelho (10.32). Depois foram expostos a insulto público e perseguição (10.33). Também apoiaram outros crentes que sofriam abusos semelhantes (10.34). Por último, perderam suas propriedades, talvez numa época de instabilidade política ou religiosa (10.34). Nas provas, a ordem é clara: *Não abandoneis a vossa confiança* (10.35). O Senhor Jesus foi enfático ao se dirigir à igreja de Esmirna: *Sê fiel até à morte, e eu te darei a coroa da vida* (Ap 2.10).

Em quinto lugar, *não tirem os olhos de Cristo; perseverem* (10.36). A salvação não é dada àqueles que retrocedem, mas aos que perseveram até o fim. A perseverança é uma necessidade vital para o povo de Deus.

Em sexto lugar, *fiquem atentos, pois Jesus em breve voltará* (10.37). No sofrimento, precisamos olhar não apenas para trás a fim de avaliar o que recebemos em Cristo, mas também precisamos olhar para a frente a fim de aguardar a gloriosa vinda do nosso Redentor. Ele virá em breve pessoalmente, fisicamente, visivelmente, audivelmente, repentinamente, inesperadamente, vitoriosamente. E trará consigo nosso galardão. O apóstolo Pedro esclarece: *Ora, logo que o Supremo Pastor se manifestar, recebereis a imarcescível coroa da glória* (1Pe 5.4).

Em sétimo lugar, *saibam que os justos vivem pela fé e não retrocedem* (10.38,39). O justo não vive pelas circunstâncias, não vive pelo que vê, nem vive pelo que sente. Ele vive pela fé (Hc 2.4; Rm 1.17; Gl 3.11). Deus não se compraz naqueles que retrocedem. Os que são de Deus não voltam atrás; eles perseveram até o fim. Assim, o autor aos Hebreus destaca duas classes de pessoas: "aqueles que retrocedem" e "aqueles que creem". O primeiro grupo perece; o segundo será salvo.[436]

NOTAS

[414] LOPES, Augustus Nicodemus, *Hebreus*, p. 218.
[415] TURNBULL, M. Ryerson, *Levítico e Hebreus*, p. 145.
[416] WILEY, Orton H., *Comentário exaustivo da carta aos Hebreus*, p. 443.
[417] KISTEMAKER, Simon, *Hebreus*, p. 402.
[418] GUTHRIE, Donald, *Hebreus: introdução e comentário*, p. 199.
[419] LOPES, Augustus Nicodemus, *Hebreus*, p. 222.
[420] OLYOTT, Stuart, *A carta aos Hebreus*, p. 95.
[421] KISTEMAKER, Simon, *Hebreus*, p. 405.

[422] Brown, Raymond, *The message of Hebrews*, p. 186-187.
[423] Wiley, Orton H., *Comentário exaustivo da carta aos Hebreus*, p. 452.
[424] Guthrie, Donald, *Hebreus: introdução e comentário*, p. 203.
[425] Lopes, Augustus Nicodemus, *Hebreus*, p. 230.
[426] Olyott, Stuart, *A carta aos Hebreus*, p. 96.
[427] Wiley, Orton H., *Comentário exaustivo da carta aos Hebreus*, p. 453.
[428] Guthrie, Donald, *Hebreus: introdução e comentário*, p. 204.
[429] Kistemaker, Simon, *Hebreus*, p. 413.
[430] Guthrie, Donald, *Hebreus: introdução e comentário*, p. 206.
[431] Wiley, Orton H., *Comentário exaustivo da carta aos Hebreus*, p. 457.
[432] Barclay, William, *Hebreos,* 1973, p. 133.
[433] Olyott, Stuart, *A carta aos Hebreus*, p. 97.
[434] Guthrie, Donald, *Hebreus: introdução e comentário*, p. 208.
[435] Barclay, William, *Hebreos,* 1973, p. 134.
[436] Kistemaker, Simon, *Hebreus*, p. 426.

Capítulo 19

A fé que não retrocede

(Hb 11.1-40)

DEPOIS DE DIZER AOS CRENTES hebreus que não somos daqueles que retrocedem para a perdição, mas somos da fé, para a conservação da alma (10.39), o autor dessa epístola introduz o mais longo capítulo da carta, falando sobre a fé que não retrocede (11.1-40). Ele faz uma retrospectiva histórica do povo de Israel desde os seus primórdios até seus dias, mencionando vários heróis da fé. Segundo Donald Guthrie, o propósito do escritor é ilustrar a continuidade entre os cristãos hebreus e os homens piedosos da Antiguidade. Suas proezas são vistas como um prelúdio apropriado para a era cristã (11.39,40).[437]

Walter Henrichsen destaca o fato de que nessa longa lista só se faz menção de um clérigo – Samuel – e apenas de passagem. Lavradores, políticos e empresários – são esses homens que Deus selecionou no Antigo Testamento para reconhecimento especial.[438] Concordo com Wiley quando ele diz que Hebreus 11 é um dos textos mais grandiosos da Bíblia, pois nele estão os heróis e os mártires que os judeus e cristãos se deleitam em honrar.[439]

Certamente a intenção do escritor era não apenas encorajar seus leitores a permanecerem firmes na fé, a despeito das perseguições, mas também dar a eles um substancioso relato da história do povo de Deus ao longo dos séculos. Os que são de Deus permanecem na fé; os que retrocedem, viram as costas para Deus e apostatam, esses jamais conheceram a Deus nem foram por ele conhecidos.

É hora de entrarmos pelos corredores da história e nos posicionar nesse vasto salão, para contemplar os quadros mais famosos, na galeria dos heróis da fé. Vamos à exposição do texto.

A fé explicada - o conceito e o alcance da fé (11.1-3)

Aqui está a única definição de fé encontrada na Bíblia.[440] É bem verdade que essa não é uma definição completa, uma vez que a fé tem vários significados nas Escrituras. Ao mesmo tempo que o autor trata do que é fé, mostra seu reconhecimento por Deus e como essa fé influencia a nossa cosmovisão. Três verdades devem ser aqui destacadas.

Em primeiro lugar, *a fé se apoia na Palavra de Deus* (11.1). Raymond Brown diz que a fé é a resposta humana ao que Deus diz em sua Palavra.[441] A fé é a certeza de coisas e a convicção de fatos; coisas que se esperam e fatos que se não veem. Concordo com Olyott quando ele diz que algumas coisas são invisíveis porque ainda não aconteceram, ou porque ainda não as alcançamos. Portanto, a fé não é a certeza do desconhecido, mas do invisível.[442] Henrichsen diz que a fé é a garantia e a prova do que é futuro e do que é invisível.[443] Augustus Nicodemus está certo quando diz que não vemos o próprio Deus nem o Senhor Jesus assentado à sua direita. Não vemos o Espírito Santo, não vemos o céu nem o reino de Deus, mas sabemos tudo isso porque o Deus invisível se revelou a nós em sua Palavra e em seu próprio Filho que se fez carne.[444]

Laubach está certo quando diz que a fé é a confiança inabalável de que um dia Deus cumprirá todas as suas promessas e profecias.[445] Portanto, a fé não lida com a dúvida, mas se apoia numa certeza inabalável. A fé não é pensamento positivo nem crendice. A fé tem Deus como seu objeto e a Palavra de Deus como seu fundamento. Porque Deus falou, nós cremos. Porque Deus prometeu, nós confiamos. Porque a palavra de Deus não pode falhar, a fé ri das impossibilidades e descansa imperturbável nos braços das promessas de Deus. Promessa de Deus e realidade são a mesma coisa. Lightfoot diz corretamente que a fé é o título de propriedade de coisas que se esperam, o penhor da herança eterna do cristão. A fé dá realidade às coisas esperadas. Certamente as coisas que se esperam têm uma existência independente da fé – a fé não pode conceder-lhes a sua realidade.[446]

Concordo com Henrichsen quando ele escreve: "Fé sem promessas de Deus não é fé, de modo algum; não passa de mera presunção. Por outro lado, a promessa sem obediência também não é fé; é incredulidade".[447]

Em segundo lugar, *a fé alcança a aprovação de Deus* (11.2). Os nossos antepassados confiaram na Palavra de Deus, se firmaram nas promessas de Deus e obtiveram de

Deus bom testemunho. A fé honra a Deus, e Deus honra a fé. Sem essa fé, o homem não pode agradar a Deus (11.6).

Em terceiro lugar, *a fé reconhece o poder de Deus* (11.3). A fé proporciona entendimento de acontecimentos que não podem ser plenamente elucidados racionalmente. O relato da criação, registrado nas Escrituras, não é formado por lendas antigas ou concepções mitológicas há muito ultrapassadas, mas é uma revelação confiável de Deus que, no entanto, é acessível somente à fé.[448] Por isso, entendemos que o Universo vastíssimo e insondável não aconteceu simplesmente e nem sempre esteve aqui.

O Universo foi formado. A matéria não é eterna, como pensavam os gregos. O Universo não veio à existência por geração espontânea. O Universo não é produto de uma explosão cósmica. O caos não produz o cosmo nem a desordem dá à luz a ordem. Uma explosão jamais poderia colocar em ordem este vasto Universo com leis tão precisas. Nosso planeta, por exemplo, está rigorosamente no lugar certo. Se estivéssemos mais perto do Sol, morreríamos queimados. Se estivéssemos mais longe, morreríamos congelados. Se a Lua não estivesse exatamente onde está, não haveria o fenômeno das marés e, se não houvesse esse fenômeno, as praias se encheriam de lixo e a vida seria impossível na Terra. Permanece a realidade incontroversa: o Universo foi criado. Isso a ciência demonstra. Porém, nós cremos, pela fé, que este Universo veio à existência pela Palavra de Deus (11.3) e pela ação do Filho de Deus (1.2). Lightfoot tem razão ao dizer que é por causa da fé e por meio dela que se obtém a verdadeira compreensão da ordem criada. Existe por trás de tudo uma força invisível que não está sujeita às investigações da ciência.[449]

Concordo com Augustus Nicodemus quando ele diz que a ciência não está contra a Bíblia. Ambas têm o mesmo autor. Na verdade, é o cientificismo do naturalismo filosófico que vai contra a Bíblia, porque os grandes cientistas, os fundadores da ciência moderna, como o grande Isaac Newton, eram teístas, acreditavam em Deus.[450] A Bíblia e a ciência caminham de mãos dadas. Ambas têm o mesmo autor. A Bíblia corretamente interpretada e a ciência corretamente entendida jamais entram em contradição.

A fé manifestada antes do dilúvio – a obediência da fé (11.4-7)

O escritor de Hebreus começa sua galeria dos heróis da fé com a primeira família da terra indo até o dramático tempo do dilúvio. Ele coteja entre os pioneiros três nomes: Abel, Enoque e Noé. Vejamos.

Em primeiro lugar, *Abel, o sacrifício da fé* (11.4). Abel e Caim eram filhos de Adão e Eva, cresceram sob as mesmas influências, ouvindo as mesmas histórias. Ambos acreditavam em Deus e vieram para adorá-lo. Abel e sua oferta foram aceitos por Deus, ao passo que Caim e sua oferta foram rejeitados (Gn 4.4,5). Tanto a oferta de Abel como sua motivação eram melhores. O texto nos chama a atenção para três fatos.

A oferta revela a natureza da fé do ofertante (11.4). Abel ofereceu mais excelente sacrifício que Caim, porque sua oferta foi de acordo com a Palavra de Deus. Por isso, ofereceu-a pela fé. Ele cultuou a Deus conforme a prescrição divina. Seus pais foram vestidos com peles de animais (Gn 3.21). Um animal foi sacrificado para que eles fossem cobertos. Já estava aí o prenúncio de que, sem derramamento de sangue, não há remissão de pecados (9.22). Abel ofereceu um sacrifício de sangue e recebeu o testemunho de ser justo, tendo a aprovação de Deus quanto às suas ofertas. Abel ofereceu o sacrifício certo, sob a orientação da prescrição certa, com a vida certa e a motivação certa.

A vida do ofertante é o fundamento de sua oferta (11.4). O texto de Gênesis 4.4,5 deixa claro que o Senhor se agradou de Abel e de sua oferta, ao passo que não se agradou de Caim e de sua oferta. O ofertante vem antes da oferta. Primeiro Deus aceita o adorador, depois a adoração. Primeiro Deus recebe o ofertante, depois a oferta. A vida de Abel estava certa com Deus. Ele era um homem justo (Mt 23.35), por isso prestou um culto aceitável a Deus. A vida de Caim estava errada com Deus, por isso sua oferta também foi rejeitada. Não podemos prestar culto aceitável a Deus à revelia das prescrições divinas, nem podemos ser aceitos por Deus quando trazemos para o altar um coração cheio de ódio. Caim estava cheio de ira. Caim era do Maligno, e suas obras eram más (1Jo 3.12). Caim era um falso adorador. Sua vida e seu culto não foram aceitos por Deus.

A morte pode calar a voz do adorador, mas não pode apagar o testemunho de sua fé (11.4). Abel foi assassinado por seu irmão, Caim, mas, por meio de sua fé, ele ainda fala. Sua voz póstuma ainda ecoa nos ouvidos da história.

Em segundo lugar, *Enoque, o andar da fé* (11.5,6). Crer significa viver com Deus. Isso é mais que um ato regular de adoração num dia específico da semana, num lugar específico de reunião. Toda a nossa vida pertence a Deus. Enoque viveu no meio de uma geração perversa e má, mas escolheu andar com Deus e deleitar-se em Deus. Enoque viveu sublimemente acima da corrupção de seu tempo. Sua intimidade com Deus era tal que Deus o recolheu para si sem que ele passasse pela morte.

Enoque agradou a Deus em sua vida, exemplificando o princípio de que sem fé é impossível agradar a Deus (11.6). E isso por duas razões: primeiro, porque aquele que se aproxima de Deus precisa crer que ele existe; segundo, porque quem se aproxima de Deus precisa crer que ele é galardoador dos que o buscam. Ou seja, aquele que se aproxima de Deus precisa reconhecer dois grandes fatos acerca de Deus: sua existência e sua generosidade.[451] Ao buscar a Deus, o pecador recebe perdão; o moribundo recebe misericórdia; e o caído recebe restauração.

Em terceiro lugar, *Noé, o trabalho da fé* (11.7). Noé ouviu a Palavra de Deus sobre o juízo que viria sobre o mundo pervertido e prontamente agiu para construir a arca. Ele não apenas escutou a voz de Deus, mas imediatamente se colocou a trabalhar. A fé produz obras. A fé que não age é uma fé morta.

Noé demonstrou uma fé robusta, pois numa época em que a chuva ainda não havia caído sobre a terra, ele investiu cento e vinte anos para construir um imenso barco para salvar sua família e os animais. Noé não se deixou dissuadir pelas críticas dos oponentes. Porque levou a sério a Palavra de Deus, construiu um "Titanic" que resistiu a todos os *icebergs* das críticas desairosas. Ele ousou crer no impossível. Wiley diz, com razão, que Cristo é a arca da nossa salvação, na qual nos elevamos acima das ondas do dilúvio do mundanismo e do pecado.[452]

Durante o período antediluviano, Deus foi longânimo, e o seu Espírito pelejou com os homens. Mas eles não deram ouvidos e continuaram no pecado até o dia em que Noé entrou na arca (Mt 24.38,39).[453] Noé enfrentou a zombaria dos homens por acreditar e agir de acordo com a Palavra de Deus. Agindo assim, ele condenou o mundo e se tornou herdeiro da justiça.

Calvino é enfático ao dizer que, quando o mundo inteiro se entregou aos prazeres sem recato e sem freio, crendo poder viver impunemente, apenas Noé levou em conta a vingança divina; fatigou-se ao longo de cento e vinte anos na construção de uma arca; permaneceu firme no meio da zombaria de uma multidão incrédula; e, no seio de um mundo inteiro em ruína, não duvidou de que seria salvo, confiando sua vida àquela espécie de túmulo, que era a arca.[454]

A fé demonstrada por Abraão e Sara – a renúncia da fé (11.8-12)

Depois de trabalhar três personagens que viveram antes do dilúvio, agora o autor introduz Abraão e Sara, os ancestrais da nação de Israel, destacando sua fé em Deus. O autor dispensa atenção especial a Abraão, conhecido como o pai da fé. A sua fé é sintetizada em quatro manifestações diferentes: 1) O chamado para a herança futura; 2) sua permanência na terra prometida; 3) a promessa de um herdeiro em quem seriam benditas todas as nações da terra; 4) a oferta de Isaque em sacrifício.[455]

Cinco verdades devem ser observadas no texto em tela.

Em primeiro lugar, *uma fé que responde ao chamado de Deus* (11.8). Abraão morava em Ur dos caldeus, na Mesopotâmia. Sua família era idólatra (Js 24.2,3) e vivia no meio de um povo pagão. Deus se revela a ele, convoca-o a sair de sua terra, do meio de sua parentela, para ir a uma terra distante, que o próprio Deus lhe mostraria, e Abraão, sem detença, atende ao chamado divino. Abraão não duvida, não questiona nem adia. Ele larga tudo para trás e atende à convocação divina. Abraão torna-se o pai dos que creem (Rm 4.16). Abraão creu porque sabia que a Palavra de Deus é revestida de absoluta autoridade, de decisiva importância, de imenso poder e de completa confiabilidade.[456] Calvino diz que a fé que Abraão possuía foi claramente confirmada por essa dupla evidência: sua prontidão em obedecer e sua perseverança em agir.[457]

Em segundo lugar, *uma fé que se sacrifica para obedecer a Deus* (11.8b). Abraão não apenas deixou para trás sua terra, sua parentela, seus amigos, suas raízes, mas partiu sem saber para onde ia. Seu mapa de viagem era a Palavra de Deus. Sua única garantia era a promessa de Deus, a promessa de uma terra e a promessa de uma descendência. Olyott diz que Abraão deixou aquilo que as outras pessoas chamam de *certezas* pelo que tais pessoas chamam de *incertezas*, pois ele mesmo não via as coisas dessa forma.[458] Laubach, citando Lutero, diz: "É precisamente esta a glória da fé: não saber para onde vai, o que faz, o que sofre; render tudo, o sentimento e a razão, a capacidade e a vontade, seguindo meramente a voz de Deus".[459]

Em terceiro lugar, *uma fé que revela coragem para caminhar* (11.9). Abraão peregrinou na terra da promessa como em terra alheia, habitando em tendas com seu filho e neto, os herdeiros da promessa. Ele recebeu a promessa, mas não tomou posse dela. Ele pisou na terra apenas como peregrino, mas não como dono. Donald Guthrie diz corretamente que a fé transforma em realidade aquilo que nem sequer era aparente.[460]

Em quarto lugar, *uma fé que contempla a antecipação do futuro* (11.10). Abraão peregrinou na terra da promessa, armando tendas aqui e acolá, porque aguardava a cidade que tem fundamentos, da qual Deus é o arquiteto e edificador. Ele tinha os pés na terra, mas seus olhos miravam o céu. Ele vivia em tendas, mas aguardava as mansões celestiais. Concordo com Donald Guthrie quando ele diz que há aqui um contraste marcante entre as tendas em Canaã e a cidade que tem fundamentos antegozada pela fé de Abraão.[461]

Em quinto lugar, *uma fé que se apropria do milagre* (11.11,12). Tanto Abraão quanto Sara não tinham mais condições de gerar um filho. Além da idade avançada de ambos, Sara era estéril. O corpo deles já estava amortecido. Porém, a despeito das impossibilidades humanas desse casal, nasceu Isaque, o filho da promessa, por meio de quem Deus suscitou uma numerosa posteridade como as estrelas do céu e a areia na praia do mar (Rm 4.18-21).

A fé revelada pelos patriarcas – o antegozo da fé (11.13-16)

Os patriarcas Abraão, Isaque e Jacó peregrinaram na terra pela fé, armando tendas e olhando para a cidade celestial. Eles permaneceram na fé sem retroceder. Morreram na fé, honraram a Deus pela fé, e Deus não se envergonhou de ser o seu Deus. Cinco verdades devem ser aqui destacadas.

Em primeiro lugar, *a confiança dos patriarcas* (11.13a). Os patriarcas não foram homens perfeitos, mas viveram e morreram na fé. Mantiveram sua confiança inabalável em Deus até o fim. Todos eles morreram na fé.

Em segundo lugar, *o testemunho dos patriarcas* (11.13b). Os patriarcas confessaram que eram estrangeiros e peregrinos. Eles não obtiveram as promessas, mas as contemplaram com os olhos da fé. Os patriarcas não tomaram posse da terra, mas aguardaram a cidade celestial. Viveram em tendas e confessaram que eram estrangeiros e peregrinos, mas saudaram o cumprimento das promessas, quando então o povo de Deus tomará posse de sua herança gloriosa.

Stuart Olyott diz com razão que os patriarcas não chegaram a ver o Messias nem a testemunhar o melhor sacrifício, tampouco entraram na herança e habitação prometidas. Isso, porém, não altera o fato de que viram a distância todas essas coisas, sabendo que se cumpririam, colocando nelas o coração.[462] Calvino assim comenta esse fato:

> Ainda que Deus haja dado aos pais apenas uma antecipação de seu favor, a qual é derramada generosamente sobre nós; e ainda que ele lhes haja mostrado apenas uma vaga imagem de Cristo, como que a distância, o que agora é posto diante dos nossos olhos para que o vejamos, todavia ficaram satisfeitos e nunca decaíram de sua fé. Quão maior e mais justificável razão temos nós, hoje, para perseverarmos![463]

Em terceiro lugar, *a procura dos patriarcas* (11.14). Os patriarcas, como exilados, procuravam uma terra, mas a procura deles não era de uma terra neste mundo. O coração deles estava no céu, e não na terra onde peregrinavam.

Em quarto lugar, *o discernimento dos patriarcas* (11.15). Os patriarcas não apenas anteciparam o céu, mas também avaliaram as coisas da terra. Diferentemente dos destinatários primeiros da epístola aos Hebreus, eles não cogitaram em voltar à Mesopotâmia, a Ur dos caldeus. Eles não retrocederam. Tinham pleno discernimento para distinguir entre o bem o mal, o temporal e o eterno, o permanente e o perecível.

Em quinto lugar, *a segurança dos patriarcas* (11.16). Os patriarcas aspiravam a uma pátria superior, a pátria celestial. Os seus pés estavam na terra, mas o seu coração estava no céu. Eles honraram a Deus e, por isso, Deus não se envergonhou de ser chamado de o Deus de Abraão, Isaque e Jacó.

A fé praticada em tempos difíceis – o sacrifício da fé (11.17-22)

O escritor aos Hebreus volta sua atenção para a fé de Abraão, Isaque, Jacó e José, ou seja, pai, filho, neto e bisneto, evidenciando como a fé resplandece em tempos difíceis. Raymond Brown diz que encontramos aqui a submissão de Abraão, a percepção de Isaque, a antecipação de Jacó e a convicção de José.[464] Vejamos essas verdades.

Em primeiro lugar, *a submissão de Abraão* (11.17-19). Abraão esperou por vinte e cinco anos o cumprimento da promessa. Isaque nasceu e com ele veio a confirmação de que Deus não falha. Agora, Deus aparece a Abraão com seu mistério inescrutável[465] e ordena que ele sacrifique seu filho amado, o herdeiro da promessa.

Abraão não questiona a Deus nem adia a obediência. Ele se dispôs a oferecer seu filho, porque acreditava que Deus poderia ressuscitá-lo. Sua confiança em Deus era inabalável. Sua convicção no cumprimento da promessa por meio de Isaque era imperturbável. Vale destacar que nesse tempo da história não havia sequer um registro de ressurreição. Mesmo assim, Abraão concluiu que era exatamente isso que aconteceria. Abraão tem plena certeza de que o Deus da promessa também é vitorioso sobre a morte. Contra toda esperança, ele creu com esperança (Rm 4.17,18).

Calvino chega a dizer que mil vezes teria Abraão desmaiado, não fora sua fé transportar seu coração para muito além deste mundo.[466] Pela fé, devemos sacrificar o que nos é mais caro; pela fé, devemos aceitar o que não entendemos; pela fé, podemos ter a garantia de que, na provação, Deus sempre nos providencia uma saída.

Em segundo lugar, *a percepção de Isaque* (11.20). Mesmo ao arrepio de sua vontade, Isaque abençoou Jacó e Esaú, no final de sua vida, acerca das coisas que ainda estavam por vir. Isaque queria mudar os planos de Deus, dando a bênção que Deus designara a Jacó para Esaú. Isaque sabia que Deus havia escolhido Jacó desde o nascimento (Gn 25.23). As Escrituras afirmam que Deus amou Jacó e aborreceu a Esaú (Rm 9.13; Ml 1.2). O autor de Hebreus chama Esaú de impuro e profano (12.16). Deus não permitiu a Isaque dar a bênção de Jacó a Esaú. Assim, antes de morrer, Isaque abençoa seus filhos, cumprindo o propósito divino. Concordo com Donald Guthrie quando ele diz que no presente contexto o autor aos Hebreus está ocupado somente com a fé que Isaque ativou, quando abençoou a Jacó e a Esaú, acerca de coisas que ainda estavam por vir. Não é mencionado o logro praticado por Rebeca, presumivelmente porque o próprio Isaque reconheceu que a bênção que dera a Jacó não poderia ser anulada.[467] Olyott é oportuno quando diz que, geralmente, quando as pessoas se aproximam do fim da vida, passam o tempo olhando para trás, porque nada enxergam adiante. Mas Isaque estava olhando à frente. Sua mente se fixava nas "coisas que ainda estavam por vir".[468]

Em terceiro lugar, *a antecipação de Jacó* (11.21). No final de sua vida, escorado em seu bordão, Jacó abençoou os filhos de José, apontando-lhes os horizontes futuros. Jacó tinha somente uns poucos momentos na terra, mas ainda olhava à frente. Deus era real, e sua Palavra era certa. O pai das tribos de Israel morreu na fé e deixou seu legado para suas futuras gerações.

Em quarto lugar, *a convicção de José* (11.22). José foi traído e humilhado por seus irmãos. Foi vendido como escravo para o Egito. Foi acusado falsamente durante muitos anos. Foi preso e esquecido na prisão, mas nunca perdeu a confiança em Deus. Tornou-se governador do Egito e salvador do mundo. Mesmo possuindo riquezas e honras, antes de morrer, profetizou o êxodo dos filhos de Israel, dando ordens para que seus ossos fossem levados embora do Egito (Gn 50.25). Quando o êxodo ocorreu, *Moisés levou consigo os ossos de José* (Êx 13.19).

Kistemaker diz corretamente que a ordem de José para enterrarem seus ossos em Canaã não foi um ato de nostalgia ou superstição, mas um ato de fé. Ele falou profeticamente sobre o êxodo. Ele cria que Deus cumpriria sua Palavra.[469] José acalentou a promessa feita a Abraão, Isaque e Jacó e demonstrou sua própria confiança. Todos esses patriarcas viveram pela fé e morreram na fé.

Warren Wiersbe, nessa mesma linha de pensamento, diz que José não usou sua família, seu trabalho ou suas circunstâncias como uma desculpa para a descrença. Ele sabia no que cria e em quem cria.[470] Kistemaker conclui dizendo que, assim, a linha dourada da promessa liga os patriarcas na fé que transcende as gerações.[471]

A fé demonstrada por Moisés no êxodo – a vitória da fé (11.23-29)

O escritor aos Hebreus passa dos patriarcas para o tempo do êxodo, trazendo a lume a figura de Moisés, a personagem mais admirada e respeitada pelo povo de Israel. Raymond Brown, expondo o texto em apreço, destaca cinco verdades: a fé vence o medo, determina as decisões, direciona a visão, reconhece o livramento e vence as dificuldades.[472] Vamos examinar essas cinco verdades a seguir.

Em primeiro lugar, *a fé vence o medo* (11.23). Numa época em que não havia futuro para os meninos hebreus, os pais de Moisés, Anrão e Joquebede, viam as coisas de forma diferente e olhavam adiante.[473] Moisés nasceu num tempo de opressão política. Os anos se passaram. O povo de Israel se multiplicou na terra do Egito, e o faraó que se levantou passou a tratar o povo de Israel com tirania e crueldade. As crianças nasciam para a morte. Eram devoradas pelas espadas dos soldados ou lançadas no Nilo. Os pais de Moisés não aceitaram a decretação da morte do filho. Não se intimidaram com as ameaças do rei. Traçaram um plano para poupar a vida de Moisés, e esse filho foi levantado por Deus para ser o libertador do povo.

Em segundo lugar, *a fé determina as decisões* (11.24-26). A fé de seus pais tornou-se sua por experiência: Moisés recusou ser filho da filha do faraó (11.24). Moisés preferiu sofrer com o povo de Deus (11.25) e abandonou o Egito (11.27). Numa época em que não havia futuro fora da corte real no Egito, Moisés via as coisas de forma diferente. Via que, a longo prazo, o futuro estava com o povo de Deus e o reino de Cristo.[474]

Moisés buscou seus objetivos espirituais, ainda que essa busca tenha resultado em desdém, escárnio, insulto e desgraça. Moisés escolheu ir da abundância para a pobreza; preferiu a trajetória do sofrimento com o povo de Deus às glórias do Egito. Moisés recusou ser chamado filho da filha do faraó. Preferiu ser maltratado junto com o povo de Deus a usufruir de prazeres transitórios. Considerou o opróbrio de Cristo por maiores riquezas que os tesouros do Egito, porque contemplava o galardão.

Em terceiro lugar, *a fé direciona a visão* (11.27). Henrichsen diz com razão que uma fé inabalável deve ser edificada sobre convicções inabaláveis.[475] No tempo de provas, de nada adiantam as convicções alheias. A primeira pedra angular da nossa fé é ter uma experiência pessoal com

Deus (11.24). A segunda é olhar para a recompensa final, e não para a imediata (11.26). A fé é a capacidade de olhar para o presente à luz da eternidade. Moisés deixou para trás as riquezas, o conforto, o poder e todas as vantagens do Egito. Mesmo sendo alvo da cólera do rei, ele saiu do Egito e permaneceu firme como quem vê aquele que é invisível. Seus olhos estavam em Deus.

Stuart Olyott diz que o Deus invisível era mais real para Moisés do que o ditador de uma superpotência terrena – e ele não demonstrou medo quando teve de confrontar esse ditador com a exigência de que os hebreus fossem libertados da escravidão. Homens e mulheres comuns baseiam os pensamentos quanto ao futuro naquilo que enxergam, esperam ou planejam, e naquilo que as pessoas comuns acham plausível ou factível. Não são assim os crentes. Todos os seus pensamentos quanto ao futuro são regulados pelas promessas de Deus. Eles veem tudo à luz do que ensina a Palavra de Deus. O futuro é tão brilhante quanto as promessas de Deus.[476]

Em quarto lugar, *a fé reconhece o nosso livramento* (11.28). Deus ordenou que Moisés celebrasse a páscoa, e este instruiu o povo a sacrificar o cordeiro e a aspergir seu sangue nos batentes das portas, para que o exterminador não matasse os primogênitos. Os primogênitos de Israel foram libertados da morte pelo sangue do cordeiro. Kistemaker diz corretamente que a festa da Páscoa se tornou o sacramento da Santa Ceia do Senhor. O cordeiro pascal no Novo Testamento era Jesus Cristo, que deu sua vida como o Cordeiro de Deus que tira o pecado do mundo (Jo 1.29; 1Pe 1.19). Cristo Jesus *a si mesmo se deu em resgate por todos* (1Tm 2.6).[477] Os primogênitos hebreus não foram salvos porque eram melhores do que os primogênitos egípcios. Eles foram salvos pelo sangue (Êx 12.13).

Em quinto lugar, *a fé vence as nossas dificuldades* (11.29). Logo que saíram do Egito, o faraó e seus exércitos encurralaram o povo de Israel entre o mar e as montanhas. Eles estavam num beco sem saída, porém Moisés clamou a Deus, que lhes abriu um caminho no meio do mar, e eles passaram salvos e seguros. A fé não morre diante das dificuldades. A fé avança mesmo quando temos o mar à nossa frente e os exércitos inimigos às nossas costas.

A fé praticada na terra prometida – a conquista da fé (11.30,31)

O autor aos Hebreus passa do êxodo à conquista da terra prometida, de Moisés a Josué. Dois fatos são mencionados.

Em primeiro lugar, *a fé que derruba muralhas* (11.30). As muralhas inexpugnáveis de Jericó, a cidade mais antiga do mundo, ruíram pela fé. Essa é a fé da conquista, a fé que desconhece impossibilidades. A fé inabalável abala as estruturas mais sólidas da terra. A fé nas promessas de Deus ergue o brado de vitória e vê o impossível acontecer. Concordo com Donald Guthrie quando ele diz que cercar Jericó durante sete dias exigia uma alta qualidade de fé coletiva, porque parecia completamente fútil aos espectadores pagãos que não tinham ideia alguma daquilo que Deus poderia fazer no seu poder. A fé frequentemente requer a convicção de que Deus pode realizar o que parece ser impossível.[478]

Em segundo lugar, *a fé que recebe salvação* (11.31). Laubach tem razão ao dizer que o caminho da fé não apenas deve ser aberto para Israel, mas também para todo o mundo.[479] Raabe é gentia, pagã e prostituta, mas põe sua confiança em Deus e é salva com sua família. Seu nome aparece na galeria dos heróis da fé e refulge na linhagem do Messias (Mt 1.5).

Wiley acrescenta que não existe prova mais clara da salvação pela fé do que esse acontecimento, que assinala que a salvação é para os gentios também. Raabe posteriormente se casou com Salmom e deu à luz Boaz, que se casou com Rute; o filho desta, Obede, foi o pai de Jessé, e Jessé foi o pai do rei Davi (Mt 1.5,6).[480]

Segundo Calvino, segue desse fato que aqueles a quem pertence a mais elevada excelência são de nenhum valor aos olhos de Deus, a não ser quando avaliados pelo prisma da fé; e, em contrapartida, aqueles que dificilmente teriam um lugar entre os incrédulos e os pagãos são adotados na companhia dos anjos.[481]

As proezas da fé – o preço e a recompensa da fé (11.32-40)

O autor aos Hebreus encerra esse glorioso capítulo sobre a fé tratando de três verdades solenes que ora vamos expor.

Em primeiro lugar, *a fé que experimenta o livramento sobrenatural de Deus* (11.32-35a). Depois de fazer um passeio por vários juízes de Israel, mencionando ainda Davi e Samuel, bem como vários profetas, o autor destaca como esses homens de fé subjugaram reinos, praticaram a justiça, obtiveram promessas, fecharam a boca de leões, extinguiram a violência do fogo e escaparam ao fio da espada, tirando força da fraqueza, fazendo-se poderosos em guerra e pondo em fuga exércitos. Ele menciona, ainda, como mulheres receberam, pela ressurreição, os seus mortos. Essa é uma descrição de uma fé que contempla os milagres, triunfa nas aflições e vê as intervenções soberanas e sobrenaturais de Deus, trazendo poderoso livramento ao seu povo.

Wiley, citando Wescott, classifica esse texto em três jogos de tríades, cada um assinalando um progresso dentro de si próprio e na sucessão dos grupos em direção àquilo que é mais pessoal. O primeiro trio descreve os amplos resultados que os crentes obtiveram: 1) Vitória material (subjugaram reinos); 2) êxito moral no governo (praticaram a justiça); 3) recompensa espiritual (obtiveram promessas). O segundo trio observa formas de libertação pessoal: 1) De animais ferozes (fecharam a boca de leões); 2) de poderes naturais (extinguiram a violência do fogo); 3) da tirania humana (escaparam ao fio da espada). O terceiro trio assinala a consecução de dons pessoais: 1) A origem da força (da fraqueza tiraram forças); 2) o exercício da força (fizeram-se poderosos em guerra); 3) o triunfo da força (puseram em fuga exércitos de estrangeiros).[482]

Com 300 homens, Gideão venceu os exércitos midianitas. Baraque, sob a inspiração de Débora, reuniu 10 mil jovens e derrotou os terríveis e superiores exércitos de Sísera e seus 900 carros de ferro. Sansão lutou sozinho e desbaratou os filisteus, vencendo-os em sua vida e em sua morte. Jefté, filho ilegítimo odiado pelos seus irmãos, escorraçado de casa, deserdado, pela fé se tornou um valente e libertou seu povo das mãos dos amonitas. Davi venceu um urso, um leão, um gigante e exércitos inimigos. Samuel foi fiel a Deus no meio de uma geração que caminhava galopantemente para a apostasia. Daniel viu Deus fechando a boca dos leões. Mesaque, Sadraque e Abede-Nego viram Deus extinguindo a violência do fogo. Elias escapou à ameaça da morte pelas mãos ímpias de Jezabel. Ezequias, da fraqueza, tirou forças, vencendo o poderoso exército de Rabsaqué. Eliseu afugentou os exércitos sírios. A viúva de Sarepta e a mulher de Suném receberam pela fé a ressurreição de seus mortos. Todos esses experimentaram milagres pela fé e viram o livramento de Deus.

A fé demonstrada pelos crentes do passado era uma reprovação à instabilidade espiritual de alguns crentes do presente. Calvino afirma: "Visto que a graça a nós concedida é mais rica, seria um absurdo que nossa fé fosse menor".[483]

Turnbull, imagina um tribunal armado diante dos destinatários dessa carta, que estavam sendo tentados a abandonar sua fé, convocando os heróis da fé para testemunhar diante deles. É como se dissesse:

> Abel, apresente-se diante do tribunal e diga aos meus leitores como a fé o ajudou a vencer. Noé, venha testificar quanto ao poder da fé na sua vida. Abraão, os meus leitores lhe tributam grande veneração; diga-lhes qual foi o segredo da sua vida extraordinária. Moisés, meus leitores estimam seu nome acima de qualquer outro ancestral; queira contar-lhes como a fé foi a força que o capacitou a realizar aquela obra sobre-humana em face de dificuldades insuperáveis. E seguindo aquela relação aparecem Gideão, Baraque, Sansão, Jefté, Davi, Samuel e os profetas – o autor deixa que esses antigos heróis testifiquem, na presença dos leitores da epístola, sobre o poder transcendente da fé.[484]

Em segundo lugar, *a fé que suporta o sofrimento atroz e o martírio sem vacilar* (11.35-38). Depois de destacar que alguns vivem pela fé, o autor aos Hebreus registra que outros morrem pela fé. No versículo 34, ele diz: *Pela fé escaparam do fio da espada* e no versículo 37: *Pela fé morreram pela espada.* Pela fé alguns escapam; pela fé alguns morrem. Deus livra uns da morte pela fé e leva outros mediante a morte também pela fé. As pessoas que receberam milagres não tiveram mais fé nem foram mais piedosas do que aqueles que foram torturados e morreram pela fé. Os dois grupos estão na mesma galeria dos heróis da fé.

O escritor passa a descrever como alguns são torturados pela fé. Outros ainda são escarnecidos e açoitados, suportando algemas e prisões pela sua fé. Há também outros que foram apedrejados, provados, serrados ao meio, mortos ao fio da espada, andando como peregrinos, necessitados, afligidos e maltratados pela fé. Esses homens, mesmo vivendo errantes pelos desertos, pelos montes, covas e antros da terra, são grandes aos olhos de Deus. Esses mártires da fé, humilhados na terra e considerados indignos de viver, são reconhecidos no céu, pessoas das quais o mundo não era digno. Concordo com Donald Guthrie quando ele diz que os homens do mundo, a despeito das suas posses e da sua posição, são tão inferiores que não são dignos de ser comparados com os homens de fé.[485]

É digno de nota que todos os apóstolos de Jesus foram mortos, e mortos pelo viés do martírio. O único que não foi martirizado foi o apóstolo João, e mesmo assim, na velhice, ele foi banido para a ilha de Patmos por ordem do imperador Domiciano. A fé nem sempre nos livra do sofrimento. A fé nem sempre nos poupa da morte. A fé, porém, sempre honra a Deus, e Deus sempre honra os que vivem e morrem pela fé.

Em terceiro lugar, *a fé que espera a concretização da promessa* (11.39,40). Depois de fazer uma peregrinação pela história da redenção e mencionar os grandes heróis da fé, o autor diz que essas pessoas, embora tenham obtido bom testemunho por sua fé, não obtiveram, contudo, a concretização da promessa. Elas não viram o Messias. Não fizeram parte da nova aliança. Não entraram na gloriosa cidade que estavam buscando. Na verdade, nunca tiveram em mãos nenhuma das coisas que haviam firmado o coração. Precisaram aguardar-nos para que, juntos, pudéssemos, então, desfrutar com eles a bem-aventurança eterna. Há aqui um forte elemento de solidariedade por trás dessa ideia. Os fiéis da antiga e da nova alianças estão lado a lado. Quando Jesus voltar em glória, os mortos ressuscitarão e receberão um corpo imortal, incorruptível, poderoso, glorioso, semelhante ao corpo da glória do Senhor Jesus, e, então, todos nós, que estamos em Cristo, entraremos na glória junto com Abraão, Isaque e Jacó. Eles serão aperfeiçoados juntamente conosco e juntos entraremos no reino celestial, porque Deus tem somente um povo, um rebanho, uma família, uma igreja.

Wiley corretamente diz que o propósito de Deus, então, é reunir todas as coisas sob um só cabeça, ao mesmo tempo. Seu propósito é reunir um povo de todos os povos, de todas as línguas e de todas as nações; uma nova nação eleita, a Igreja dos Primogênitos.[486]

Recorro às palavras de Olyott para elucidar ainda mais esse momentoso assunto:

> Isso não lhes foi permitido porque tinham de esperar por nós. Aqueles tempos do Antigo Testamento não eram superiores aos tempos atuais (como parece que pensavam os leitores da carta aos Hebreus); eram inferiores. Não era a vontade de Deus que entrassem em tudo que ansiavam possuir e que nós, crentes neotestamentários, então aparecêssemos como uma espécie de apêndice, como filhos de Deus de segunda classe. Temos visto aquilo que eles não viram. Mas nenhum de nós – quer crentes do Antigo Testamento quer do Novo – chegou a ver a cidade prometida. Entraremos nela juntos, ao mesmo tempo, sem que ninguém entre antes dos outros. Os crentes do Antigo Testamento tinham seu coração fixo no céu e nós também. Ali

> chegaremos de mãos dadas. Portanto, o que é necessário não é uma volta às cerimônias e rituais do Antigo Testamento (como pensavam os leitores originais), e sim que tenhamos fé autêntica. Somente pessoas de fé estarão no céu.[487]

Que lições podemos tirar do estudo desse extraordinário texto das Escrituras? Augustus Nicodemus destaca seis conclusões importantes: 1) É de extremo conforto para nós essas listas de heróis da fé mostrarem pessoas que não eram perfeitas; 2) boa parte desses heróis da fé são pessoas desconhecidas; 3) a fé que essas pessoas tiveram não era um salto no escuro ou um esforço feito para acreditar em algo que não sabiam ser verdadeiro, mas uma confiança firme em Deus e nas suas promessas, ainda que essas promessas apontassem para coisas futuras e invisíveis; 4) a fé nem sempre nos livra de problemas, angústias, sofrimentos e adversidades; 5) a fé, sendo verdadeira, sempre conduz a atitudes, ações e decisões práticas; 6) Deus tem apenas um povo cuja fé é nele, nas suas promessas e na promessa da vinda do Messias.[488] Você, leitor, já possui essa fé?

Notas

[437] Guthrie, Donald, *Hebreus: introdução e comentário*, p. 211.
[438] Henrichsen, Walter A., *Depois do sacrifício*, p. 129.
[439] Wiley, Orton H., *Comentário exaustivo da carta aos Hebreus*, p. 465.
[440] Laubach, Fritz, *Carta aos Hebreus*, p. 181.
[441] Brown, Raymond, *The message of Hebrews*, p. 197.
[442] Olyott, Stuart, *A carta aos Hebreus*, p. 100.
[443] Henrichsen, Walter A., *Depois do sacrifício*, p. 138.

[444] Lopes, Augustus Nicodemus, *Hebreus*, p. 245.
[445] Laubach, Fritz, *Carta aos Hebreus*, p. 182.
[446] Lightfoot, Neil R., *Hebreus*, p. 248-249.
[447] Henrichsen, Walter A., *Depois do sacrifício*, p. 139-140.
[448] Laubach, Fritz, *Carta aos Hebreus*, p. 183.
[449] Lightfoot, Neil R., *Hebreus*, p. 250.
[450] Lopes, Augustus Nicodemus, *Hebreus*, p. 247.
[451] Brown, Raymond, *The message of Hebrews*, p. 201.
[452] Wiley, Orton H., *Comentário exaustivo da carta aos Hebreus*, p. 481.
[453] Ibidem.
[454] Calvino, João, *Hebreus*, p. 287.
[455] Wiley, Orton H., *Comentário exaustivo da carta aos Hebreus*, p. 482.
[456] Brown, Raymond, *The message of Hebrews*, p. 203.
[457] Calvino, João, *Hebreus*, p. 302.
[458] Olyott, Stuart, *A carta aos Hebreus*, p. 103.
[459] Laubach, Fritz, *Carta aos Hebreus*, p. 188.
[460] Guthrie, Donald, *Hebreus: introdução e comentário*, p. 217.
[461] Ibidem.
[462] Olyott, Stuart, *A carta aos Hebreus*, p. 104.
[463] Calvino, João, *Hebreus*, p. 307.
[464] Brown, Raymond, *The message of Hebrews*, p. 211-213.
[465] Laubach, Fritz, *Carta aos Hebreus*, p. 191.
[466] Calvino, João, *Hebreus*, p. 311.
[467] Guthrie, Donald, *Hebreus: introdução e comentário*, p. 222.
[468] Olyott, Stuart, *A carta aos Hebreus*, p. 106.
[469] Kistemaker, Simon, *Hebreus*, p. 468.
[470] Wiersbe, Warren W., *The bible exposition commentary*, vol. 2, p. 319.
[471] Kistemaker, Simon, *Hebreus*, p. 468
[472] Brown, Raymond, *The message of Hebrews*, p. 214-219.
[473] Olyott, Stuart, *A carta aos Hebreus*, p. 107.
[474] Ibidem.
[475] Henrichsen, Walter A., *Depois do sacrifício*, p. 133.
[476] Olyott, Stuart, *A carta aos Hebreus*, p. 107-108.
[477] Kistemaker, Simon, *Hebreus*, p. 479.
[478] Guthrie, Donald, *Hebreus: introdução e comentário*, p. 226-227.
[479] Laubach, Fritz, *Carta aos Hebreus*, p. 195.
[480] Wiley, Orton H., *Comentário exaustivo da carta aos Hebreus*, p. 494.
[481] Calvino, João, *Hebreus*, p. 325.
[482] Wiley, Orton H., *Comentário exaustivo da carta aos Hebreus*, p. 495-496.
[483] Calvino, João, *Hebreus*, p. 334.

[484] Turnbull, M. Ryerson, *Levítico e Hebreus*, p. 154.
[485] Guthrie, Donald, *Hebreus: introdução e comentário*, p. 230.
[486] Wiley, Orton H., *Comentário exaustivo da carta aos Hebreus*, p. 499.
[487] Olyott, Stuart, *A carta aos Hebreus*, p. 109-110.
[488] Lopes, Augustus Nicodemus, *Hebreus*, p. 291-294.

Capítulo 20

A corrida rumo à Jerusalém celestial

(Hb 12.1-29)

Depois de encorajar os crentes hebreus, apresentando-lhes a galeria dos heróis da fé, o autor aos Hebreus mostra que devemos seguir essas mesmas pegadas, pois estamos fazendo uma jornada rumo à Jerusalém celestial. Nessa viagem, temos uma corrida a fazer, obstáculos a vencer, orientações a seguir e ordens a obedecer.

Do mundo dos esportes, o autor toma por empréstimo a imagem dos espectadores, a roupa, a condição dos competidores e a própria competição.[489] Descreve a vida do cristão como a de um atleta que faz uma corrida numa vasta arena, apinhada de espectadores.[490]

É claro que o autor ainda está encorajando os crentes hebreus a não fazerem provisão para voltar para o judaísmo em razão do sofrimento e das perseguições. O único caminho seguro para um cristão é prosseguir e perseverar até o fim. O verdadeiro cristão vive e morre na fé.

William Barclay diz com razão que estamos diante de uma das grandes e eloquentes passagens do Novo Testamento.[491] Esse capítulo pode ser dividido em cinco partes: Uma carreira a percorrer, Uma disciplina a receber, Uma atitude a assumir, Um contraste a compreender e Uma decisão a tomar.

Uma carreira a percorrer (12.1-4)

O escritor lança mão de uma figura do atletismo muito popular tanto na Grécia antiga como na Roma dos césares. Os crentes estão num estádio repleto de testemunhas, para fazer a grande corrida da vida. Nos versículos em tela, segundo William Barclay, o autor nos dá um sumário da vida cristã: ela tem uma meta, uma inspiração, um obstáculo, uma condição, um exemplo e uma presença.[492]

Cinco verdades nos chamam a atenção no texto em apreço.

Em primeiro lugar, *o que devemos considerar* (12.1). *Portanto, também, visto que temos a rodear-nos tão grande nuvem de testemunhas...* A galeria dos heróis da fé não se restringe apenas aos crentes do passado, mas também deve incluir os crentes do presente. O autor coloca-se no mesmo nível dos leitores, pois faz parte da mesma maratona. Aqueles que venceram a corrida estão nas arquibancadas como uma nuvem de testemunhas, como exemplo para nos encorajar a prosseguir.

Concordo com Warren Wiersbe quando ele diz que essa nuvem de testemunhas não testemunha o que nós estamos fazendo, como se fossem nossos espectadores; em vez disso, dá testemunho para nós de que Deus pode ver-nos na corrida e nos fortalecer. Elas são um estímulo para nós. Deus deu testemunho delas (11.2,4,5,39), e elas agora dão testemunho para nós (12.1).[493]

Essas testemunhas estão ao nosso redor porque têm interesse em nossa vitória (11.40). Somos uma só equipe. Elas podem nos encorajar nas mais diversas circunstâncias da vida. Se você estiver enfrentando problemas com sua família, olhe para José do Egito e veja como ele lidou vitoriosamente com a situação. Se você estiver em conflito no seu trabalho, olhe para Moisés e veja como ele superou essas dificuldades. Se você estiver sendo tentado a retaliar, veja como Davi lidou com o problema. Essa nuvem de testemunhas serve de exemplo para nós de como correr vitoriosamente a carreira.

Em segundo lugar, *o que devemos rejeitar* (12.1). *... desembaraçando-nos de todo peso e do pecado que tenazmente nos assedia...* A palavra grega *ogkron,* traduzida por *peso*, significa "embaraço" ou "estorvo". Seu significado primordial é de volume, seja em tamanho, seja em peso.[494] Um corredor não pode ir para a pista de corrida carregando bagagem extra. Peso é tudo aquilo que serve de estorvo e obstáculo ao corredor. É qualquer coisa que o incapacita a correr com desenvoltura. Esse peso pode advir de vestimentas inadequadas para a corrida ou mesmo da falta de forma física do corredor. No caso dos crentes, esse peso pode significar os prazeres da vida, as vantagens do mundo e a fascinação pela riqueza. Henrichsen alerta sobre o fato de que esse peso pode ser o excesso de bagagem que acumulamos, pois, quanto mais possuímos, mais desejamos possuir. O que antes possuíamos, isso agora nos possui. Corremos o risco de transferir nossa dependência de Jesus para nossas posses.[495]

Jesus falou sobre o perigo da sobrecarga provocada por orgia, embriaguez e preocupações deste mundo (Lc 21.34). O apóstolo Paulo falou sobre a necessidade de nos despojarmos de ira, indignação, maldade, maledicência e linguagem obscena (Cl 3.8). Tiago deu ordens para que os crentes se livrassem de toda impureza e acúmulo de maldade (Tg 1.21), e o apóstolo Pedro falou sobre a necessidade de nos livrarmos de toda maldade, hipocrisia, inveja e de toda sorte de maledicência (1Pe 2.1). Augustus Nicodemus é oportuno quando diz que há amizades que são um fardo, assim como há ambientes que você frequenta, determinadas coisas a que você assiste e determinados hábitos que você cultiva. Tudo isso é sobrepeso de que você deve se desvencilhar a fim de poder correr com perseverança a maratona que lhe está proposta.[496]

Mas o maior obstáculo e o principal empecilho na corrida espiritual é o pecado. Calvino diz que o pecado é a carga mais pesada a embaraçar-nos.[497] Talvez um peso não seja necessariamente um pecado em si, mas pode tornar-se um estorvo em nossa carreira cristã. Mas o pecado é maligníssimo em sua essência: engana com suas propostas sedutoras, gruda em nós facilmente como fuligem e nos assedia tenazmente. O pecado é um embuste: doce ao paladar, mas amargo no estômago; promete prazeres, mas produz tormento; promete liberdade, mas escraviza; promete vida, mas acaba matando. É impossível agarrar-se ao pecado e ter boa desenvoltura na corrida!

Em terceiro lugar, *como devemos correr* (12.1). *... corramos, com perseverança, a carreira que nos está proposta*. A palavra grega *agona,* traduzida por *carreira*, da qual vem a palavra "agonia", dá a ideia de um esforço agonizante, ou seja, uma corrida que exige esforço até o ponto da agonia.[498]

A carreira da vida cristã não é uma escolha nossa. Foi proposta para nós pelo próprio Deus. Olyott diz com razão que é nosso Senhor quem nos inscreve na corrida da vida de fé, é ele quem nos receberá na reta final e é ele quem nos acompanha a cada passo da corrida.[499]

Não podemos desistir dessa corrida no meio do caminho. Precisamos seguir em frente com perseverança. Os obstáculos do caminho ou mesmo nossas fraquezas não podem nos tirar da corrida. A palavra grega *hypomone*, traduzida aqui por *perseverança*, traz a ideia de paciência triunfadora, que não apenas prossegue, a despeito das dificuldades, mas caminha celebrando um cântico de triunfo (Tg 1.2). Guthrie acrescenta que a palavra *perseverança* aqui enfatiza a ideia de persistência, de corrida firme até o fim, apesar das dificuldades.[500] Não importa quais sejam os obstáculos do caminho; não importa quantos opositores enfrentemos ao longo da estrada; não importa quão cansados estejamos da extenuante jornada, precisamos estar determinados a continuar, haja o que houver, venha o que vier!

Em quarto lugar, *para quem devemos olhar* (12.2,3). A galeria dos heróis da fé não se encerra no Antigo Testamento. O maior de todos os heróis, nosso máximo modelo e o técnico da nossa corrida é o Senhor Jesus. Ele venceu a corrida. Desceu do céu, esvaziou-se, humilhou-se até a morte, e morte de cruz. Ele enfrentou a oposição dos pecadores, a vergonha e o sofrimento da cruz, pela alegria de nos salvar.

Lightfoot afirma que, da mesma forma que o cristão tem diante de si a carreira proposta, Jesus teve diante dele a alegria proposta.[501] Jesus venceu os obstáculos, derrotou o diabo, triunfou sobre a morte e está assentado à destra do trono de Deus (1.3; 8.1; 10.12; 12.2). É para ele que precisamos olhar quando formos tentados a desistir. É nele que precisamos cravar nossos olhos quando estivermos fatigados, prestes a desmaiar.

O autor aos Hebreus diz que devemos olhar firmemente para Jesus. A palavra grega *ophorontes*, traduzida por *olhando firmemente*, incorpora a ideia de tirar os olhos das coisas que estão perto e desviam a nossa atenção e, conscientemente, fixar os olhos em Jesus, o nosso grande alvo.[502] Essa palavra grega sugere, ainda, a impossibilidade de olhar em duas direções ao mesmo tempo.[503] Isso significa que os competidores empenhados na corrida não podem se distrair. Não devem desperdiçar tempo olhando ao redor ou para trás.

Jesus é o autor e consumador da nossa fé, o autor da nossa salvação (2.10), que, como precursor, entrou no santuário celeste (6.19,20) e abriu para nós *um novo e vivo caminho* que conduz ao santuário (10.20), à própria presença de Deus.

Embora a palavra grega *archegon* possa ter o significado de "fundador" ou "autor", também pode significar "líder" ou "pioneiro". Jesus é aquele que forneceu a inspiração para todos os santos da Antiguidade.[504]

O autor, como um pastor cuidadoso, exorta os crentes a não entrarem na caverna da introspecção, mas a considerarem atentamente Jesus, que, mesmo suportando imensa oposição dos pecadores, concluiu sua obra (12.3). Kistemaker diz corretamente que a introspecção causa cansaço e desencorajamento espiritual, mas olhar para Jesus renova a força cristã e aumenta a coragem. Quando o cristão entende que Jesus enfrentou o ódio dos homens pecaminosos por sua causa, ele deve ter coragem. Assim, seus próprios problemas se tornam mais fáceis de suportar, e ele também será capaz de continuar a corrida que lhe está proposta.[505]

Laubach, nessa mesma linha de pensamento, diz que Jesus poderia ter permanecido junto do Pai na glória. O mundo da paz eterna e da alegria inexprimível era seu ambiente de vida. Mas Jesus empenhou tudo para a nossa remissão. Ele abandonou a existência na glória, fez-se carne e morreu na cruz por nós.[506] Guthrie corrobora dizendo que a ligação de *alegria* com sofrimento em Hebreus 12.2 ecoa um tema constante no Novo Testamento. Até mesmo na véspera da sua paixão, Jesus falava sobre a sua alegria e o seu desejo de que seus discípulos dela participassem (Jo 15.11; 17.13).[507]

Em quinto lugar, *até que ponto devemos ir* (12.4). *Ora, na vossa luta contra o pecado, ainda não tendes resistido até ao sangue*. O autor vai de um esporte a outro, da imagem da corrida ao pugilismo, ou mesmo a uma competição de gladiadores. Ele argumenta com os crentes que as coisas não estavam tão ruins quanto podiam ficar. Eles ainda não haviam chegado a lutar contra o pecado até o sangue. No passado, alguns corredores foram passados ao fio da espada e até cerrados ao meio, e eles ainda não haviam chegado a essa condição.

Examinando esse versículo, Turnbull pergunta: o que levou esses hebreus a retardar a sua marcha na carreira cristã e a sentir saudades do judaísmo? Foi a perseguição que lhes sobreveio por causa da sua fé em Cristo. Por isso, diz o autor em Hebreus 12.4: *Ainda não tendes resistido até o sangue*. O que quer dizer que eles tinham sido severamente perseguidos, porém não até o martírio.[508] Lightfoot afirma que a pergunta implícita é esta: "Por que deveriam eles, quando outros sofreram tanto, render-se à menor pressão sobre a sua fé?"[509]

Uma disciplina a receber (12.5-11)

O escritor aos Hebreus passa da metáfora da corrida e do conflito de gladiadores para a serenidade do lar. O filho está agora na casa de seu pai, onde deve tirar proveito das sábias admoestações e da benigna correção de um pai que o ama.[510] A família é o lugar de treinamento com vistas à maturidade. Nessa corrida rumo à Jerusalém celestial, precisamos de maturidade, e maturidade só se alcança com exercício. A disciplina é uma necessidade vital para aqueles que precisam ter os músculos da alma tonificados. Concordo com Walter Henrichsen quando ele diz que ninguém gosta da mão pesada da disciplina, mas ela vem para o nosso bem, e não para o nosso mal.[511]

Três verdades são aqui destacadas.

Em primeiro lugar, *precisamos relembrar a Palavra de Deus* (12.5,6). Os crentes hebreus eram lentos em ouvir e rápidos em esquecer os preceitos da Palavra de Deus. O autor cita Provérbios 3.11,12 para mostrar que a disciplina não significa ausência de amor, mas uma demonstração de amor paternal. Nessa mesma linha de pensamento, Turnbull diz que o sofrimento deles, em vez de ser uma prova do abandono de Deus, era uma prova de que Deus os considerava como filhos e os estava tratando como tais.[512] Isso levou Calvino a declarar que aqueles que não suportam a disciplina de Deus para a sua salvação, ao contrário, rejeitam esse sinal de sua paternal benevolência, não passam de rematados ingratos.[513]

A disciplina é um privilégio que Deus estende àqueles a quem ama; a disciplina não é estendida aos que não pertencem a Deus. Eles recebem seu julgamento, e não sua disciplina.[514] Nas palavras de Guthrie, "disciplina torna-se sinônimo de filiação".[515]

É claro que disciplina não é castigo. Deus não pune seus filhos, pois já puniu seu Filho na cruz em lugar deles. A ira de Deus que devia cair sobre nossa cabeça foi derramada sobre

Jesus na cruz. Ele foi feito maldição para sermos benditos eternamente. Deus nos disciplina para nos corrigir e nos fortalecer, em vez de nos punir para nos castigar. Deus é como o agricultor que poda a videira para que ela produza mais fruto ainda.

Em segundo lugar, *precisamos atentar para o cuidado paternal de Deus* (12.7-9). O autor faz uma comparação aqui entre a disciplina terrestre e a celeste. Os pais disciplinam os filhos porque os amam. Entregar os filhos à própria sorte ou vontade é arruinar a vida deles (Pv 13.24; 22.15; 23.13; 29.15). Calvino tem razão em dizer:

> Se não há entre os homens, pelo menos entre os prudentes e ajuizados, algum que não corrija a seus filhos, já que estes não podem ser guiados à real virtude sem disciplina, muito menos Deus, que é o melhor e o mais sábio dos pais, negligenciaria um antídoto tão eficaz.[516]

Se os pais que corrigem seus filhos por um breve tempo, e podem errar quanto ao tempo, à intensidade e à motivação da disciplina, fazem isso com amor e para o bem dos filhos, quanto mais o nosso Pai celeste, que nos corrige ao longo da vida, da forma certa, na proporção certa, com a motivação certa e com resultados certos. Nas palavras de Henrichsen, "nosso Pai celeste é sempre exato, consistente e visa o nosso melhor interesse".[517]

As adversidades que enfrentamos são bênçãos disfarçadas, porque por trás dessas dificuldades está nosso Pai amoroso que nos dá o que é melhor.[518] Precisamos sempre olhar além de nossos sofrimentos e entender que Deus está trabalhando por nós, e não contra nós. Concordo com Lightfoot quando ele escreve: "Para suportar corretamente a disciplina, é preciso suportar inteligentemente".[519]

Em terceiro lugar, *precisamos ter convicção do elevado propósito de Deus* (12.10,11). Os pais procuram o que é melhor para seus filhos, mas frequentemente cometem erros. A capacidade deles para educar seus filhos é limitada. Mesmo com as melhores intenções, ainda falham quanto ao método e quanto ao propósito. Os pais frequentemente carecem de sabedoria, pois às vezes usam medidas corretivas severas demais ou, às vezes, as abandonam por completo. Deus, porém, sempre nos disciplina para aproveitamento, a fim de sermos participantes da sua santidade. Deus não desperdiça sofrimento na vida de seus filhos.

Guthrie diz com razão: "Deus nunca aplicará disciplina em demasia nem a negligenciará".[520] Deus nunca erra, sempre disciplina em amor, ao mesmo tempo que nos conforta. Sua disciplina não termina quando chegamos à fase adulta. Por toda a nossa vida terrena, ele nos ensina e jamais nos abandona. Sua paciência conosco parece ilimitada, apesar de nossa falta de progresso.[521]

Turnbull é oportuno quando escreve: "Por que teria de me revoltar quando o meu Senhor está abrindo sulcos profundos na minha alma? Eu sei que ele não é nenhum lavrador indolente. O propósito é conseguir uma boa colheita, arando, assim, a minha vida".[522] Lightfoot corrobora dizendo: "A disciplina de Deus não é uma pedra atirada arbitrariamente na vida humana, mas uma semente".[523]

Em Hebreus 12.11, o autor contrasta a disciplina do presente com os resultados futuros. É claro que, no momento em que a disciplina está sendo aplicada, ela não produz alegria, mas seus frutos são de justiça e paz. O sofrimento que você experimenta é doloroso, mas, quando o período de agonia termina, o resultado será um relacionamento certo com Deus e com os homens.[524] A combinação entre a paz e a justiça é natural, porque nenhuma paz verdadeira pode existir sem a justiça. A paz advém da justiça. Quando o homem fica de bem com Deus, seu coração encontra a paz.[525]

Uma atitude a assumir (12.12-17)

A vara da disciplina pode produzir em nós atitudes de desânimo ou revolta. Por isso, o autor orienta os crentes a assumirem uma atitude certa ante a disciplina. Vejamos.

Em primeiro lugar, *devemos vencer o desânimo* (12.12,13). Há momentos em que, embora a corrida ainda não tenha terminado, ficamos cansados e extenuados, com as mãos descaídas (desânimo) e os joelhos trôpegos (desespero). Nessas horas, precisamos vencer o desânimo, e até mesmo o desespero, e prosseguir, pois essas dificuldades do caminho não são para nos derrotar, mas para nos fazer homens e mulheres maduros, conforme Deus quer.

É claro que de nada adianta fortalecer os joelhos fracos para andar em caminhos errados. Visto que os caminhos naturais usualmente são tortuosos, evitando as dificuldades em vez de enfrentá-las, um caminho certo precisa ser preparado, e isso com certo esforço.[526] Por isso, o autor encoraja os corredores a examinarem cuidadosamente a pista antes de começar a corrida, porque podem existir desníveis que os levem a quedas e acidentes. O corredor corre o risco de torcer o tornozelo e ser desqualificado para a corrida. Alguns corredores são deficientes. Há corredores mancos. Essa é uma expressão que pode ser entendida como duplicidade mental. Foi nesse sentido que o profeta Elias a usou para o povo de Israel (1Rs 18.21). Mesmo os mancos devem persistir, continuar e completar a corrida (12.13).

Vale destacar que não fazemos uma corrida de competição como nos Jogos Olímpicos, mas de cooperação. Somos um corpo, uma família, um só time. Devemos ter cuidado uns pelos outros. Essa é uma ênfase demonstrada em toda a epístola aos Hebreus (3.13; 4.1,11; 6.11).

Em segundo lugar, *devemos manter uma relação certa com Deus e com os homens* (12.14). *Segui a paz com todos e a santificação, sem a qual ninguém verá o Senhor.* Uma vez que Deus é o Deus da paz (13.20), que através do nosso Melquisedeque, o rei da paz (7.2), tem nos trazido da desarmonia para a paz e da alienação para a reconciliação, devemos, em nossos relacionamentos diários, lutar pela paz com todos os homens.[527] É bem verdade que muitos dos nossos problemas vêm das pessoas. Elas nos ferem, nos decepcionam, nos perseguem e testam nossa paciência até o limite. Devemos aproveitar esse tempo para aprender a viver em paz com essas pessoas (Rm 12.18). Não podemos permitir que os outros arranquem nosso coração e nos encham de ódio. Se permitirmos isso, eles terão nos derrotado. Não podemos permitir que os outros determinem como vamos reagir ao que eles nos fazem. Não podemos terceirizar nossos sentimentos. Não podemos caminhar bem quando estamos em guerra com os outros.

De igual modo, não podemos permanecer vitoriosamente na corrida quando nossa alma fica carregada pela fuligem do pecado. A santificação precisa seguir a paz. Olyott diz que na vida existem pensamentos, motivações, atitudes, hábitos, prioridades, amores, ódios, confiança, opiniões e muitas outras coisas que entristecem o Senhor. O progresso em santidade não é opcional, mas uma necessidade absoluta, pois sem ela ninguém verá o Senhor.[528]

Tanto a paz quanto a santificação precisam ser buscadas se quisermos completar nossa carreira. Essa paz requer esforço. A união entre paz e santificação aqui é uma advertência implícita de que não devemos buscar a paz a ponto de comprometer a santificação. O cristão busca a paz com todos, mas busca a santidade também, e esta não pode ser sacrificada por aquela.[529]

Em terceiro lugar, *devemos permanecer na graça de Deus* (12.15). Raymond Brown está correto quando diz que os crentes hebreus começaram sua vida de fé somente pela graça salvadora de Deus e somente pela graça poderiam continuar.[530] Um crente faltoso, porém, aparta-se da graça de Deus. Somos salvos pela graça e devemos continuar firmes na graça. A graça é o ambiente no qual se desenvolve nossa corrida. A graça de Deus representa aqui todos os benefícios que Deus tem fornecido ao seu povo.

Em quarto lugar, *devemos nos prevenir contra a raiz de amargura* (12.15b). Com essa imagem tomada da agricultura, o autor olha para a igreja e compara uma pessoa que perdeu a graça de Deus (e se desviou) a uma raiz amarga. Essa figura é tirada, sem sombra de dúvida, de Deuteronômio 29.18: *Para que, entre vós, não haja homem, nem mulher, nem família, nem tribo cujo coração, hoje, se desvie do SENHOR, nosso Deus, e vá servir aos deuses destas nações; para que não haja entre vós raiz que produza erva venenosa e amarga*. Essa pessoa que abandona a fé e passa a servir a outros deuses causa problemas no meio do povo de Deus ao perturbar a paz. Com palavras amargas, ela priva os crentes de santidade.[531] A amargura perturba quem a nutre e contamina as pessoas à sua volta. Concordo com Henrichsen quando ele diz que a pessoa amarga não só prejudica a si própria, mas o câncer se espalha pela vida dos outros, fazendo com que muitos sejam contaminados. Outras pessoas são atraídas ao problema e forçadas a tomar partido, semeando-se a discórdia entre os irmãos.[532]

É claro que a amargura se relaciona, também, ao ressentimento, à mágoa, ao congelamento da ira, ao desejo de vingança. Uma pessoa amargurada vive perturbada. Não tem paz. Está em conflito consigo mesma. Tudo ao seu redor fica cinzento. Há um breu em sua alma. Há um tufão em sua mente. Há uma tempestade em seu coração. Essa pessoa, além de viver perturbada pelo vendaval de seu próprio coração, ainda contamina as pessoas à sua volta. Ela *destila* o seu veneno. Espalha o seu mau humor. Deixa vazar pelos poros da alma todo o seu azedume.

Em quinto lugar, *devemos valorizar os privilégios espirituais* (12.16,17). Aquele que ama qualquer coisa do que a bênção do Senhor está liquidado, diz Olyott.[533] Esaú foi um homem impuro e profano (Gn 25.29-34; 27.30-40). A palavra grega *bebelos,* traduzida por *profano*, literalmente quer dizer franqueado à passagem, em contraste com consagrado a Deus. Significa ter as coisas santas por comuns ou irreligiosas.[534] Esaú fez deliberadamente escolhas erradas que geraram consequências para ele e sua família. Ele se casou com mulheres cananeias, fonte de sofrimento para seus pais (Gn 26.35). Quando mais tarde percebeu o sofrimento dos pais, ele se casou ainda com Maalate, filha de Ismael, filho de Abraão (Gn 28.9), com o propósito de espicaçar ainda mais seus progenitores.

Esaú desprezou o seu direito de primogenitura, trocando-o por um prato de comida. Deu mais valor ao estômago que às realidades espirituais. Demonstrou total indiferença às promessas espirituais que Deus havia concedido a seu avô Abraão e a seu pai, Isaque.

Esaú também demonstrou um arrependimento tardio (12.17). Esse é um perigo para o qual a carta aos Hebreus sempre nos alertou. Desviar-se de Deus é assaz desastroso

(3.12). Os israelitas rebeldes, por descrença, morreram no deserto (3.16-19). Alguns de seus próprios contemporâneos, mesmo fazendo parte da igreja visível, recebendo os sacramentos e desfrutando das benesses espirituais, se desviaram a ponto de seu retorno ser impossível (6.4-6; 10.26-31). Agora, o autor menciona o exemplo de Esaú, que desprezou os privilégios espirituais e cruzou aquela linha invisível do ponto sem retorno. De nada adiantava sentir remorso, pesar, verter lágrimas, fazer súplicas ou desejar aquilo que desprezara e perdera. Nada podia trazê-lo de volta.[535]

Concordo com Kistemaker quando ele destaca que, de acordo com Gênesis, Esaú não demonstrou sinal algum de penitência, somente raiva para com seu irmão, Jacó. Portanto, com suas lágrimas ele buscou somente a bênção, mas não o arrependimento. A descrença conduz ao endurecimento do coração e à apostasia.[536]

Um contraste a compreender (12.18-24)

Chegamos agora ao que podemos chamar de clímax dessa epístola. Nos versículos 18 a 24, o autor explica que o cristianismo é superior ao judaísmo e, nos versículos 25 a 29, enfatiza que, quanto mais altos os privilégios, maiores serão as responsabilidades.[537] Esse texto é o grandioso final da série de exortações que visa encorajar os cristãos a se manterem firmes em sua confissão.[538] Assim, mais uma vez, o autor retorna ao tema predominante de sua carta e mostra a grande supremacia das dádivas da nova aliança em relação àquilo que foi concedido a Israel.[539] O autor contrasta, aqui, o monte Sinai com o monte Sião, a lei com a graça, a antiga aliança com a nova aliança.

Duas verdades são aqui destacadas.

Em primeiro lugar, *devemos olhar para cima e contemplar a Jerusalém celestial* (12.18-24). Embora o nome do monte não seja aqui mencionado, sabemos que se trata do Sinai. Voltemos, portanto, nossos olhos para o monte Sinai (12.18-21). Esse relato pode ser visto em Êxodo (19.9-25; 20.18-21), e Deuteronômio (4.10-24; 5.22-27).

A descrição do Sinai flamejante enfatiza seu aspecto físico: o fogo, as trevas, a tempestade, o clangor da trombeta. Para Turnbull, o que mais impressiona nessa cena aterradora do Sinai fumegando é a absoluta majestade de Deus e a absoluta inacessibilidade de Deus. Ele se encontra no cume do monte, no meio do fogo, da fumaça, da forte escuridão e do ruído aterrador, enquanto o povo, abalado pelo terror, nem sequer ousava tocar o pé do monte sob pena de morte. De que maneira mais dramática podia Deus ter indicado a sua inacessibilidade ao povo? Debaixo do velho concerto, diz o autor, a presença de Deus está cercada das mais tremendas ameaças, de modo que ninguém ousaria aproximar-se.[540]

Nas palavras de Henrichsen, "a lei do Sinai produziu um relacionamento de medo".[541] Duas coisas são destacadas nessa cena terrificante do Sinai: a voz divina era esmagadora, e a presença de Deus era inacessível.[542]

Wiley, citando Henry Cowles, faz uma descrição vívida desse cenário:

> Naquele dia portentoso, quando todo Israel [...] postou-se em frente de sua vasta muralha de rocha escarpada e terrível precipício, ardia ele em fogo envolto em trevas e escuridão e tempestade – como se mil nuvens trovejantes estivessem condensadas numa só e esta cingisse a montanha terrível em suas dobras, trevas aterradoras interrompidas apenas pelo clarão do relâmpago; e o fragor contínuo da tempestade interrompido apenas pelo clangor mais terrífico e a voz mais terrível

> do Todo-poderoso pronunciando as palavras de sua lei de fogo. Ali se postavam os homens aterrados por aquela voz jamais ouvida por mortais e suplicavam que não se lhes falasse mais.[543]

No Sinai, Deus falava com voz audível, inteligível, e o povo apavorado implorava que ele passasse a falar somente através de um mediador. Até mesmo Moisés teve medo e tremeu. Até mesmo se um animal se aproximasse, seria morto![544]

Agora, em contraste, voltemos nossos olhos para o monte Sião (12.22-24). Enquanto o velho concerto impedia que o homem chegasse à presença de Deus, o novo concerto nos leva para dentro do próprio céu, à presença dos anjos e dos mortos bem-aventurados, à presença de Deus e do seu Filho, cujo sangue possibilitou a nossa entrada (Ap 7.15-17; 21.2-4). Debaixo do velho concerto, temos o terror, o juízo, a completa separação da presença de Deus; debaixo do novo concerto, porém, temos a suprema manifestação da graça divina e a vida na imediata presença de Deus. Portanto, convinha-lhes romper com tudo quanto os prendia no judaísmo e aceitar o cristianismo de modo pleno e final. É assim que o autor argumenta com seus leitores.[545]

Olyott prossegue nessa mesma trilha de pensamento dizendo que o evangelho é terno e gracioso: convida-nos a chegar com intrepidez ao trono da graça (4.16) e aproximar-nos (10.22). Em contraste com as exclusões do Sinai, o evangelho nos fala de acesso. Em vez de uma voz aterrorizante, assegura-nos que Deus pode ser conhecido como Pai celestial.[546] Agora, Deus não é inabordável nem inspirador de temor. Ele habita no meio de uma sociedade de adoradores.[547]

O texto em tela faz uma lista do que aguarda o cristão: 1) A Jerusalém celestial; 2) a incontável hoste de anjos; 3) a universal assembleia, ou seja, a igreja dos primogênitos; 4) Deus como juiz de todos; 5) os espíritos dos justos aperfeiçoados; 6) Jesus, o Mediador da nova aliança.

A Jerusalém celestial está acima da Jerusalém terrestre, porque o pecado e a morte são banidos eternamente do céu. Abraão já aguardava a cidade que tem fundamentos, da qual Deus é o arquiteto e edificador (11.10). Essa cidade é a habitação de incontáveis hostes de anjos (Ap 5.11). Essa cidade é a habitação dos remidos de Deus, daqueles que foram declarados justos pelo reto e justo juiz. Esta cidade é o lar de todos aqueles que já partiram desde Abel. Todos os crentes, tanto do Antigo como do Novo Testamentos, que morreram na fé, foram aperfeiçoados e entraram na glória.

Kistemaker elucida esse ponto ao mostrar a relação entre os santos da terra e os santos do céu. Os santos na glória foram aperfeiçoados, porque estão livres do pecado. A alma deles é perfeita; o corpo deles espera pelo dia da ressurreição. Em princípio, os crentes na terra compartilham da perfeição que Cristo dá a seu povo. Eles se alegram na esperança de se unirem à assembleia dos santos no céu. Quando a morte ocorre, o crente obtém o cumprimento da obra expiatória de Cristo (2.10).[548]

Olyott ainda esclarece:

> Quando viemos a Cristo, não fomos ao Sinai, mas a Sião. Fomos à própria habitação de Deus. Os judeus achavam que Jerusalém era o lugar onde se encontrava a presença de Deus, mas o autor aos Hebreus não estava falando de uma cidade terrena (12.22). Temos de nos lembrar que a Jerusalém do Antigo Testamento só tinha

> importância como retrato de uma realidade celestial. Se a peregrinação à Jerusalém terrena era feita com alegria, a procissão dos crentes em sua peregrinação espiritual é ainda muito melhor. Acompanhada e cercada de "multidão inumerável de anjos", consiste na vasta família daqueles cujos nomes estão escritos no céu, que têm Jesus como chefe da família e irmão primogênito. Ele é o Mediador da nova aliança (12.24), por meio de quem entramos naquilo que jamais poderíamos obter se, como os judeus, dependêssemos de uma aliança de obras. Viemos por seu sangue, que não clama por vingança como o sangue de Abel, mas fala de perdão, absolvição, acesso e paz com Deus, fala-nos de boas-vindas.[549]

Em segundo lugar, *devemos olhar para a frente e aguardar o reino inabalável* (12.25-29). Chegamos agora à última e mais temível de todas as advertências contra a apostasia encontradas na epístola aos Hebreus.[550] Há um contraste direto entre a voz sobre a terra e a advertência dos céus.[551]

Em face do exposto, uma pergunta ainda se faz necessária: e se os crentes hebreus se recusarem a permanecer fiéis a Cristo, insistindo em voltar para o judaísmo, o que lhes acontecerá? A resposta está nos versículos sendo expostos (12.25-29). Quão terrível é esse aviso! Tapar os ouvidos à advertência divina é lavrar a própria sentença de derrota.

O povo de Deus sofreu severas consequências de sua rebeldia nas mãos de seus inimigos, culminando com a queda de Jerusalém. Esse foi o destino daqueles que foram avisados "sobre a terra", isto é, avisados da parte de Deus de cima do monte Sinai. Quão mais severo será o destino daqueles que dão as costas para aquele que *dos céus nos adverte*. A única esperança que restava para os crentes hebreus que estavam pensando em voltar para o judaísmo era permanecerem fiéis ao reino de Cristo, um reino inabalável, que não pode se mover, o único que subsistirá quando Deus abalar tanto a terra como o céu.[552]

Quando a lei foi dada no Sinai, a terra tremeu (Êx 19.18; Sl 68.8; 77.18; 114.7), mas chegará o dia em que não só a terra tremerá, mas Deus fará abalar também o céu (2.26; Ag 2.6; 2Pe 3.7-12). O dia de sua aparição será acompanhado de gigantescas catástrofes sísmicas (Mt 24.29; 2Pe 3.10; Ap 6.12; 8.5; 11.13; 16.18). Nesse dia, haverá a remoção dessas coisas abaladas, para que só as coisas inabaláveis permaneçam (12.27). Esse dia trará consigo a definitiva revelação visível da glória de Deus. Então haverá novos céus e nova terra (Ap 21.1). Nós, que recebemos esse reino inabalável (12.28), devemos reter a graça, pela qual devemos servir a Deus de modo agradável, com reverência e santo temor, porque o nosso Deus é fogo consumidor (12.29). Calvino tem razão ao dizer que, assim como o autor já nos apresentou a graça de Deus em sua doçura, ele agora declara sua severidade. A graça divina nunca nos é prometida sem ser acompanhada por ameaças.[553]

Uma decisão a tomar (12.25-29)

Essa passagem deve não apenas levar-nos a uma contemplação das coisas por vir, mas nos motivar, sobretudo, a uma resposta imediata de obediência, confiança e reverência. Vamos tratar, então, dessas três decisões.

Em primeiro lugar, *devemos ser obedientes* (12.25). Não podemos recusar aquele que fala desde o céu. Essa epístola começa dizendo que Deus existe e fala. Ele tem falado muitas vezes, de muitas maneiras, aos pais, pelos profetas. Agora, ele nos falou finalmente pelo Filho (1.1). Deus continua falando, e sua voz é poderosa. Sua voz despede chamas de fogo. Sua voz é irresistível. Não ouvi-la é insensatez. Ouvi-la e não obedecer é loucura.

Em segundo lugar, *devemos ser confiantes* (12.26,27). A descrição dos eventos do monte Sinai é aqui associada à profecia de Ageu 2.6 acerca dos últimos dias. Nos dias de Moisés, a montanha do Sinai foi abalada, mas, no grande dia da volta de Cristo, toda a terra e os céus serão abalados e removidos. O povo de Deus pertence a essa ordem daquilo que não será abalado nem removido (1.11,12). Os cristãos vivem num mundo abalado, mas não temem porque seus olhos estão no horizonte além, aguardando o reino inabalável. Mesmo conscientes de que vivem num mundo de instabilidade política, pressões sociais, crises econômicas, apostasia religiosa, sofrimentos físicos e decadência moral, eles não se desesperam. Sua confiança está em Deus, em quem eles permanecem firmes e inabaláveis.[554]

Em terceiro lugar, *devemos ser reverentes* (12.28,29). A confiança inabalável que temos em relação ao futuro não deve nos levar a uma postura de arrogância, mas de humildade, temor e reverência. Devemos viver numa atitude de grata adoração. Oh, quão glorioso amor é esse que levou o Deus santíssimo a se fazer conhecido de homens pecadores! O fogo do Sinai extinguiu-se e é uma coisa passada, mas o ardente fogo da santidade de Deus, bem como seu zelo e seu amor, jamais serão extinguidos. O crente sabe que, ante a santa presença de Deus, seus pecados são expostos, mas também se regozija porque, pela misericórdia divina, esses pecados são definitivamente apagados.[555]

Notas

[489] Kistemaker, Simon, *Hebreus*, p. 512.
[490] Henrichsen, Walter A., *Depois do sacrifício*, p. 146.
[491] Barclay, William, *Hebreos,* 1973, p. 178.
[492] Ibidem.
[493] Wiersbe, Warren W., *The bible exposition commentary*, vol. 2, p. 322.
[494] Wiley, Orton H., *Comentário exaustivo da carta aos Hebreus*, p. 505.
[495] Henrichsen, Walter A., *Depois do sacrifício*, p. 147.
[496] Lopes, Augustus Nicodemus, *Hebreus*, p. 301.
[497] Calvino, João, *Hebreus*, p. 337.
[498] Lopes, Augustus Nicodemus, *Hebreus*, p. 298.
[499] Olyott, Stuart, *A carta aos Hebreus*, p. 115.
[500] Guthrie, Donald, *Hebreus: introdução e comentário*, p. 233.
[501] Lightfoot, Neil R, *Hebreus*, p. 280.
[502] Wiley, Orton H., *Comentário exaustivo da carta aos Hebreus*, p. 508.
[503] Guthrie, Donald, *Hebreus: introdução e comentário*, p. 234.
[504] Ibidem.
[505] Kistemaker, Simon, *Hebreus*, p. 518.
[506] Laubach, Fritz, *Carta aos Hebreus*, p. 206.
[507] Guthrie, Donald, *Hebreus: introdução e comentário*, p. 234.
[508] Turnbull, M. Ryerson, *Levítico e Hebreus*, p. 157.
[509] Lightfoot, Neil R., *Hebreus*, p. 283.
[510] Wiley, Orton H., *Comentário exaustivo da carta aos Hebreus*, p. 512.
[511] Henrichsen, Walter A., *Depois do sacrifício,* 1985, p. 148.
[512] Turnbull, M. Ryerson, *Levítico e Hebreus*, p. 158.
[513] Calvino, João, *Hebreus*, p. 341.
[514] Kistemaker, Simon, *Hebreus*, p. 524-525.
[515] Guthrie, Donald, *Hebreus: introdução e comentário*, p. 237.
[516] Calvino, João, *Hebreus*, p. 342.
[517] Henrichsen, Walter A., *Depois do sacrifício*, p. 149.
[518] Kistemaker, Simon, *Hebreus*, p. 527.
[519] Lightfoot, Neil R., *Hebreus*, p. 284.
[520] Guthrie, Donald, *Hebreus: introdução e comentário*, p. 238.
[521] Kistemaker, Simon, *Hebreus*, p. 531.
[522] Turnbull, M. Ryerson, *Levítico e Hebreus*, p. 158-159.
[523] Lightfoot, Neil R., *Hebreus*, p. 286.
[524] Kistemaker, Simon, *Hebreus*, p. 532.
[525] Guthrie, Donald, *Hebreus: introdução e comentário*, p. 239.

[526] Guthrie, Donald, *Hebreus: introdução e comentário*, p. 240.
[527] Hughes, Philip Edgcumbe, *A commentary on the epistle to the Hebrews*, 1977, p. 536.
[528] Olyott, Stuart, *A carta aos Hebreus*, p. 120-121.
[529] Wiley, Orton H., *Comentário exaustivo da carta aos Hebreus*, p. 518.
[530] Brown, Raymond, *The message of Hebrews*, p. 238.
[531] Kistemaker, Simon, *Hebreus*, p. 542.
[532] Henrichsen, Walter A., *Depois do sacrifício*, p. 150.
[533] Olyott, Stuart, *A carta aos Hebreus*, p. 121.
[534] Wiley, Orton H., *Comentário exaustivo da carta aos Hebreus*, p. 520-521.
[535] Olyott, Stuart, *A carta aos Hebreus*, p. 121.
[536] Kistemaker, Simon, *Hebreus*, p. 544.
[537] Olyott, Stuart, *A carta aos Hebreus*, p. 122.
[538] Wiley, Orton H., *Comentário exaustivo da carta aos Hebreus*, p. 522.
[539] Laubach, Fritz, *Carta aos Hebreus*, p. 215.
[540] Turnbull, M. Ryerson, *Levítico e Hebreus*, p. 160.
[541] Henrichsen, Walter A., *Depois do sacrifício*, p. 154.
[542] Brown, Raymond, *The message of Hebrews*, p. 243.
[543] Wiley, Orton H., *Comentário exaustivo da carta aos Hebreus*, p. 524.
[544] Olyott, Stuart, *Levítico e Hebreus*, p. 123.
[545] Turnbull, M. Ryerson, *Levítico e Hebreus*, p. 160.
[546] Olyott, Stuart, *A carta aos Hebreus*, p. 123.
[547] Guthrie, Donald, *Hebreus: introdução e comentário*, p. 245.
[548] Kistemaker, Simon, *Hebreus*, p. 554-555.
[549] Olyott, Stuart, *A carta aos Hebreus*, p. 123-124.
[550] Wiley, Orton H., *Comentário exaustivo da carta aos Hebreus*, p. 531.
[551] Guthrie, Donald, *Hebreus: introdução e comentário*, p. 247.
[552] Turnbull, M. Ryerson, *Levítico e Hebreus*, p. 160.
[553] Calvino, João, *Hebreus*, p. 365.
[554] Brown, Raymond, *The message of Hebrews*, p. 246.
[555] Ibidem, p. 246,247.

Capítulo 21

As evidências de uma vida transformada

(Hb 13.1-25)

O AUTOR ESTÁ CONCLUINDO sua epístola e, nessa parte final, mostra como o verdadeiro cristianismo pode ser conhecido de forma prática. A sã doutrina sempre desemboca em vida transformada. A teologia é mãe da ética. O que cremos determina o que fazemos. Warren Wiersbe diz, acertadamente, que na Bíblia não há divisão entre doutrina e dever, entre revelação e responsabilidade. Elas caminham sempre juntas.[556]

Quais são as características de uma vida transformada?

Uma vida transformada é conhecida por sua conduta exemplar (13.1-6)

O autor destaca três áreas em que devemos demonstrar nosso testemunho como cristãos: no trato com o nosso próximo, no relacionamento conjugal e na maneira como lidamos com o dinheiro. Um cristão é alguém que cuida do próximo, respeita o cônjuge e se contenta com o que tem. Examinemos essas três áreas.

Em primeiro lugar, *em relação ao próximo* (13.1-3). Nosso amor a Deus deve ser provado por nosso amor ao próximo. O apóstolo João afirma: *Aquele que não ama a seu irmão, a quem vê, não pode amar a Deus, a quem não vê* (1Jo 4.20). Aquilo em que cremos precisa influenciar aquilo que praticamos. O autor destaca três áreas da nossa atitude exemplar em relação ao próximo:

Primeiro, *amor fraternal* (13.1). *Seja constante o amor fraternal.* A palavra *amor* usada aqui não é *agape*, mas *philadelphia*, "amor de irmão de sangue". Eles já tinham mostrado esse amor no passado, servindo aos santos e tendo compaixão pelos irmãos afligidos (6.10; 10.33,34). Esse mesmo tipo de amor é recomendado tanto por Paulo (Rm 12.10; 1Ts 4.9,10) como por Pedro (1Pe 1.22; 2Pe 1.7). O autor aos Hebreus está dizendo que devemos considerar-nos uns aos outros não apenas como santos irmãos (3.1), mas também como amados irmãos (13.1).

Raymond Brown escreve: "Se os crentes pertencem à mesma família, então o amor do Pai deve ser expresso em sua vida".[557] Isso porque a igreja não é uma organização nem um clube, mas uma fraternidade.[558] Calvino chega a dizer: "Não podemos ser cristãos sem que sejamos irmãos".[559] De que forma se manifesta o amor *philadelphia*? Amamos nossos irmãos de sangue como amamos a nós mesmos. Nosso amor por eles não é apenas por causa de seus méritos, mas apesar de seus deméritos; não apenas por causa de suas virtudes, mas a despeito de suas fraquezas.

O amor *philadelphia* precisa ser constante, e não apenas em algumas ocasiões ou circunstâncias especiais. É oportuna a recomendação de Raymond Brown: "O amor cristão não deve se degenerar em mera emoção piedosa, mas deve ser expresso em contínuo cuidado prático".[560] Por isso, Calvino alerta: "Nada evapora mais facilmente do que o amor, quando cada um pensa de si mesmo mais do que convém e quando pensa menos nos outros do que deveria".[561]

Segundo, *hospitalidade* (13.2). *Não negligencieis a hospitalidade, pois alguns, praticando-a, sem o saber acolheram anjos.* Onde há verdadeiro amor cristão, aí também há hospitalidade. O amor não se limita a palavras, mas demonstra sua realidade através de obras compassivas. Uma das expressões do amor fraternal é a hospitalidade. O cristão é alguém que tem o coração, as mãos, o bolso e a casa abertos. Donald Guthrie diz que, no Oriente Médio, a hospitalidade é um meio de amizade. Convidar uma pessoa para uma refeição é oferecer-lhe comunhão.[562] Por isso, Barclay afirma que o cristianismo deve ser a religião de portas abertas.[563]

Por que a hospitalidade era tão importante naquele tempo? Porque no primeiro século os cristãos foram perseguidos e muitos precisavam fugir de sua cidade (At 8.1; 18.2); outros perdiam seus bens (10.34) e andavam foragidos pelo Império Romano a fim de salvar a própria vida. Os irmãos crentes abriam suas casas a esses fugitivos, colocando em risco sua própria segurança. Os irmãos perseguidos precisavam de um lar hospitaleiro para acolhê-los tanto em seu deslocamento como em suas urgentes necessidades. Também os evangelistas e pregadores itinerantes dependiam da hospitalidade dos crentes para cumprirem sua agenda de pregação e pastoreio (3Jo 5-8). Outrossim, as pensões e hospedarias no primeiro século eram raras, caras, sujas e mal-afamadas.[564] Por essas razões, os crentes precisavam ter o coração aberto e a casa aberta para acolher irmãos que eles nem conheciam. A palavra grega *philoxenia,* traduzida por *hospitalidade*, significa literalmente "amor ao estrangeiro". A mesma ideia ocorre em Romanos 12.13. A hospitalidade é uma das qualidades requeridas do presbítero (1Tm 3.2; Tt 1.8) e das viúvas (1Tm 5.10). O apóstolo Pedro também recomendou a mesma prática (1Pe 4.9).

O autor ainda mostra que a hospitalidade abençoa não apenas quem é recebido, mas sobretudo quem recebe, pois alguns nessa prática, sem o saber, hospedaram anjos, como aconteceu com Abraão e Ló (Gn 18.1-5; 19.1-22). Quem pode saber quem será o nosso próximo hóspede ou que bênçãos resultarão dessa visita? Esses hóspedes podem trazer mais bênçãos espirituais que a ajuda material que receberam.

Concordo com Henrichsen quando ele diz que o escritor não está sugerindo que demos guarida a estranhos, na esperança de uma visita angelical, mas, sim, que abrindo nosso lar a estranhos podemos ser abençoados como o foram aqueles do Antigo Testamento que receberam a visita de anjos.[565] É digno de nota que aqueles que abrem sua casa para receber o forasteiro hospedam não apenas anjos, mas também o próprio Senhor Jesus (Mt 25.34-40). Por outro lado, os crentes precisam de discernimento para que, em nome da hospitalidade, não transgridam os preceitos divinos, recebendo em casa aqueles que são pregoeiros de falsas doutrinas (2Jo 10,11).

Terceiro, *compaixão* (13.3). *Lembrai-vos dos encarcerados, como se presos com eles, dos que sofrem maus-tratos, como se, com efeito, vós mesmos em pessoa, fôsseis os maltratados.* Agora, o autor passa da ideia de abrir a casa a fim de receber forasteiros e itinerantes, para sair de casa a fim de visitar os encarcerados e os que sofrem maus-tratos, colocando-se no lugar deles e levando, assim, não apenas simpatia, mas também ajuda. Vale destacar que, naquele tempo, os crentes já estavam sofrendo por causa de sua fé (10.34). Ainda hoje, irmãos em muitas nações fechadas ao evangelho estão presos e sofrem torturas por causa de sua fé. Não podemos nos esquecer dessas pessoas!

O apóstolo Paulo dá o seu testemunho, mostrando como em suas várias prisões, por causa do evangelho, ele recebeu o cuidado e ajuda de irmãos e amigos, que cuidaram dele e supriram suas necessidades (At 24.23; 27.3; 28.10,16,30; Fp 4.12; 2Tm 1.16; 4.13,21).

A compaixão significa que devemos considerar os problemas alheios como nossos. Calvino reforça essa ideia quando escreve: "Não há nada que nos mova ao mais profundo senso de compaixão do que nos pormos no lugar daqueles que são afligidos".[566] O apóstolo Paulo escreveu: *Se um membro do corpo sofre, todos sofrem com ele* (1Co 12.26). A melhor maneira de lidar com o sofrimento do outro é permitindo que ele lateje debaixo de nossa própria pele e sentindo-o como se estivesse dentro da nossa própria família. Olyott assim expressa essa ideia:

> Se hoje eu soubesse que meu irmão de sangue está preso, o que eu faria? Imediatamente pensaria em como ele se sentiria. Pensaria

> no que estaria precisando, fosse ajuda, cartas, uma visita, roupas, papel, livros, o que fosse. Pensaria em seguida em seus entes queridos – esposa, filhos, parentes próximos, amigos – e passaria a telefonar-lhes, visitá-los, suprir suas necessidades, passear com eles. Minha mente estaria cheia de pensamentos amáveis e práticos.[567]

Um dos maiores estímulos ao amor prático demonstrado na assistência a um enfermo, prisioneiro ou necessitado é que, ao socorrermos essas pessoas, estamos fazendo isso ao próprio Jesus (Mt 24.34-40).

Em segundo lugar, *em relação ao cônjuge* (13.4). *Digno de honra entre todos seja o matrimônio, bem como o leito sem mácula; porque Deus julgará os impuros e adúlteros.* O lar é o primeiro lugar onde o amor cristão deve ser praticado. Lealdade e pureza devem ser o oxigênio do casamento. No primeiro século, o casamento não era tido em alta conta, seja pela influência da cultura pagã, altamente rendida à depravação moral, seja pela influência do ascetismo, que motivava as pessoas a fugirem dos prazeres da vida.

Calvino entende que, quando o autor diz *digno de honra entre todos seja o matrimônio*, está deixando claro que não há nenhuma classe humana à qual se deva proibir o matrimônio. O que Deus permitiu à raça humana, universalmente, é lícito a todos, sem exceção.[568] O celibato compulsório não encontra amparo nas Escrituras.

É claro que o autor da epístola teve como objetivo transmitir uma advertência contra a depreciação do casamento pela imoralidade e também contra certa classe de gnósticos, os quais, por causa de suas tendências ascéticas, tinham o casamento em pouca estima ou o proibiam totalmente (1Tm 4.3).[569]

Os impuros e adúlteros são mencionados separadamente no texto porque a língua grega faz uma distinção entre ambos. Adultério (*moicheia*) indica infidelidade por parte de pessoas casadas, e impureza (*porneia*) é de natureza mais geral e inclui toda sorte de vícios e anormalidades sexuais.[570]

Hoje, mais que em qualquer outro tempo, vemos uma conspiração deliberada contra o casamento e a pureza sexual. A decadência moral chegou ao fundo do poço. A inversão de valores é gritante. Os heterossexuais estão se abstendo do casamento ou fugindo dele pelas largas portas do divórcio, enquanto os homossexuais lutam para legitimar o "casamento" homoafetivo. O casamento heterossexual, monogâmico e monossomático, conforme instituído por Deus (Gn 2.24), está sendo escarnecido e tratado como instituição ultrapassada. Nesse contexto de perversão moral sem precedentes, o imperativo divino é absolutamente oportuno: *Digno de honra entre todos seja o matrimônio, bem como o leito sem mácula; porque Deus julgará os impuros e adúlteros.*

Três verdades são ensinadas aqui.

O matrimônio é honroso. O autor diz que o casamento deve ser visto como algo honroso não somente para os cristãos, mas para todas as pessoas, indistintamente. O matrimônio não foi invenção humana, mas instituição divina. Não nasceu no coração do homem, mas no coração de Deus. Foi Deus quem disse: *Não é bom que o homem esteja só* (Gn 2.18).

O matrimônio exige um relacionamento sexual puro. O leito conjugal precisa ser sem mácula. O termo *leito* aqui vem de uma palavra grega que significa "coito", "relação sexual". Lightfoot corrobora essa ideia quando explica que *leito*, aqui, é um eufemismo para a intimidade física do casamento.[571] O que o texto está ensinando é que o relacionamento sexual é uma bênção a ser desfrutada no casamento, e não antes ou fora dele. Mais ainda, o texto deixa claro que marido e mulher não podem levar para sua intimidade sexual, no leito conjugal, nenhuma prática que destoe da santidade da relação sexual. Num tempo em que a pornografia despeja seu fétido esgoto na televisão, no cinema, no teatro e na internet, e numa época em que cerca de 30% dos homens e não poucas mulheres se tornaram viciados em pornografia, esse alerta das Escrituras é absolutamente imperativo.

Deus julgará os impuros e adúlteros. A palavra usada aqui para *impuros* é um termo amplo que inclui não apenas os que praticam sexo antes do casamento, mas também outras formas pecaminosas de lidar com o sexo. Já a palavra usada para *adúlteros* especifica a relação fora do casamento. O texto é claro em afirmar que esses pecados, ainda que não conhecidos dos homens, não passarão impunes aos olhos de Deus. Laubach tem razão ao dizer que Deus sabe quantos pecados acontecem às escondidas, que jamais serão investigados por um tribunal humano. Ele, porém, tem o poder de julgar também os pecados ocultos, e o fará no seu devido tempo.[572]

Em terceiro lugar, *em relação ao dinheiro* (13.5,6). *Seja a vossa vida sem avareza. Contentai-vos com as coisas que tendes; porque ele tem dito: De maneira alguma, te deixarei, nunca jamais te abandonarei. Assim, afirmemos confiantemente: O Senhor é o meu auxílio, não temerei; que me poderá fazer o homem?* Depois de falar a respeito dos perigos do sexo, o autor passa a falar sobre os perigos do dinheiro. Sexo e dinheiro são constantes ameaças a uma vida de santidade. A palavra *avareza* significa literalmente "amor ao dinheiro". O problema não é o dinheiro, mas o amor a ele.

O problema não é ter dinheiro, mas o dinheiro nos ter. O problema não é possuir dinheiro, mas o dinheiro nos possuir. O problema não é carregar dinheiro no bolso, mas entronizá-lo no coração.

O antídoto contra o amor ao dinheiro é o contentamento (Lc 12.15). O apóstolo Paulo diz que o amor ao dinheiro é raiz de todos os males (1Tm 6.10), mas a piedade com contentamento é grande fonte de lucro (1Tm 6.6). O apóstolo Paulo diz que o contentamento é um aprendizado: *Digo isto, não por causa da pobreza, porque aprendi a viver contente em toda e qualquer situação* (Fp 4.11).

A cobiça é o desejo desmedido de ter mais, e nisso se consubstancia o descontentamento do mundo. Ela traz seu próprio castigo, pois o coração que cobiça é amaldiçoado pela insatisfação, e o espírito descontente é amaldiçoado pela cobiça.[573] Por outro lado, o contentamento significa mais que uma aceitação passiva do inevitável. Envolve um reconhecimento positivo de que o dinheiro é relativo.[574]

Em vez de amar o dinheiro e pôr nossa confiança nele, devemos confiar no cuidado permanente de Deus. O dinheiro não pode nos trazer felicidade nem segurança, mas Deus é nosso auxílio permanente. O dinheiro pode nos faltar, mas Deus nunca nos desampara. Os homens podem tirar de nós nosso dinheiro, nossa liberdade e até nossa vida, mas não nos podem tirar nosso tesouro que está no céu. Deus jamais nos abandonará.

Lightfoot diz que as duas citações mencionadas em Hebreus 13.5,6 são calculadas para dar grande segurança aos leitores. Quando a perseguição viesse sobre eles, poderiam perder seus bens materiais, mas não seriam abandonados. Poderiam ser ameaçados de injúrias físicas, mas ninguém iria fazer-lhes mal se estivessem do lado do Senhor.[575]

Wiley compartilha uma bela ilustração da ousadia da fé quando registra o testemunho de João Crisóstomo, o pregador conhecido como "boca de ouro", que foi levado à presença do imperador, o qual lhe disse: "Vou desterrar-te". Crisóstomo respondeu: "Não podes fazê-lo, pois o mundo é a casa de meu Pai". "Matar-te-ei", disse então o imperador. De novo replicou o pregador: "Isso não está nas tuas forças, pois minha vida está escondida com Cristo em Deus". O imperador ameaçou-o: "Privar-te-ei de tudo o que possuis". Crisóstomo respondeu: "Isso também é impossível, pois o meu tesouro está no céu, e as minhas riquezas estão dentro de mim". "Vou separar-te, então, de todos os teus companheiros e não te restará um único amigo." Eis, então, a resposta do pregador: "Nem isso podes fazer-me, pois o meu Amigo divino jamais me deixará. Desafio-te, orgulhoso imperador. Não podes fazer-me mal algum".[576]

Uma vida transformada é conhecida por sua fidelidade inegociável (13.7-9)

Esse capítulo menciona três atitudes que os crentes precisam ter em relação aos seus pastores, líderes e guias espirituais: 1) Devem se lembrar deles (13.7); 2) devem obedecer e ser submissos a eles (13.17); 3) devem saudá-los (13.24). Vamos tratar, no texto em tela, da fidelidade que os crentes devem demonstrar com seus guias, com Jesus Cristo, o Pastor supremo, e com a Palavra de Deus.

Três verdades devem ser aqui destacadas.

Em primeiro lugar, a *fidelidade a seus antigos líderes espirituais* (13.7). *Lembrai-vos dos vossos guias, os quais nos pregaram a palavra de Deus; e, considerando atentamente o fim da sua vida, imitai a fé que tiveram.* Em face do perigo que alguns crentes estavam correndo de voltar para o judaísmo, o autor os exorta a se lembrarem de seus primitivos líderes espirituais, que pregaram a eles a Palavra de Deus. Eles eram líderes fiéis. Mesmo que esses líderes já tivessem partido para a glória, haviam deixado um legado digno de ser imitado. O verbo *mnemoneuete, lembrai-vos*, está no presente contínuo, e isso ressalta a continuidade da ação: isto é, "continuai a lembrar-vos".

Temos a tendência de esquecer o bem que recebemos de pessoas de Deus que passaram pela nossa vida. A Palavra de Deus não aprova a atitude de colocar líderes no pedestal e venerá-los, mas recomenda honrá-los por sua fidelidade (1Ts 5.12,13). Que tipo de líder deve ser relembrado e honrado? Como identificar um pastor verdadeiro? Para encontrar a resposta, três perguntas devem ser feitas.

É um pastor que prega a Palavra de Deus? (13.7). Há líderes que pregam a si mesmos, pregam doutrinas estranhas, pregam outro evangelho. Mas o verdadeiro líder espiritual é aquele que prega a Palavra de Deus com fidelidade.

É um pastor que vive a Palavra de Deus? (13.7). Os crentes devem olhar para esses guias espirituais e considerar atentamente o fim de sua vida: como viveram, como completaram a carreira e como guardaram a fé. Esses guias do passado pregaram a eles a Palavra de Deus. Concordo com Henrichsen quando ele diz que não podemos vincular-nos a um grupo que não honra as Escrituras. Usar a Bíblia como instrumento para justificar aquilo que se faz não é lealdade às Escrituras. Estão os próprios guias sob a autoridade da Bíblia e a ela se submetem?[577]

É um pastor digno de ser imitado? (13.7). A ordem é expressa: *Imitai a fé que tiveram*. Esses guias foram homens de Deus que viveram e morreram na fé, por isso servem de exemplo e modelo para os crentes. A pergunta que devemos fazer agora é: Os líderes que nos governam estão andando em santidade? Estão empenhados em buscar em primeiro lugar o reino de Deus e a sua justiça? Estão comprometidos em cumprir a Grande Comissão? Vivem o que pregam? São padrão dos fiéis na doutrina e na conduta? Os leitores da epístola deveriam imitar a fé demonstrada pelos pastores que lhes pregaram a Palavra! Kistemaker, citando Bengel, diz que nós contemplamos e admiramos mais facilmente a morte feliz dos homens de Deus do que imitamos a fé por meio da qual eles a alcançaram.[578]

Em segundo lugar, *fidelidade a Jesus Cristo, nosso modelo imutável* (13.8). *Jesus Cristo, ontem e hoje, é o mesmo e o será para sempre.* Este versículo está entre a recomendação de líderes fiéis e a condenação de líderes falsos, ou seja, está posicionado entre os guias que deviam ser imitados (13.7) e os pregadores que disseminavam doutrinas novas e estranhas (13.9). Alguns dos crentes hebreus podem ter desviado os olhos de Jesus (12.2) apenas para desenvolver *ouvidos cheios de comichões* (2Tm 4.2) e dar guarida a essas novas e estranhas doutrinas (13.9). É nesse contexto que o autor relembra a seus leitores que Jesus Cristo é imutável. Ele é o nosso modelo supremo. Nunca precisará ser substituído. Sua preeminência é permanente, e sua liderança é eterna.

Ele é sempre o mesmo (1.11,12). No grande *ontem* da história, Jesus Cristo é o eterno Filho de Deus que desfrutou glória excelsa com o Pai antes mesmo da fundação do mundo, esvaziou-se, fez-se carne, morreu na cruz para a nossa redenção e ressuscitou para a nossa justificação. *Hoje* ele é o Filho de Deus ressuscitado, que está entronizado como Sumo Sacerdote à direita de Deus e atua através do Espírito Santo nos fiéis, a fim de reunir e aperfeiçoar sua igreja. O *futuro* é plenamente conhecido por ele. Ele vive para sempre e voltará (10.37) para aqueles que aguardam sua vinda (9.28).

Lightfoot olha para essa mesma passagem com outra perspectiva:

> A ligação com a ideia precedente é que, quando os guias falaram a eles pela primeira vez a palavra de Deus, o tema de sua pregação foi Jesus Cristo. O Jesus a quem pregaram, continua sendo o mesmo Jesus; o evangelho celeste que o anunciou é o mesmo evangelho. Jesus esteve no passado, continua imutável no presente e permanecerá o mesmo por todo o tempo e por toda a eternidade, para sempre.[579]

É para Jesus Cristo que precisamos olhar. Ele é o bom, o grande e o supremo Pastor da igreja. Os líderes da igreja são transitórios. Eles vêm e vão. Chegam e passam. Infelizmente, líderes espirituais fiéis podem ser sucedidos por líderes infiéis, que introduzem na igreja falsas doutrinas. Os guias podem desviar-se do curso e cometer erros, porém Jesus Cristo permanece imutável. Nossos olhos devem estar nele. Ele nunca mudou. O mesmo que ontem desceu da glória, morreu, ressuscitou e está assentado à destra de Deus é aquele que agora intercede por nós e que voltará em glória. Nele não há mudança. Nele podemos confiar.

Warren Wiersbe é oportuno quando alerta: "Nunca construa sua vida sobre nenhum servo de Deus. Construa sua vida sobre Jesus. Ele jamais muda".[580]

Em terceiro lugar, *fidelidade à sã doutrina* (13.9). *Não vos deixeis envolver por doutrinas várias e estranhas, porquanto o que vale é estar com o coração confirmado com graça e não com alimentos, pois nunca tiveram proveito os que com isto se preocuparam.* Toda geração deve travar sua própria luta com a questão da doutrina pura. Para os leitores originais dessa carta o problema eram as restrições alimentares e dietéticas, ou seja, não comer determinados alimentos para buscar através dessa prática uma vida agradável a Deus. Essas coisas eram muito populares no primeiro século tanto entre os judeus como entre os gentios (9.10). Warren Wiersbe diz com razão que leis dietéticas nos impressionam como se fossem espirituais, mas são apenas sombras da realidade que está em Cristo (Cl 2.16-23).[581]

Para Raymond Brown, precisamos observar atentamente o ensino dessa carta sobre a primazia da Palavra de Deus e a supremacia do Filho de Deus, a fim de não sermos envolvidos nessas novas e estranhas doutrinas.[582] Os falsos mestres sempre querem se infiltrar na igreja como lobos devoradores, a fim de tirar a liberdade das ovelhas, oprimi-las e devorá-las (At 20.29,30).

Como já afirmamos, os falsos mestres estão aqui trazendo novamente a surrada heresia da abstinência de determinados alimentos como condição de santificação. Estão colocando a graça em contraste com a comida. Vale a pena destacar que o apóstolo Paulo já reprovou, de forma incontroversa, essa heresia em suas cartas (Rm 14.1-6,17; 1Co 8.8-13; Cl 2.16,17; 1Tm 4.1-5). Resta claro que aquilo que nos confirma diante de Deus não é o alimento que entra e sai de nosso estômago, mas a graça que alimenta o nosso coração.

Donald Guthrie diz que a dependência de Deus se fundamenta na graça, e não nos alimentos.[583] Corroborando esse pensamento, Barclay escreve: "O autor está convencido de que a verdadeira fortaleza do homem só provém da graça divina, e qualquer coisa que o homem coma não tem nenhuma relação com seu fortalecimento espiritual".[584]

Kistemaker é ainda mais incisivo: "A comida vai para o estômago para fortalecer o corpo; mas somente a graça fortalece o coração, isto é, o centro vital do ser do homem e de sua personalidade e a fonte de sua conduta e caráter".[585]

Muitas foram as heresias que se infiltraram na igreja no passado, como legalismo, ascetismo e sincretismo. Hoje, novas heresias tentam se aninhar sorrateiramente na igreja, como o liberalismo, o ecumenismo, o misticismo, a teologia da libertação, a teologia da prosperidade e a teologia da confissão positiva. Muitas outras heresias tentarão perverter a verdade e enganar os crentes nos anos por vir. Precisamos estar atentos. Não podemos nos tornar prisioneiros daqueles que torcem a verdade e querem tirar nossa liberdade em Cristo.

Voltando a Hebreus 13.9, o autor destaca três aspectos dessas falsas doutrinas.

Elas são várias e estranhas (13.9). A palavra grega *poikilos,* traduzida por *várias*, significa "multicolorida". As falsas doutrinas têm cores diferentes, mas a verdade é uma só e imutável. A palavra grega *xenais,* traduzida por *estranhas*, significa "forasteiro, estrangeiro, estranho". Assim como um estranho não apresenta uma face conhecida e desperta suspeita, precisamos nos acautelar contra as novidades do mercado da fé, que vêm para desviar os crentes da sã doutrina.

Elas desvalorizam a graça (13.9). Não há mais lugar no cristianismo para sacrifícios materiais, oferta de animais, refeições sagradas ou altares de sacrifício. Tudo isso se foi.[586] Não obstante, as falsas doutrinas sempre querem trazer de volta essas práticas, enfatizando coisas externas como comida, bebida, ritos e cerimônias. Nada disso confirma o coração com graça. Ao contrário, afasta as pessoas da perfeita obra de Cristo para mantê-las num cabresto apertado de pesado legalismo.

Elas não trazem proveito (13.9). As falsas doutrinas são sempre inúteis e nocivas. Aqueles que se agarram aos rudimentos de usos e costumes, leis dietéticas e rituais externos a fim de buscar uma vida de santificação, esses caem num legalismo hipócrita, sem nenhum proveito.

Uma vida transformada é conhecida por seu culto centralizado na pessoa de Cristo e seu perfeito sacrifício na cruz (13.10-14)

O autor aos Hebreus volta ao seu tema central, tratando pela última vez do sacerdócio de Cristo. Turnbull diz corretamente que esse é o seu último golpe contra a futilidade do sistema levítico. É um apelo final que faz aos seus leitores para se desligarem definitivamente do judaísmo.[587]

Wiley diz que temos aqui uma declaração de privilégio, e não uma exortação do dever. O texto é apologético no sentido de que é a defesa do autor da epístola contra uma suposta deficiência da parte dos cristãos. Tanto os pagãos como os judeus censuravam os cristãos por estes não possuírem um serviço de culto aprimorado, com templo, altares e sacrifícios. O escritor da epístola se opõe a essas objeções dizendo que temos um altar.[588] Que altar é esse? Vejamos a argumentação do autor aos Hebreus.

Em primeiro lugar, *a cruz é o nosso altar* (13.10). *Possuímos um altar do qual não têm direito de comer os que ministram no tabernáculo.* No santuário do Antigo Testamento, havia dois altares: o altar de bronze do sacrifício e o altar de ouro da queima de incenso, mas o altar do novo concerto é Jesus. É por meio dele que oferecemos sacrifícios espirituais a Deus (13.15). O altar referido aqui é o sacrifício de Cristo na cruz. Corroborando essa ideia, F. F. Bruce, diz que "altar" é usado aqui por metonímia para "sacrifício" e refere-se ao sacrifício de Cristo, cujos benefícios são eternamente acessíveis.[589] Nessa mesma linha de pensamento, Lightfoot registra: "Os cristãos têm um altar porque têm um sacrifício – o grandioso e único oferecimento que Cristo fez de si mesmo, de uma vez para sempre".[590] Os que permanecem no judaísmo ou voltam para ele não têm parte nesse sacrifício.

Como o corpo da vítima era queimado fora do acampamento, assim também foi Jesus crucificado fora das portas de Jerusalém. Para que nos tornemos participantes daquele sacrifício, devemos sair do arraial do judaísmo, mesmo que isso signifique levar o opróbrio de Cristo. É como se o autor dissesse: "Deveis fazer vossa escolha entre o cristianismo e o judaísmo. Não é possível amalgamar os dois. Ou escolhereis o ritual levítico, ou o único sacrifício de Cristo. Ambos se excluem mutuamente".[591]

Em segundo lugar, *o sacrifício da expiação era sombra de Cristo* (13.11). *Pois aqueles animais cujo sangue é trazido para dentro do Santo dos Santos, pelo sumo sacerdote, como oblação pelo pecado, têm o corpo queimado fora do acampamento.* Tudo naquela oferta pelos pecados apontava para nosso Senhor Jesus Cristo. Nosso interesse não está nos altares do Antigo Testamento, mas no altar do qual não têm o direito de se aproximar os que praticam apenas os atos exteriores da religião levítica. O nosso altar é Cristo. Laubach está correto quando diz que a ordem do Antigo Testamento sobre a prática do sacrifício era tão somente um ato simbólico e continha a referência direta ao caminho sacrificial de Jesus até a cruz.[592]

Warren Wiersbe esclarece esse ponto da seguinte maneira:

> Um judeu sob o antigo concerto poderia destacar o templo, mas o cristão tem um santuário celeste que jamais pode ser destruído. Os judeus estavam orgulhosos da cidade de Jerusalém, mas um cristão tem uma cidade eterna, a nova Jerusalém. Para cada item temporário e terreno do antigo concerto, o novo concerto tem outro item eterno e celestial.[593]

Em terceiro lugar, *Cristo sofreu fora da porta para santificar seu povo* (13.12). *Por isso, foi que também Jesus, para santificar o povo, pelo seu próprio sangue, sofreu fora da porta.* Chegamos, agora, ao clímax de toda a epístola, isto é, o alto e sagrado propósito de Jesus: santificar o povo com seu próprio sangue, para o que ele sofreu fora do arraial (Jo 19.20).[594] Não foi dentro da Jerusalém terrena que Cristo sofreu, mas fora da cidade, deixando assim de lado todos os rituais levíticos que ocorriam dentro daquela cidade. A redenção foi realizada sem nenhuma referência a tais rituais.[595]

Laubach tem razão ao dizer que Jesus trouxe o verdadeiro cumprimento do sacrifício do Antigo Testamento e se submeteu integralmente às ordens da antiga aliança ao realizar a autoentrega. Contudo, a rendição voluntária de sua vida foi mais que todos os sacrifícios de animais ofertados em todos os templos. Ele morreu fora dos portões da *cidade do grande Rei* (Mt 5.35; Lv 24.14; Nm 15.35). Ninguém, no entanto, pode receber perdão, purificação e santificação, isto é, ingressar na comunhão de vida com Cristo, se não quiser entrar também na comunhão de seus sofrimentos.[596]

Em quarto lugar, *encontramos Cristo fora da porta* (13.13a). *Saiamos, pois, a ele, fora do arraial...* A pena capital no mundo antigo era sempre infligida fora da cidade; por isso, Jesus foi crucificado fora das portas de Jerusalém. Juntemo-nos, portanto, ao nosso Salvador, fora do arraial, não tendo mais ligação com os rituais e cerimoniais levíticos. Rompamos definitivamente com o judaísmo!

Lightfoot corrobora essa ideia dizendo que a exortação é para os leitores quebrarem todos os laços com o judaísmo. Desde que no Antigo Testamento o "arraial" representava a comunidade religiosa de Israel, sair do arraial significava afastar-se por completo do povo incrédulo de Israel. A exortação é para que os leitores cortem todos os elos que os prendem ao judaísmo. Sua glória desapareceu. Os que quiserem partilhar da verdadeira oferta pelo pecado devem abandonar a antiga religião.[597]

A igreja dos hebreus estava querendo voltar para dentro dos muros da religiosidade judaica, e o escritor aos Hebreus os exorta a não fazer isso, porque é fora da porta que se tem o encontro com Cristo. Jesus está do lado de fora do portão. Você pode encontrá-lo na rua, na esquina, na vida, na escola, no trabalho, nas suas atividades, no vai e vem da vida. Jesus não pode ser encontrado apenas no templo. Ele é maior que o templo, a religião e as tradições religiosas. Isso desloca o eixo da espiritualidade para a mesa de reuniões, para a cozinha, para a cama conjugal. Saiamos, pois, a ele fora do arraial. A santidade precisa estar presente não apenas dentro da igreja, mas também e, sobretudo, no lar, na faculdade, na empresa, na rua. Não podemos nos contentar com uma santidade intramuros, prisioneira do confinamento religioso.

Em quinto lugar, *sofremos por Cristo fora da porta* (13.13b). ... *levando o seu vitupério*. Assim como Jesus sofreu fora da porta, saiamos ao seu encontro, levando o seu vitupério. Soframos essa reprovação e identifiquemo-nos abertamente com nosso Senhor *fora do arraial.*

Henrichsen diz que todos nós nos encantamos com a ideia de juntar-nos a Jesus no Santo dos Santos, porém a ideia de unir-nos a ele na cruz não nos atrai. O que significa levar seu vitupério? Para os leitores originais da carta, simbolizava serem chamados a sofrer perseguição por sua fé.[598] Da mesma forma que Moisés *considerou o opróbrio de Cristo por maiores riquezas do que os tesouros do Egito* (11.26), eles também deveriam calcular sabiamente e estar dispostos a sofrer censuras pelo nome dele.

Barclay acrescenta:

> Cristo havia sido crucificado fora da porta como proscrito, expulso pelos homens; foi acusado de ser um criminoso; foi contado entre os transgressores. Semelhantemente nós devemos sair para fora das portas e carregar sobre nós a mesma reprovação que carregou Cristo. Os cristãos devem estar preparados para suportar o mesmo tratamento do mundo que Cristo suportou.[599]

Fica evidente que o escritor aos Hebreus está dizendo que o lugar do nosso combate é do lado de fora do portão, e não do lado de dentro. Às vezes, perdemos um tempo enorme no combate interno, despendemos uma energia enorme em controvérsias do lado de dentro e não partimos para a luta do bem contra o mal, contra as forças malignas que dominam este mundo tenebroso. O que o escritor está dizendo é que devemos sofrer no combate certo e no lugar certo. É do lado de fora que precisamos levar o vitupério de Cristo.

Em sexto lugar, *somos peregrinos neste mundo* (13.14). *Na verdade, não temos aqui cidade permanente, mas buscamos a que há de vir*. Nós precisamos estar plenamente conscientes da transitoriedade da vida. Qualquer provação que suportarmos nesta vida logo passará. Não estamos na terra para sempre. Logo estaremos no céu. Nossa esperança não se limita a uma cidade terrena ou ao que acontece por aqui. Nossa esperança está na cidade celestial prestes a tornar-se visível. Essa cidade permanecerá quando tudo mais tiver passado.[600]

Lightfoot corrobora essa ideia dizendo que, se os cristãos, como Cristo, tiverem de ser lançados fora, o que importa? Nada material é de valor para os cristãos. Eles são párias e peregrinos; mas, como Abraão, aguardam *a cidade que tem fundamentos, da qual Deus é o arquiteto e edificador* (11.10).[601] Não há nada aqui de permanente. Nossas raízes não são daqui. Nascemos de cima. Nosso destino não é aqui. Nosso lar é o céu. Nossa pátria não é aqui. Somos cidadãos do céu. Nosso tesouro não está aqui, mas no céu. Nossa recompensa não será recebida aqui, mas no céu. Tudo aqui é provisório. Moramos numa tenda provisória. Aqui estamos de passagem. Caminhamos para uma Pátria superior.

Uma vida transformada oferece sacrifícios agradáveis a Deus (13.15,16)

Com seu sacrifício singular, Jesus Cristo suspendeu toda a ordem sacrificial do Antigo Testamento. Através dele, passa a vigorar um novo serviço de sacrifícios. Em outras palavras, depois de mostrar a inocuidade dos sacrifícios do sistema levítico, o autor passa a falar sobre os sacrifícios espirituais que agradam a Deus. Vejamos a seguir.

Em primeiro lugar, *sacrifícios de louvor a Deus* (3.15). *Por meio de Jesus, pois, ofereçamos a Deus, sempre, sacrifício de louvor, que é o fruto de lábios que confessam o seu nome.* Os cristãos não fazem mais sacrifícios de animais nem abluções de sangue. Essa época já passou. Oferecemos hoje sacrifícios de louvor. Olyott tem plena razão ao dizer:

> O cristianismo não é uma religião de formas e cerimônias, ofertas e liturgias, sacerdotes e mistérios, ordens de faça isso e não faça aquilo, altares e velas, paramentos e placas, incensos e crucifixos, santos, ícones, sinos, sacrifícios ou qualquer outra coisa semelhante. Uma religião que dê atenção a essas coisas não é cristianismo, pois tal doutrina consiste no dom da graça de Deus no coração.[602]

Nossos sacrifícios agora são espirituais. Nós os oferecemos sempre a Deus por intermédio de Cristo. Que sacrifícios são esses? O sacrifício de louvor, que é o fruto de lábios que confessam o seu nome. Esse sacrifício não é apenas música, mas sobretudo louvor, apesar das circunstâncias. Por isso, devem estar em nossos lábios sempre, ou seja, de forma ultracircunstancial. As Escrituras dizem que *a alegria do Senhor é a nossa força* (Ne 8.10). Paulo exorta que devemos nos alegrar sempre no Senhor (Fp 4.4). Esses sacrifícios de louvor são endereçados a Deus, e não aos homens. São por intermédio de Cristo, e não mediante algum outro mediador (1Tm 2.5). Esses sacrifícios são, acima de tudo, o testemunho ousado, mesmo em face do perigo, do nome de Jesus, o nome que está acima de todo nome. Enquanto somos atacados do lado de fora, brandimos a espada do Espírito, abrindo nossos lábios num sacrifício de louvor, confessando o nome de Cristo.

O próprio contexto imediato nos mostra muitos e eloquentes motivos para erguermos aos céus nosso preito de louvor. Temos louvado a Deus pela realidade do amor fraternal, que tem sido demonstrado a nós (13.1)? Temos dado graças a Deus pela generosa hospitalidade que geralmente temos recebido (13.2)? Temos louvado a Deus pelo cuidado compassivo de irmãos que nos assistiram em nossas dificuldades e aflições (13.3)? Temos dado graças a Deus pela bênção de um casamento regado de amor e cuidado (13.4)? Temos dado graças a Deus pela bondosa provisão divina, suprindo nossas necessidades materiais (13.5,6)? Temos rendido louvores a Deus pelos nossos líderes espirituais, pastores, presbíteros, diáconos, professores de Escola Bíblica Dominical, que nos ensinam fielmente as Escrituras (13.7)? Temos oferecido a Deus sacrifícios de louvor, por Jesus Cristo, seu imutável Filho, por sua morte salvífica, seu presente cuidado e seu futuro plano (13.8)? Temos rendido louvores a Deus pela bênção da sã doutrina compartilhada conosco por nossos guias passados e disponíveis para nós hoje nas Santas Escrituras (13.9)? Tudo isso, e muito mais, deveria inspirar nossa adoração e ações de graças.

Em segundo lugar, *sacrifícios de generosidade* (13.16). *Não negligencieis, igualmente, a prática do bem e a mútua cooperação; pois, com tais sacrifícios, Deus se compraz.* O escritor menciona mais dois sacrifícios espirituais que agradam a Deus: a prática do bem e a mútua cooperação. A palavra grega *koinonias,* traduzida aqui por *mútua cooperação*, significa principalmente comunhão espiritual, um povo reunido pelos laços da fé e do amor.[603]

O louvor dos lábios precisa ser confirmado com mãos generosas. O que fazemos no culto público precisa ser referendado por nossas ações fora dos portões. Precisamos procurar oportunidades para fazer o bem aos outros. Bob Pierson, fundador da Visão Mundial, orava: "Senhor, quebra-me o coração com as coisas que quebram o teu coração". Veja o mundo através dos olhos de Jesus, sinta a necessidade das pessoas com o coração de Jesus e estenda suas mãos para socorrer os necessitados em obediência à palavra de Jesus. Esse é um sacrifício agradável a Deus. Augustus Nicodemus está coberto de razão quando escreve: "Louvor de lábios que professam o nome de Cristo, sem mãos e pés que sirvam ao próximo, é um louvor que não agrada a Deus. Nossa vida inteira é um culto de louvor a Deus, não somente o que cantamos".[604]

Uma vida transformada demonstra uma obediência agradável a Deus (13.17-22)

A vida transformada é uma vida de obediência. Vejamos alguns aspectos dessa obediência.

Em primeiro lugar, *crentes fiéis obedecem à sua liderança espiritual* (13.17-19). Há aqui um grande equilíbrio. O autor está dizendo: saiam do confinamento, mas não se tornem autônomos; saiam para fora do portão, mas não se esqueçam de escutar seus líderes espirituais; não fiquem domesticados, mas ouçam seus líderes espirituais; venham para fora do portão, mas mantenham o coração e os ouvidos dependentes da Palavra de Deus.

Em Hebreus 13.7, o autor falou dos guias ou pastores passados, aqueles que levaram aos crentes o evangelho, mas esses já haviam passado. Novos guias agora os lideravam. Olyott trata do assunto em tela dizendo que essa sucessão é natural: Moisés foi sucedido por Josué; Elias, por Eliseu; e Paulo por Timóteo. Ao lastimarmos a perda daqueles que nos deixaram, não podemos desprezar, de maneira nenhuma, os que Deus designou para substituí-los. Os líderes que morreram foram chamados para o seu tempo, e nossos líderes atuais são chamados *para conjuntura como esta* (Et 4.14). Assim como é nosso dever refletir sobre nossos líderes do passado, é também nosso dever ter uma atitude correta quanto aos líderes atuais.[605] Os crentes precisam prestar a eles obediência e submissão. Esses guias precisam ser relembrados (13.7), obedecidos (13.17) e saudados (13.24).

O autor fala sobre os líderes presentes e como os crentes devem tratá-los.

Como os crentes devem tratar seus guias espirituais? (13.17). *Obedecei aos vossos guias e sede submissos a eles...* O texto menciona duas atitudes: responsável obediência e respeitosa submissão. Obediência pelo que ensinam e submissão pela função que ocupam. Assim como o Novo Testamento não encoraja submissão subserviente, também não apoia insubmissão irreverente. Assim como a Bíblia reprova a atitude do pastor ditador (1Pe 5.3), também condena a atitude do crente desobediente aos seus guias espirituais.

Os pastores são chamados por Deus e constituídos pelo Espírito Santo como bispos para pastorearem o rebanho de Deus (At 20.28). O verbo *hupekeike,* traduzido por *sede submissos,* é usado com frequência na literatura clássica grega, mas, no Novo Testamento, ocorre apenas aqui. Parece expressar aquela entrega da própria vontade ao julgamento de outrem que reconhece a autoridade constituída, ao mesmo tempo que mantém independência pessoal. Já o verbo *peithesthe,* traduzido por *obedecei,* vem do radical que significa "persuadir", e é, pois, uma obediência mais por convicção que por ordem ou imposição.[606] Isso significa que esses pastores não designam a si mesmos pastores e líderes sobre o rebanho. Eles são divinamente constituídos como guias do rebanho, submissos ao Sumo Pastor, Jesus (At 20.28; 1Pe 5.1-4).

Por que os crentes devem honrar seus guias espirituais? (13.17). *... pois velam por vossa alma, como quem deve prestar contas...* A palavra grega *agrypneo,* traduzida aqui por *velam,* era a mesma usada para o pastor que guardava o seu rebanho, sentinela que guardava a cidade e o centurião que prestava plena atenção aos seus soldados.[607] Os pastores têm um solene compromisso diante de Deus de velar pela alma de suas ovelhas. São chamados para apascentar as ovelhas, e não para as explorar. Para cuidar delas, e não para as devorar. Os pastores não só têm o dever de velar pela alma de suas ovelhas, mas deverão prestar contas de cada uma delas diante de Deus.

Embora todos devamos cuidar uns dos outros (3.13; 10.25), Cristo designou os presbíteros e os pastores para serem especialmente responsáveis por esse cuidado (At 20.28). No juízo final, eles prestarão contas de como desempenharam tal tarefa. Responderão ao Senhor pelo exemplo que deram, pelo ensino que ministraram na igreja e pelo cuidado que praticaram. Que tremenda responsabilidade a deles![608] Por isso, Calvino ressalta que o propósito do autor da epístola aos Hebreus é mostrar que, quanto mais pesada é a responsabilidade dos guias, maior honra eles merecem, pois, quanto mais alguém sofre por nossa causa, e quanto maior for sua dificuldade e maiores forem os riscos enfrentados por nós, maiores também serão nossas obrigações para com eles.[609]

O que os crentes precisam evitar no trato com seus guias espirituais? (13.17). *... para que façam isto com alegria e não gemendo; porque isto não aproveita a vós outros.* Há ovelhas que escoiceiam o pastor e resistem à sua liderança. Há aquelas que se rebelam contra o pastor e o seu ensino (2Tm 4.14,15). Há ovelhas que são um pesadelo na vida de seu pastor. Fazem da vida dele uma sinfonia de gemidos. Isso não traz proveito para a ovelha nem para o pastor. Calvino acrescenta: "Será algo completamente sem proveito para o povo provocar lágrimas e mágoas em seus pastores, movidos por ingratidão".[610]

Em segundo lugar, *líderes fiéis reconhecem a necessidade de oração* (13.18,19). *Orai por nós, pois estamos persuadidos de termos boa consciência, desejando em todas as coisas viver condignamente. Rogo-vos, com muito empenho, que assim façais, a fim de que eu vos seja restituído mais depressa.* O autor da carta, como um pastor do rebanho, demonstra aqui sua humildade e sua dependência de Deus, rogando as orações da igreja em seu favor. Não se julga autossuficiente. Não obstante ser um profundo conhecedor das Escrituras e usar uma argumentação irresistível em favor do evangelho, reconhece sua plena necessidade da ajuda divina por intermédio das orações da igreja.

O apóstolo Paulo tinha a mesma atitude de pedir oração da igreja em seu favor: *Rogo-vos, pois, irmãos, por nosso Senhor Jesus Cristo e também pelo amor do Espírito, que luteis juntamente comigo nas orações a Deus a meu favor* (Rm 15.30). Ao escrever à igreja de Éfeso, diz: *Com toda oração e súplica, orando em todo tempo no Espírito e para isto vigiando com toda perseverança e súplica por todos os santos e também por mim; para que me seja dada, no abrir da minha boca, a palavra, para, com intrepidez, fazer conhecido o mistério do evangelho* (Ef 6.18,19).

Barclay ilustra esse ponto dizendo que, quando Baldwin foi designado Primeiro Ministro da Grã-Bretanha, seus amigos se ajuntaram a seu redor para felicitá-lo. Sua resposta às felicitações foi: "Não são vossas felicitações que necessito; são vossas orações".[611]

Em seu pedido de oração, o escritor destaca alguns pontos.

Uma correta motivação (13.18). Ele ensinou e exortou a igreja de forma austera. Terçou a espada do Espírito como um destemido guerreiro, desferindo golpes mortais contra o perigo de abandonar o cristianismo e voltar para o judaísmo. Mas estava persuadido de que sua palavra de exortação havia sido dada com boa consciência.

Uma correta postura espiritual (13.18). Ele confessa seu desejo de, em todas as coisas, viver condignamente. Ele precisa de oração para que sua vida seja avalista de suas palavras e para que seu testemunho referende sua pregação e ensino.

Em terceiro lugar, *obediência a Deus* (13.20,21). O autor passa de seu pedido de oração à igreja para sua oração em favor da igreja. Sua oração, na verdade, é uma doxologia, na qual ele reúne os principais temas de Hebreus: a paz, a ressurreição de Cristo, o sangue da eterna aliança, a maturidade espiritual, a obra de Deus no crente e a pessoa de Cristo como pastor. Nessa doxologia, outrossim, ele apresenta a pessoa de Deus Pai e a pessoa de Deus Filho. Ele destaca quatro verdades sobre o Pai e quatro sobre o Filho.

Quem é o Deus Pai (13.20,21). Nessa sublime doxologia quatro verdades são apresentadas sobre Deus Pai: 1) Ele é o Deus da paz – Ele nos reconciliou consigo mesmo por intermédio de Cristo. Agora temos paz com Deus e a paz de Deus. 2) Ele é o Deus da vida – A ressurreição caracteriza o triunfo de Cristo sobre a morte e a aceitação do seu sangue como expiação pelo pecado. 3) Ele é o Deus aperfeiçoador dos santos. 4) Ele é o Deus operador de todo bem na vida dos santos.

Quem é o Deus Filho (13.20,21). De igual forma, quatro verdades são apresentadas sobre o Deus Filho: 1) Ele é o nosso Senhor. 2) Ele é o grande pastor das ovelhas – Cristo é o bom, o grande e o supremo pastor. Como bom pastor, ele morreu pelas ovelhas; como grande pastor, ele vive pelas ovelhas; como supremo pastor, ele voltará para as ovelhas. 3) Ele é o autor da eterna aliança – Cristo é o fiador da aliança e o ministro do santuário. Como o primeiro, ele age na terra; como o segundo, ministra do seu trono nos céus. 4) Ele é o recebedor da glória eterna.

Em quarto lugar, *obediência à palavra* (13.22). *Rogo-vos ainda, irmãos, que suporteis a presente palavra de exortação; tanto mais quanto vos escrevi resumidamente*. Essa epístola, que mais parece um tratado teológico do que uma carta, aqui é chamada pelo próprio autor de uma *palavra de exortação*. Ele prepara o caminho para a leitura da carta, pois sabe que foi enfático, firme, austero, e muitos crentes poderiam não suportar essa exortação. Ele roga aos crentes para acolherem a Palavra de Deus como uma mensagem exortativa. Sabe que o assunto é complexo e amplo, e que escreveu resumidamente, mas tem plena consciência da eficácia da Palavra de Deus.

Augustus Nicodemus assim explica esse ponto:

> A carta aos Hebreus é o rompimento mais radical com o Antigo Testamento que se encontra no Novo Testamento. Na carta aos Gálatas, Paulo rompe com o judaísmo e, na carta aos Romanos, também, embora de maneira mais branda; mas a carta aos Hebreus é bastante radical quando diz que o templo, a lei, os sacrifícios são todos velhos e ultrapassados, não têm valor algum. E os leitores dele eram judeus que tinham se convertido a Jesus. Então, para quem é judeu recém-convertido a Jesus, receber uma carta dessas dizendo

> para não voltar atrás, porque nada daquilo tem valor mais, poderia ser um choque radical. Por isso, ele diz: "Suportem essa palavra de exortação".[612]

Wiley está certo quando escreve: "Nenhuma doutrina é bem compreendida antes de apelar à consciência, atingir o coração e afetar a conduta".[613] Nessa mesma linha de pensamento. Raymond Brown diz que a verdade não é apenas uma mensagem para ler, ou uma história para inspirar, mas uma exortação para observar e uma instrução para obedecer.[614]

Conclusão (13.23-25)

O autor conclui sua maiúscula epístola trazendo algumas informações, traçando alguns planos, fazendo algumas saudações e invocando a bênção de Deus sobre a igreja. Vejamos.

Em primeiro lugar, *informações* (13.23). *Notifico-vos que o irmão Timóteo foi posto em liberdade...* Tudo nos faz crer que esse Timóteo é o jovem Timóteo, filho na fé do apóstolo Paulo e seu principal cooperador. Timóteo devia estar preso e agora está livre. Essa informação traria conforto aos irmãos.

Em segundo lugar, *planos* (13.23b). *... com ele, caso venha logo, vos verei.* O autor da carta aos Hebreus faz planos de visitar os irmãos na companhia de Timóteo, caso ela venha logo. O pastor sente saudade do seu povo e deseja estar ao seu lado, sobretudo em tempos de provas. Pastor gosta de ovelhas e tem cheiro de ovelhas.

Em terceiro lugar, *saudações* (13.24). *Saudai todos os vossos guias, bem como todos os santos. Os da Itália vos saúdam.* O autor da carta recomenda que os crentes se lembrem, obedeçam, se submetam e também saúdem seus guias.

Não deixa nenhum deles de fora. Não tem ciúmes nem inveja. Sabe trabalhar em equipe e valorizar a liderança de outros homens de Deus. Sabe respeitar os outros colegas de ministério. Num tempo em que há tanta competição no meio evangélico entre pastores, essa exortação bíblica é assaz oportuna.

O escritor pode estar em alguma parte da Itália, escrevendo para Roma, ou pode estar em algum outro lugar, de onde envia saudações de italianos morando no estrangeiro. Mas, seja como for, faz pouca diferença para a maneira de compreender essa epístola.[615]

Em quarto lugar, *bênção final* (13.25). *A graça seja com todos vós*. A graça de Deus é a fonte da salvação, é melhor que a vida e a força suficiente do crente no sofrimento. Tendo a graça, a maravilhosa graça, cuja profundidade o homem não consegue sondar e cujas alturas o homem não consegue atingir, a igreja triunfa sobre as aflições e vive na fé sem olhar para trás, pois a graça é essa obra imerecida, interna, espiritualmente transformadora e pessoalmente fortalecedora. A graça é a fonte das águas vivas que flui através do deserto, o poder que nos capacita, não obstante as adversidades, a alcançar a terra prometida, o lugar do nosso descanso, a Jerusalém celestial.[616]

Notas

[556] Wiersbe, Warren W., *The bible exposition commentary*, vol. 2, p. 326.
[557] Brown, Raymond, *The message of Hebrews*, p. 249.
[558] Olyott, Stuart, *A carta aos Hebreus*, p. 128.
[559] Calvino, João, *Hebreus*, p. 368.
[560] Brown, Raymond, *The message of Hebrews*, p. 249.

[561] CALVINO, João, *Hebreus*, p. 367-368.
[562] GUTHRIE, Donald, *Hebreus: introdução e comentário*, p. 250.
[563] BARCLAY, William, *Hebreos,* 1973, p. 197.
[564] LIGHTFOOT, Neil R., *Hebreus*, p. 302.
[565] HENRICHSEN, Walter A., *Depois do sacrifício,* 1981, p. 161.
[566] CALVINO, João, *Hebreus*, p. 369.
[567] OLYOTT, Stuart, *A carta aos Hebreus*, p. 128.
[568] CALVINO, João, *Hebreus*, p. 370-371.
[569] WILEY, Orton H., *Comentário exaustivo da carta aos Hebreus*, p. 539.
[570] LIGHTFOOT, Neil R., *Hebreus*, p. 304.
[571] Ibidem.
[572] LAUBACH, Fritz, *Carta aos Hebreus*, p. 222.
[573] WILEY, Orton H., *Comentário exaustivo da carta aos Hebreus*, p. 540.
[574] GUTHRIE, Donald, *Hebreus: introdução e comentário*, p. 252.
[575] LIGHTFOOT, Neil R., *Hebreus*, p. 305.
[576] WILEY, Orton H., *Comentário exaustivo da carta aos Hebreus*, p. 541.
[577] HENRICHSEN, Walter A., *Depois do sacrifício,* 1981, p. 164.
[578] KISTEMAKER, Simon, *Hebreus*, p. 580.
[579] LIGHTFOOT, Neil R., *Hebreus*, p. 306.
[580] WIERSBE, Warren W., *The bible expository commentary*, vol. 2, p. 328.
[581] Ibidem.
[582] BROWN, Raymond, *The message of Hebrews*, p. 256-257.
[583] GUTHRIE, Donald, *Hebreus: introdução e comentário*, p. 255.
[584] BARCLAY, William, *Hebreos,* 1973, p. 202.
[585] KISTEMAKER, Simon, *Hebreus*, p. 584.
[586] BROWN, Raymond, *The message of Hebrews*, p. 257.
[587] TURNBULL, M. Ryerson, *Levítico e Hebreus*, p. 161.
[588] WILEY, Orton H., *Comentário exaustivo da carta aos Hebreus*, p. 545.
[589] BRUCE, F. F., *Commentary on the epistle to the Hebrews.* London: New London Commentary, 1965, p. 399.
[590] LIGHTFOOT, Neil R., *Hebreus*, p. 308.
[591] TURNBULL, M. Ryerson, *Levítico e Hebreus*, p. 161.
[592] LAUBACH, Fritz, *Carta aos Hebreus*, p. 226.
[593] WIERSBE, Warren W., *The bible expository commentary*, vol. 2, p. 329.
[594] WILEY, Orton H., *Comentário exaustivo da carta aos Hebreus*, p. 546.
[595] OLYOTT, Stuart, *Levítico e Hebreus*, p. 138.
[596] LAUBACH, Fritz, *Carta aos Hebreus*, p. 227.
[597] LIGHTFOOT, Neil R., *Hebreus*, p. 310.
[598] HENRICHSEN, Walter A., *Depois do sacrifício,* 1981, p. 167.
[599] BARCLAY, William, *Hebreos,* 1973, p. 204.

[600] Olyott, Stuart, *A carta aos Hebreus*, p. 139.
[601] Lightfoot, Neil R., *Hebreus*, p. 310.
[602] Olyott, Stuart, *A carta aos Hebreus*, p. 139-140.
[603] Wiley, Orton H., *Comentário exaustivo da carta aos Hebreus*, p. 555.
[604] Lopes, Augustus Nicodemus, *Hebreus*, p. 342.
[605] Olyott, Stuart, *A carta aos Hebreus*, p. 133.
[606] Wiley, Orton H., *Comentário exaustivo da carta aos Hebreus*, p. 557.
[607] Brown, Raymond, *The message of Hebrews*, p. 263.
[608] Olyott, Stuart, *A carta aos Hebreus*, p. 134.
[609] Calvino, João, *Hebreus*, p. 382.
[610] Ibidem, p. 383.
[611] Barclay, William, *Hebreos,* 1973, p. 206.
[612] Lopes, Augustus Nicodemus, *Hebreus*, p. 349.
[613] Wiley, Orton H., *Comentário exaustivo da carta aos Hebreus*, p. 563.
[614] Brown, Raymond, *The message of Hebrews*, p. 270.
[615] Guthrie, Donald, *Hebreus: introdução e comentário*, p. 263.
[616] Hughes, Philip Edgcumbe, *A commentary on the epistle to the Hebrews,* 1977, p. 594.

Sua opinião é importante para nós.
Por gentileza, envie-nos seus comentários pelo e-mail:

editorial@hagnos.com.br

Visite nosso site:

www.hagnos.com.br